해결의 법칙

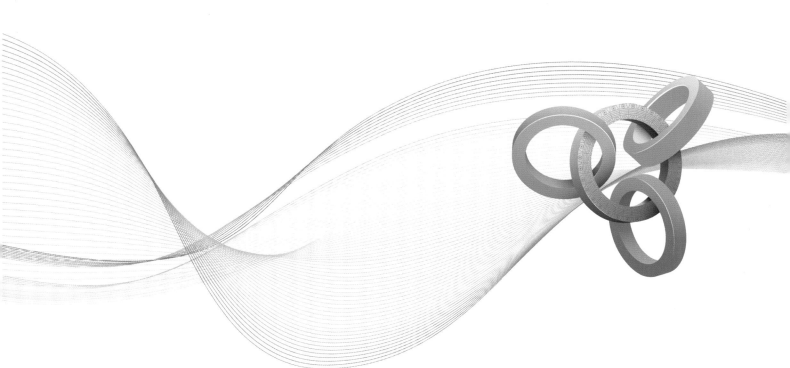

중학 수학 **3**-2

유형 **해결**의 **법칙**

개념과 문제를 유형화하여 공부하는 것은
수학 실력 향상의 밑거름입니다.
가장 효율적으로 유형을 나누어 연습하는

최고의 유형 문제집!

STRUCTURE
구성과 특징

개념 마스터

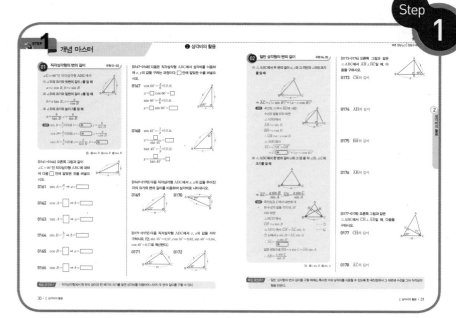

● **개념 정리**

교과서의 핵심 개념 및 기본 공식, 정의 등을 정리하고 예, 참고 등의 부가 설명을 통해 보다 쉽게 개념을 이해할 수 있도록 하였습니다.

● **기본 문제**

개념과 공식을 바로 적용하여 해결할 수 있는 기본적인 문제를 다루어 개념을 확실하게 익힐 수 있도록 하였습니다.

유형 마스터

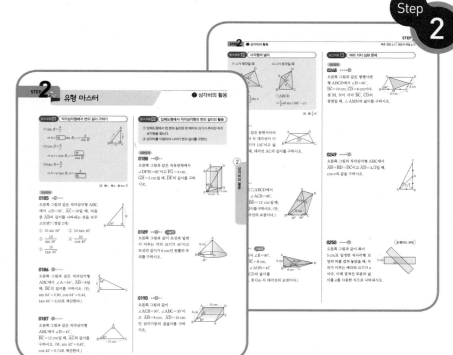

● **필수 유형 & 핵심 개념 정리**

중단원의 기출 필수 유형을 선정하고, 그 유형 학습에 필요한 개념 및 대표 문제를 제시하였습니다.

중요

내신 출제율이 높고 꼭 알아두어야 할 유형에 중요 표시를 하였습니다.

대표문제

각 유형에서 시험에 자주 출제되는 문제를 대표문제로 지정하였습니다.

발전유형

발전 유형을 필수 유형과 다른 색으로 표시하여 수준별 학습이 가능하도록 하였습니다.

학교 시험에서 잘 나오는 문제들로 구성하여 실력을 확인해 볼 수 있도록 하였습니다.

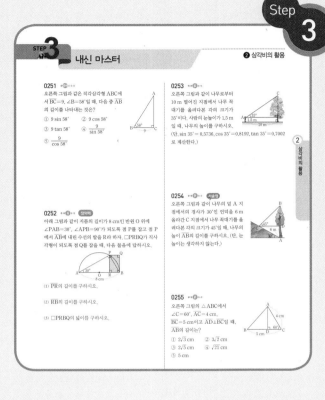

정답과 해설

자세하고 친절한 해설을 수록하였습니다.

전략
문제에 접근할 수 있는 실마리를 제공하였습니다.

Lecture
풀이를 이해하는데 도움이 되는 내용, 풀이 과정에서 범할 수 있는 실수, 주의할 내용들을 짚어줍니다.

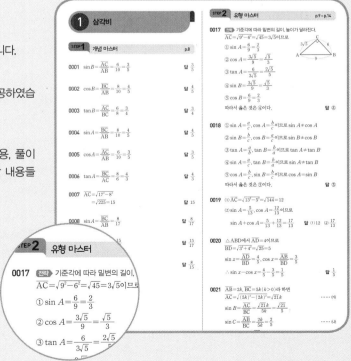

유형 해결의 법칙의 특장과 활용법

특장

① 수학의 모든 유형의 문제를 한 권에 담았습니다.

전국 중학교의 내신 기출 문제를 수집, 분석하여 유형별로 수록하였습니다.

② 내신을 완벽하게 대비하기 위하여 유형을 세분화하였습니다.

놓치는 유형 문제가 없도록 유형을 세분화하고 필수유형부터 발전유형까지 유형 문제를
단계별로 체계적으로 학습할 수 있도록 구성하였습니다.

③ 전략을 통한 문제 해결 방법을 제시하였습니다.

유형별 해결 전략을 제시하여 필수 유형을 마스터하고 해결 능력을 스스로 향상시킬 수
있도록 하였습니다.

나만의 오답노트 활용법

오답노트 이제 쓰지 말고 찍어 보자!
(주)천재교육에서 출시된 교재와 연동된 오답노트입니다.
교재의 오답노트 QR을 통해서만 교재를 등록하고 사용할 수 있습니다.
해당 QR이 없는 교재는 연동되어 있지 않으니 참고하세요.

● **오답노트 App 사용법**

1. 표지에 있는 QR을 스캔하여 앱을 설치합니다.
2. 앱을 실행시킨 후 로그인하여 교재를 등록합니다. (천재교육 사이트 회원
   이 아니면 회원가입을 합니다.)
3. 등록된 교재의 오답 문항을 선택하여 등록합니다.
4. 등록된 오답노트를 언제든 열어보고 확인, 인쇄 가능합니다.

● 참고사항 ● wifi 또는 4G, LTE의 무선 네트워크가 연결되어 있어야 실행됩니다.
　　　　　　안드로이드폰에서만 실행됩니다.

CONTENTS
차례

1 삼각비 6

2 삼각비의 활용 28

3 원과 직선 46

4 원주각 68

5 통계 92

1 삼각비

Step 1 개념 마스터

Step 2 유형 마스터

☐☐ **필수유형 01** 삼각비의 값

☐☐ **필수유형 02** 삼각비의 값이 주어질 때, 변의 길이 구하기 중요

☐☐ **필수유형 03** 삼각비의 값이 주어질 때, 다른 삼각비의 값 구하기 중요

☐☐ **필수유형 04** 닮음을 이용한 삼각비의 값(1) – 공통각을 갖는 경우 중요

☐☐ **필수유형 05** 닮음을 이용한 삼각비의 값(2) – 직각인 꼭짓점에서 수선을 내린 경우 중요

☐☐ **필수유형 06** 직선의 방정식과 삼각비

☐☐ **필수유형 07** 입체도형에서 삼각비 이용하기

☐☐ **발전유형 08** 여러 가지 심화 문제

Step 1 개념 마스터

Step 2 유형 마스터

☐☐ **필수유형 09** 특수한 각에 대한 삼각비의 값

☐☐ **필수유형 10** 특수한 각에 대한 삼각비의 값을 알 때, 각의 크기 구하기

☐☐ **필수유형 11** 특수한 각에 대한 삼각비의 값을 이용하여 선분의 길이 구하기(1) 중요

☐☐ **필수유형 12** 직선의 기울기와 삼각비

☐☐ **필수유형 13** 사분원에서의 삼각비 중요

☐☐ **필수유형 14** 0°, 90°의 삼각비의 값

☐☐ **필수유형 15** 삼각비의 대소 관계 중요

☐☐ **필수유형 16** 삼각비의 대소 관계의 활용

☐☐ **필수유형 17** 삼각비의 표를 이용하여 삼각비의 값 구하기

☐☐ **필수유형 18** 삼각비의 표를 이용하여 변의 길이 구하기

☐☐ **발전유형 19** 특수한 각에 대한 삼각비의 값을 이용하여 선분의 길이 구하기(2)

☐☐ **발전유형 20** 반각

☐☐ **발전유형 21** 여러 가지 심화 문제

Step 3 내신 마스터

개념 마스터

01 삼각비의 뜻

유형 01~03, 06, 07

(1) **삼각비** 직각삼각형에서 두 변의 길이의 비

(2) $\angle B = 90°$인 직각삼각형 ABC에서

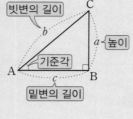

빗변의 길이 / 높이 / 기준각 / 밑변의 길이

① $\sin A = \dfrac{(높이)}{(빗변의 길이)}$

$= \dfrac{\boxed{❶}}{b}$

② $\cos A = \dfrac{(밑변의 길이)}{(빗변의 길이)} = \dfrac{c}{b}$

③ $\tan A = \dfrac{(높이)}{(밑변의 길이)} = \dfrac{a}{\boxed{❷}}$

➡ $\sin A, \cos A, \tan A$를 통틀어 $\angle A$의 삼각비라 한다.

답 ❶ a ❷ c

[0001~0006] 오른쪽 그림과 같은 직각삼각형 ABC에서 다음 삼각비의 값을 구하시오.

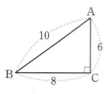

10 / 6 / 8

0001 $\sin B$		**0002** $\cos B$	
0003 $\tan B$		**0004** $\sin A$	
0005 $\cos A$		**0006** $\tan A$	

[0007~0010] 오른쪽 그림과 같은 직각삼각형 ABC에서 다음을 구하시오.

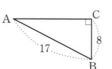

17 / 8

0007 $\overline{AC}$의 길이   **0008** $\sin A$

0009 $\cos A$ **0010** $\tan A$

02 닮은 직각삼각형에서 삼각비의 값

유형 04, 05

닮은 직각삼각형에서 같은 각에 대한 삼각비의 값은 같다.

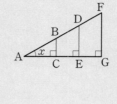

$\sin x = \dfrac{\overline{BC}}{\overline{AB}} = \dfrac{\overline{DE}}{\boxed{❶}} = \dfrac{\overline{FG}}{\overline{AF}}$

$\cos x = \dfrac{\overline{AC}}{\overline{AB}} = \dfrac{\overline{AE}}{\overline{AD}} = \dfrac{\boxed{❷}}{\overline{AF}}$

$\tan x = \dfrac{\boxed{❸}}{\overline{AC}} = \dfrac{\overline{DE}}{\overline{AE}} = \dfrac{\overline{FG}}{\overline{AG}}$

답 ❶ $\overline{AD}$ ❷ $\overline{AG}$ ❸ $\overline{BC}$

[0011~0013] 오른쪽 그림을 보고 다음 ☐ 안에 알맞은 것을 써넣으시오.

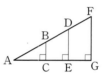

0011 $\sin A = \dfrac{\overline{BC}}{\boxed{}} = \dfrac{\boxed{}}{\overline{AD}} = \dfrac{\overline{FG}}{\boxed{}}$

0012 $\cos A = \dfrac{\overline{AC}}{\boxed{}} = \dfrac{\overline{AE}}{\boxed{}} = \dfrac{\overline{AG}}{\boxed{}}$

0013 $\tan A = \dfrac{\overline{BC}}{\boxed{}} = \dfrac{\overline{DE}}{\boxed{}} = \dfrac{\boxed{}}{\overline{AG}}$

[0014~0016] 오른쪽 그림과 같은 직각삼각형 ABC에 대하여 다음 ☐ 안에 알맞은 것을 써넣으시오.

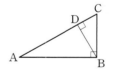

0014 $\sin A = \dfrac{\overline{CB}}{\boxed{}} = \dfrac{\boxed{}}{\overline{AB}} = \dfrac{\overline{CD}}{\boxed{}}$

0015 $\cos A = \dfrac{\overline{AB}}{\boxed{}} = \dfrac{\boxed{}}{\overline{AB}} = \dfrac{\overline{BD}}{\boxed{}}$

0016 $\tan A = \dfrac{\boxed{}}{\overline{AB}} = \dfrac{\overline{DB}}{\boxed{}} = \dfrac{\overline{DC}}{\boxed{}}$

 핵심 포인트! · $\angle A$의 삼각비는 다음 그림과 같이 기억하면 쉽다.

① 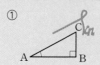 ②  ③

유형 마스터

필수유형 01 삼각비의 값

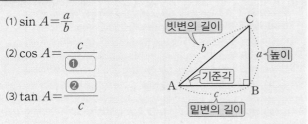

(1) $\sin A = \dfrac{a}{b}$

(2) $\cos A = \dfrac{c}{\boxed{①}}$

(3) $\tan A = \dfrac{\boxed{②}}{c}$

답 ①b ②a

대표문제

0017 ●중하●●●

오른쪽 그림의 △ABC에서
∠C=90°이고 $\overline{AB}=9$, $\overline{BC}=6$일
때, 다음 중 옳은 것은?

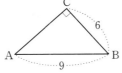

① $\sin A = \dfrac{\sqrt{5}}{3}$ ② $\cos A = \dfrac{2}{3}$ ③ $\tan A = \dfrac{\sqrt{5}}{2}$

④ $\sin B = \dfrac{\sqrt{5}}{3}$ ⑤ $\cos B = \dfrac{\sqrt{5}}{3}$

0018 ●하●●●●

오른쪽 그림의 직각삼각형 ABC에 대
하여 다음 중 옳은 것은? (단, $a \neq b$)

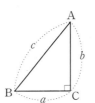

① $\sin A = \cos A$

② $\sin B = \cos B$

③ $\tan A = \tan B$

④ $\sin A = \tan B$

⑤ $\cos A = \sin B$

0019 ●중하●●●

오른쪽 그림과 같이 ∠C=90°인
직각삼각형 ABC에서 $\overline{AB}=13$,
$\overline{BC}=5$일 때, 다음을 구하시오.

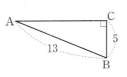

(1) $\overline{AC}$의 길이

(2) $\sin A + \cos A$의 값

0020 ●●중●●●

오른쪽 그림과 같은 직사각형
ABCD에서 $\overline{AB}=3$, $\overline{BC}=4$일 때,
$\sin x - \cos x$의 값을 구하시오.

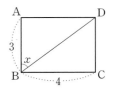

0021 ●●중●●● 서술형

오른쪽 그림과 같이 ∠A=90°인
직각삼각형 ABC에서
$\overline{AB} : \overline{BC} = 2 : 5$일 때, $\dfrac{\sin B}{\sin C}$의
값을 구하시오.

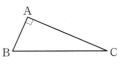

0022 ●●중●●

오른쪽 그림과 같이 ∠B=90°인 직각삼각
형 ABC에서 점 D는 $\overline{BC}$의 중점이고
$\overline{AB}=1$, $\overline{AC}=3$이다. ∠DAB=x라 할 때,
$\tan x$의 값을 구하시오.

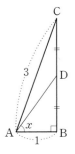

필수유형 **02** 삼각비의 값이 주어질 때, 변의 길이 구하기

직각삼각형에서 한 변의 길이와 삼각비의 값이 주어지면 나머지 두 변의 길이를 구할 수 있다.

예 오른쪽 그림과 같은 직각삼각형 ABC에서 $\overline{AB}$의 길이와 $\cos B$의 값이 주어지면

① $\cos B = \dfrac{\boxed{❶}}{c}$ 임을 이용하여 $\boxed{❷}$ 의 길이를 구한다.

② 피타고라스 정리를 이용하여 $\overline{AC}$의 길이를 구한다.

답 ❶ $\overline{BC}$ ❷ $\overline{BC}$

대표문제

0023 ●중하●●●

오른쪽 그림과 같이 $\angle C = 90°$인 직각삼각형 ABC에서 $\overline{BC} = 6$ cm, $\cos B = \dfrac{2}{3}$일 때, $\overline{AC}$의 길이를 구하시오.

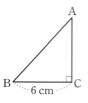

0024 ●●중●●

오른쪽 그림과 같이 $\angle C = 90°$인 직각삼각형 ABC에서 $\overline{AB} = 20$, $\sin B = \dfrac{3}{5}$일 때, $\triangle ABC$의 넓이를 구하시오.

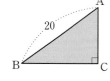

0025 ●●중●●

오른쪽 그림과 같은 $\triangle ABC$에서 $\overline{AH} \perp \overline{BC}$, $\overline{AB} = 15$, $\overline{AC} = 13$이고 $\cos B = \dfrac{3}{5}$일 때, $\sin C$의 값을 구하시오.

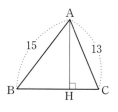

0026 ●●중●●

오른쪽 그림과 같이 $\angle B = 90°$인 직각삼각형 ABC에서 $\overline{AB} = 3$, $\tan A = \dfrac{1}{3}$일 때, 다음 중 옳지 않은 것은?

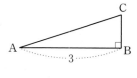

① $\overline{BC} = 1$

② $\triangle ABC$의 넓이는 $\dfrac{3}{2}$이다.

③ $\triangle ABC$의 둘레의 길이는 $4 + \sqrt{10}$이다.

④ $\sin A = \dfrac{\sqrt{10}}{10}$

⑤ $\cos A = \dfrac{\sqrt{30}}{10}$

0027 ●●중●●

오른쪽 그림과 같이 $\angle C = 90°$인 $\triangle ABC$에서 점 D는 $\overline{BC}$의 중점이고 $\overline{AC} = 3$, $\tan B = \dfrac{1}{2}$일 때, $\sin x$의 값을 구하시오.

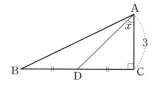

0028 ●●중●●

오른쪽 그림과 같은 $\triangle ABC$에서 $\overline{AB} = 6$, $\overline{BC} = 10$이고 $\cos B = \dfrac{2}{3}$일 때, $\triangle ABC$의 넓이를 구하시오.

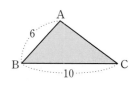

필수유형03 삼각비의 값이 주어질 때, 다른 삼각비의 값 구하기

① 주어진 삼각비의 값을 갖는 직각삼각형을 그린다.
② 피타고라스 정리를 이용하여 나머지 한 변의 길이를 구한다.
③ 다른 삼각비의 값을 구한다.

예 $\sin A = \dfrac{1}{2}$일 때, $\cos A$, $\tan A$의 값 구하기

(단, $0° < A < 90°$)

오른쪽 그림과 같이 $\sin A = \dfrac{1}{2}$인 직각 삼각형을 그리면

$\overline{AB} = \sqrt{2^2 - 1^2} = $ ❶

$\therefore \cos A = $ ❷ , $\tan A = \dfrac{\sqrt{3}}{3}$

답 ❶ $\sqrt{3}$ ❷ $\dfrac{\sqrt{3}}{2}$

대표문제

0029 ••중••

$\cos A = \dfrac{2}{3}$일 때, $6 \sin A \times \tan A$의 값을 구하시오.

(단, $0° < A < 90°$)

0030 ••중•• 서술형

$\angle B = 90°$인 직각삼각형 ABC에서 $\tan A = \dfrac{1}{2}$일 때, $\sin A + \cos A$의 값을 구하시오.

0031 ••중••

$\angle B = 90°$인 직각삼각형 ABC에서 $\sin A = \dfrac{3}{4}$일 때, 다음 중 옳지 <u>않은</u> 것은?

① $\cos A = \dfrac{\sqrt{7}}{4}$ ② $\tan A = \dfrac{3\sqrt{7}}{7}$ ③ $\sin C = \dfrac{\sqrt{7}}{4}$

④ $\cos C = \dfrac{\sqrt{3}}{4}$ ⑤ $\tan C = \dfrac{\sqrt{7}}{3}$

0032 ••중••

$7 \cos A - 5 = 0$일 때, $\tan A$의 값을 구하시오.

(단, $0° < A < 90°$)

0033 ••중••

$3 \sin A - 1 = 0$일 때, $\cos A \times \tan A$의 값을 구하시오.

(단, $0° < A < 90°$)

0034 ••중••

$\tan A = \dfrac{3}{4}$일 때, 다음 식의 값을 구하시오.

(단, $0° < A < 90°$)

$$\sqrt{(2 \sin A + \cos A)^2} - \sqrt{(\sin A - 2 \cos A)^2}$$

0035 ••중••

$\sin A = \dfrac{2}{5}$일 때, $\dfrac{1 + \cos A \times \tan A}{\sin^2 A + \cos^2 A}$의 값을 구하시오.

(단, $0° < A < 90°$)

필수유형 04 닮음을 이용한 삼각비의 값 (1)
– 공통각을 갖는 경우

직각삼각형 ABC에서 $\overline{AB}\perp\overline{ED}$일 때,
$\triangle ABC \backsim \triangle EBD$ (AA 닮음)이므로
∠BAC= ❶

참고 닮은 직각삼각형에서 대응각에 대한
삼각비의 값은 같다.

🖎 ❶ ∠BED

대표문제

0036 ••중••

오른쪽 그림의 직각삼각형 ABC에서
$\overline{AB}\perp\overline{ED}$이고 $\overline{BD}$=4, $\overline{BE}$=5일 때,
$\sin A + \cos A$의 값을 구하시오.

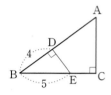

0037 ••중••

오른쪽 그림의 직각삼각형 ABC
에서 $\overline{DE}\perp\overline{BC}$이고 $\overline{AB}$=4,
$\overline{AC}$=8이다. ∠CDE=x라 할 때,
$\sin x$의 값을 구하시오.

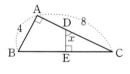

0038 ••중••

오른쪽 그림의 직각삼각형 ABC에서
$\overline{ED}\perp\overline{AB}$이고 $\overline{AC}$=9, $\overline{BC}$=6이다.
∠ABC=x, ∠AED=y라 할 때,
$\sin x + \cos y$의 값을 구하시오.

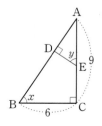

필수유형 05 닮음을 이용한 삼각비의 값 (2)
– 직각인 꼭짓점에서 수선을 내린 경우

직각삼각형 ABC에서 $\overline{AH}\perp\overline{BC}$일
때, $\triangle ABC \backsim \triangle HBA \backsim \triangle HAC$
이므로 ∠ABH= ❶
∠BAH= ❷

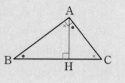

🖎 ❶ ∠CAH ❷ ∠ACH

대표문제

0039 ••중••

오른쪽 그림의 직각삼각형
ABC에서 $\overline{AH}\perp\overline{BC}$이고
$\overline{AB}$=15 cm, $\overline{AC}$=8 cm이다.
∠BAH=x라 할 때, $\dfrac{\sin x}{\cos x}$의
값을 구하시오.

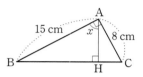

0040 ••중••

오른쪽 그림의 직각삼각형
ABC에서 $\overline{AH}\perp\overline{BC}$이고
$\overline{AB}$=12, $\overline{AC}$=5이다.
∠BAH=x라 할 때, 다음 중 옳은 것은?

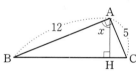

① $\sin B=\dfrac{5}{12}$ ② $\cos B=\dfrac{13}{12}$

③ $\tan B=\dfrac{12}{13}$ ④ $\sin x=\dfrac{15}{12}$

⑤ $\cos x=\dfrac{5}{13}$

0041 ••중•• 서술형

오른쪽 그림의 직각삼각형
ABC에서 $\overline{AH}\perp\overline{BC}$이고
$\overline{AB}$=2, $\overline{AC}$=1이다.
∠BAH=x, ∠CAH=y라 할
때, $\sin x - \sin y$의 값을 구하시오.

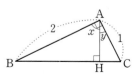

0042 ●●중●●

오른쪽 그림에서 $\overline{BD}$는 직사각형
ABCD의 대각선이고 $\overline{AH} \perp \overline{BD}$,
$\overline{AB}=9$ cm, $\overline{BC}=12$ cm이다.
∠DAH=x라 할 때,
$\sin x - \cos x$의 값을 구하시오.

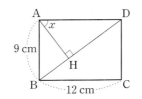

필수유형 06 직선의 방정식과 삼각비

직선 l이 x축의 양의 방향과 이루는 각의
크기를 α라 할 때,
① x축, y축과의 교점 A, B의 좌표를 구한
다.
② 직각삼각형 AOB에서 삼각비의 값을
구한다.
➡ $\sin \alpha = \dfrac{\overline{OB}}{\overline{AB}}$, $\cos \alpha = \dfrac{\overline{OA}}{\overline{AB}}$, $\tan \alpha = \dfrac{\overline{OB}}{\overline{OA}}$

대표문제

0043 ●●중●●

오른쪽 그림과 같이 일차방정식
$3x-4y+12=0$의 그래프가 x축의
양의 방향과 이루는 각의 크기를 α라
할 때, $\sin \alpha + \cos \alpha$의 값을 구하시오.

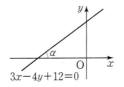

0044 ●●중●●

오른쪽 그림과 같이 일차함수
$y=\dfrac{1}{2}x+2$의 그래프가 x축의 양의
방향과 이루는 각의 크기를 α라 할
때, $\cos \alpha$의 값을 구하시오.

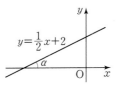

0045 ●●중●●

오른쪽 그림과 같이 일차방정식
$3x+2y-12=0$의 그래프가 x축과
이루는 예각의 크기를 α라 할 때,
$\cos \alpha \times \tan \alpha$의 값을 구하시오.

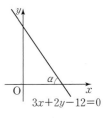

0046 ●●●상중●●

일차함수 $y=\dfrac{3}{2}x+3$의 그래프가 x축과 이루는 예각의 크
기를 α라 할 때, $\sin^2 \alpha - \cos^2 \alpha$의 값을 구하시오.

필수유형 07 입체도형에서 삼각비 이용하기

① 입체도형에서 ∠x를 한 내각으로
하는 직각삼각형을 찾아 변의 길이
를 구한다.
➡ $\overline{FH}=\sqrt{a^2+b^2}$,
$\overline{BH}=\sqrt{\overline{FH}^2+c^2}$
② 삼각비의 값을 구한다.
➡ 직각삼각형 BFH에서
$\sin x = \dfrac{\boxed{❶}}{\overline{BH}}$, $\cos x = \dfrac{\overline{FH}}{\overline{BH}}$, $\tan x = \dfrac{\overline{BF}}{\boxed{❷}}$

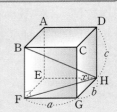

❶ $\overline{BF}$ ❷ $\overline{FH}$

대표문제

0047 ●●중●●

오른쪽 그림과 같이 한 모서리의 길
이가 4인 정육면체에서 ∠BHF=x
라 할 때, $\tan x \times \cos x$의 값을 구
하시오.

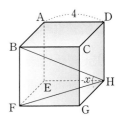

0048 ●●중●●

오른쪽 그림과 같이 밑면은 한 변의 길이가 8 cm인 정사각형이고 옆면의 모서리의 길이는 모두 9 cm인 정사각뿔이 있다. ∠VDO=x라 할 때, sin x의 값을 구하시오.

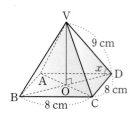

0049 ●●중●●

오른쪽 그림과 같이 한 모서리의 길이가 6인 정사면체에서 $\overline{BC}$의 중점을 M, ∠AMD=x라 할 때, cos x의 값을 구하시오.

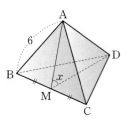

발전유형 **08** 여러 가지 심화 문제

0050 ●●●상중●

sin x : cos x=5 : 12일 때, cos x의 값을 구하시오.

(단, $0° < x < 90°$)

0051 ●●●●상

다음 그림과 같이 직사각형 모양의 종이 ABCD를 점 A와 점 C가 겹쳐지도록 접었다. $\overline{AB}=2$, $\overline{AP}=3$이고 ∠QPC=x라 할 때, tan x의 값을 구하시오.

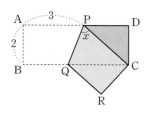

0052 ●●●●상

오른쪽 그림과 같이 직각삼각형 ABC의 넓이가 두 직선 DE, FG에 의해 삼등분된다. tan $C=\dfrac{3}{4}$, $\overline{AB}=6$ cm일 때, $\overline{EG}$의 길이를 구하시오.

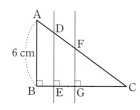

0053 ●●●●상

오른쪽 그림에서 ∠C=∠E=90°, $\overline{BC}=\overline{BD}=2$이고 ∠BAC=$x$, ∠DAE=$y$라 할 때, sin $x=\dfrac{1}{2}$이다. tan y의 값을 구하시오.

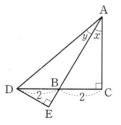

STEP 1

개념 마스터

03 특수한 각에 대한 삼각비의 값
유형 09~11, 19

삼각비 A	30°	45°	60°
sin A	$\frac{1}{2}$	$\frac{\sqrt{2}}{2}$	$\frac{\sqrt{3}}{2}$
cos A	$\frac{\sqrt{3}}{2}$	❶	$\frac{1}{2}$
tan A	$\frac{\sqrt{3}}{3}$	1	$\sqrt{3}$

답 ❶ $\frac{\sqrt{2}}{2}$

[0054~0061] 삼각비의 값을 이용하여 다음 그림에서 x, y의 값을 각각 구하시오.

0054

0055

0056

0057

0058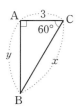

0059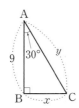

0060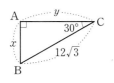

0061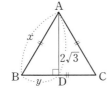

[0062~0067] 다음을 만족하는 x의 값을 구하시오.
(단, $0 < x < 90$)

0062 $\sin x° = \frac{\sqrt{2}}{2}$

0063 $\cos x° = \frac{\sqrt{3}}{2}$

0064 $\tan x° = \sqrt{3}$

0065 $\sin(10° + x°) = \frac{1}{2}$

0066 $\cos(20° + x°) = \frac{\sqrt{2}}{2}$

0067 $\tan(90° - x°) = 1$

[0068~0072] 다음을 계산하시오.

0068 $\cos 60° + \sin 30° - \cos 45°$

0069 $\cos 45° \times \tan 60°$

0070 $\sin 60° \times (\tan 30° + \cos 30°)$

0071 $\cos 30° \times \tan 30° + \sin 60° \times \tan 30°$

0072 $2\sin 60° - \sqrt{3}\tan 45° + \tan 60°$

핵심 포인트! · $\sin 30° = \cos 60°$, $\sin 45° = \cos 45°$, $\sin 60° = \cos 30°$

04 예각의 삼각비의 값 유형 13

반지름의 길이가 1인 사분원에서 예각 a에 대하여

(1) $\sin a = \dfrac{\overline{AB}}{\overline{OA}} = \dfrac{\overline{AB}}{1} = \overline{AB}$

(2) $\cos a = \dfrac{\overline{OB}}{\overline{OA}} = \dfrac{\overline{OB}}{1} = $ ❶

(3) $\tan a = \dfrac{\overline{CD}}{\overline{OD}} = \dfrac{\overline{CD}}{1} = $ ❷

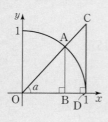

답 ❶ $\overline{OB}$ ❷ $\overline{CD}$

[0073~0080] 오른쪽 그림과 같이 반지름의 길이가 1인 사분원에서 다음 삼각비의 값을 하나의 선분을 이용하여 나타내시오.

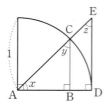

0073 $\sin x$

0074 $\cos x$

0075 $\tan x$

0076 $\sin y$

0077 $\cos y$

0078 $\tan y$

0079 $\sin z$

0080 $\cos z$

 05 $0°$, $90°$의 삼각비의 값 유형 14

(1) $\sin 0° = 0$, $\cos 0° = 1$, $\tan 0° = 0$

(2) $\sin 90° = 1$, $\cos 90° = 0$, $\tan 90°$의 값은 정할 수 없다.

[0081~0082] 다음을 계산하시오.

0081 $\sin 0° × \tan 0° - \cos 0°$

0082 $\sin 90° × \cos 90° + \tan 0°$

06 삼각비의 표 유형 17, 18

(1) **삼각비의 표** $0°$에서 $90°$까지의 각을 $1°$ 간격으로 나누어 삼각비의 값을 소수점 아래 넷째 자리까지 나타낸 표

예

각도	사인($\sin$)	코사인($\cos$)	탄젠트($\tan$)
$1°$	0.0175	0.9998	0.0175
⋮	⋮	⋮	⋮
$23°$	0.3907	0.9205	0.4245
$24°$	0.4067	0.9135	→ 0.4452
⋮	⋮	⋮	⋮
$90°$	1.0000	0.0000	

$\tan 24°$의 값은 삼각비의 표에서 각도 $24°$의 가로줄과 $\tan$의 세로줄이 만나는 곳의 수를 읽으면 0.44520이다.

(2) $0° \leq x \leq 90°$인 범위에서 x의 값이 증가하면

① $\sin x$의 값은 0에서 1까지 ❶

② $\cos x$의 값은 1에서 0까지 감소

③ $\tan x$의 값은 0에서 무한히 증가

답 ❶ 증가

[0083~0090] 삼각비의 표를 보고 다음을 만족하는 x의 값을 구하시오.

각도	사인($\sin$)	코사인($\cos$)	탄젠트($\tan$)
$10°$	0.1736	0.9848	0.1763
$20°$	0.3420	0.9397	0.3640
$70°$	0.9397	0.3420	2.7475
$89°$	0.9998	0.0175	57.2900

0083 $\sin 20° = x$

0084 $\cos 70° = x$

0085 $\tan 89° = x$

0086 $\cos 10° = x$

0087 $\tan x = 0.1763$

0088 $\sin x = 0.9998$

0089 $\cos x = 0.9397$

0090 $\tan x = 2.7475$

핵심 포인트! · $\sin x$, $\cos x$, $\tan x$의 대소 관계

① $0° \leq x < 45°$이면 $\sin x < \cos x$ ② $x = 45°$이면 $\sin x = \cos x < \tan x$

③ $45° < x < 90°$이면 $\cos x < \sin x < \tan x$

유형 마스터

필수유형09 특수한 각에 대한 삼각비의 값

삼각비 A	30°	45°	60°	
$\sin A$	$\dfrac{1}{2}$	$\dfrac{\sqrt{2}}{2}$	$\dfrac{\sqrt{3}}{2}$	각의 크기가 커질수록 증가한다.
$\cos A$	$\dfrac{\sqrt{3}}{2}$	$\dfrac{\sqrt{2}}{2}$	$\dfrac{1}{2}$	각의 크기가 커질수록 ❶ 한다.
$\tan A$	$\dfrac{\sqrt{3}}{3}$	1	$\sqrt{3}$	각의 크기가 커질수록 ❷ 한다.

답 ❶ 감소 ❷ 증가

대표문제

0091 중하

다음 보기 중에서 옳은 것을 모두 고르시오.

보기
㉠ $\sin 30° + \cos 60° = 1$
㉡ $\cos 45° = \sin 45°$
㉢ $\sin 30° = \cos 30° \times \tan 30°$
㉣ $\sin 30° + \sin 45° = \sin 60°$
㉤ $1 - \tan 30° = \cos 30°$
㉥ $\tan 30° = \dfrac{1}{\tan 60°}$

0092 중 (잘 틀리는 문제)

다음 중 옳지 <u>않은</u> 것은?

① $\sin 30° - \tan 30° \times \tan 60° + \cos 60° = 0$

② $\sqrt{3} \tan 30° - \sqrt{2} \tan 45° \times \sin 45° = 0$

③ $\cos 60° + \sin 30° - 2\cos 45° \times \sin 45° = 1$

④ $\cos 30° - \sin 60° \times \tan 30° + \sin 30° = \dfrac{\sqrt{3}}{2}$

⑤ $(\cos^2 45° + \sin^2 45°) \times (\sin^2 45° - \cos^2 45°) = 0$

0093 중 서술형

$(\sin 30° + \cos 30°) \times \left(\dfrac{1}{\tan 30°} + \dfrac{\sin 60°}{\cos 60°} \right) \times \tan 45°$의

값을 구하시오.

0094 중

$A = 45°$, $B = 60°$일 때, $\dfrac{1}{\sin B - \tan A} + \dfrac{1}{\tan A - \cos B}$

의 값을 구하시오.

0095 중

$\cos 45° \times \sin 45° + \tan 30° \times \cos 30° = \tan A$를 만족하는 A의 값을 구하시오. (단, $0° \leq A \leq 90°$)

0096 중

이차방정식 $2x^2 + ax - 3 = 0$의 한 근이 $\sin 30°$일 때, 상수 a의 값을 구하시오.

필수유형 **10** | 특수한 각에 대한 삼각비의 값을 알 때, 각의 크기 구하기

예 A가 예각일 때,

① $\sin A = \dfrac{1}{2}$이면 $\sin A = \sin 30°$ ➡ $A = 30°$

② $\cos A = \dfrac{\sqrt{2}}{2}$이면 $\cos A = \cos 45°$ ➡ $A = 45°$

③ $\tan A = \sqrt{3}$이면 $\tan A = \tan 60°$ ➡ $A = 60°$

대표문제

0097 ●●중●●

$\tan(x+15°) = 1$일 때, $\sin x + \cos x$의 값을 구하시오.

(단, $0° < x + 15° < 90°$)

0098 ●●중●●

$\cos(2x+40°) = \dfrac{1}{2}$일 때, $\tan 6x$의 값을 구하시오.

(단, $0° < 2x + 40° < 90°$)

0099 ●●중●●

$\sin(2x-15°) = \dfrac{\sqrt{2}}{2}$일 때, $\dfrac{6\sin x + 2\cos x}{3\tan x - 2\sin x}$의 값을 구하시오. (단, $0° < 2x - 15° < 90°$)

0100 ●●중●●

오른쪽 그림과 같이 ∠B=90°인 직각삼각형 ABC에서 $\overline{AB} = \sqrt{3}$, $\overline{BC} = 3$일 때, ∠A의 크기와 $\sin\dfrac{A}{2}$의 값을 각각 구하시오.

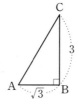

0101 ●●중●●

$\cos x = \sin x$일 때, $\tan x + 2\sin(x-15°)$의 값을 구하시오. (단, $0° < x < 90°$)

0102 ●●중●● 서술형

$\cos A$가 이차방정식 $4x^2 - 4x + 1 = 0$의 한 해일 때, ∠A의 크기를 구하시오. (단, $0° < A < 90°$)

0103 ●●중●●

$\sin A = \dfrac{1}{2}$일 때, $\tan^2 A - \sqrt{3}\tan A + 1$의 값을 구하시오. (단, $0° < A < 90°$)

0104 ●●중●●

$\tan A = \sqrt{3}$일 때, $\sin^2 A + \sqrt{3}\sin A - 1$의 값을 구하시오. (단, $0° < A < 90°$)

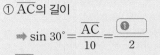

필수유형 11 특수한 각에 대한 삼각비의 값을 이용하여
선분의 길이 구하기 (1)

중요

예 오른쪽 그림의 직각삼각형 ABC에서
$\overline{AB}=10$, $\angle B=30°$이므로

① $\overline{AC}$의 길이

➡ $\sin 30° = \dfrac{\overline{AC}}{10} = \dfrac{\boxed{①}}{2}$ ∴ $\overline{AC}=5$

② $\overline{BC}$의 길이

➡ $\cos 30° = \dfrac{\overline{BC}}{10} = \dfrac{\boxed{②}}{2}$ ∴ $\overline{BC}=5\sqrt{3}$

답 ❶1 ❷$\sqrt{3}$

대표문제

0105 ••중••

오른쪽 그림에서 $\overline{AB}=1$이고
$\angle ABC = \angle BCD = 90°$,
$\angle BAC = 60°$, $\angle BDC = 45°$일 때,
$\overline{BD}$의 길이를 구하시오.

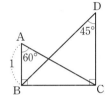

0106 •중하•••

오른쪽 그림의 직각삼각형 ABC에서
$\overline{BC}=3$ cm, $\angle B=60°$일 때, $x+y$의
값을 구하시오.

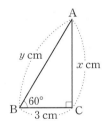

0107 ••중••

오른쪽 그림의 직각삼각형 ABC에서
$\overline{CH} \perp \overline{AB}$이고 $\overline{BC}=6$, $\angle B=60°$일 때,
$\overline{AH}$의 길이를 구하시오.

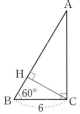

0108 ••중••

오른쪽 그림의 직사각형 ABCD
에서 $\overline{AH} \perp \overline{BD}$이고 $\overline{DH}=6$,
$\angle ADB=30°$일 때, $x+y$의 값을
구하시오.

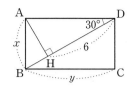

0109 ••중•• 서술형

오른쪽 그림의 직각삼각형 ABC
에서 $\overline{AB}=8$, $\angle B=30°$,
$\angle ADC=45°$일 때, $\overline{CD}$의 길이
를 구하시오.

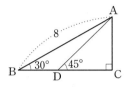

0110 ••중••

오른쪽 그림의 직각삼각형
ABC에서 $\overline{AB}=6$, $\angle B=30°$이
고 $\angle A$의 이등분선이 $\overline{BC}$와 만나
는 점을 D라 할 때, $\overline{BD}$의 길이를
구하시오.

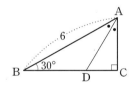

0111 •••상중•

오른쪽 그림의 직각삼각형
ABC에서 $\overline{DE} \perp \overline{AB}$, $\overline{BD} \perp \overline{AC}$
이고 $\overline{AC}=10$, $\angle A=30°$일 때,
$\overline{DE}$의 길이를 구하시오.

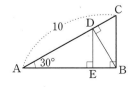

필수유형 12 직선의 기울기와 삼각비

직선 $y=ax+b$가 x축의 양의 방향
과 이루는 각의 크기를 α라 하면

$\tan \alpha = \dfrac{\overline{OB} \leftarrow y\text{의 값의 증가량}}{\overline{OA} \leftarrow x\text{의 값의 증가량}}$

　　　$=(\text{직선의 기울기})$

　　　$=$ ❶

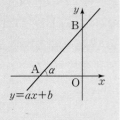

답 ❶ a

대표문제

0112 ••중••

직선 $\sqrt{3}x-y+3=0$이 x축의 양의 방향과 이루는 각의 크기를 α라 할 때, α의 값을 구하시오.

0113 •중하•••

오른쪽 그림과 같이 직선
$3x-4y+12=0$이 x축의 양의 방향
과 이루는 각의 크기를 α라 할 때,
$\tan \alpha$의 값을 구하시오.

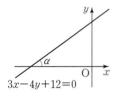

$3x-4y+12=0$

0114 ••중••

x절편이 -1이고 x축의 양의 방향과 이루는 각의 크기가 $45°$인 직선의 방정식을 구하시오.

0115 ••중•• 서술형

오른쪽 그림과 같이 y절편이 6이고
x축의 양의 방향과 이루는 각의 크기
가 $60°$인 직선이 있다. 이 직선의 방정
식을 구하고 이 직선과 x축, y축으로
둘러싸인 도형의 넓이를 구하시오.

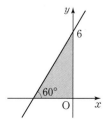

필수유형 13 중요 사분원에서의 삼각비

반지름의 길이가 1인 사분원에서

$\sin x = \dfrac{\overline{AB}}{\overline{OA}} = \dfrac{\overline{AB}}{1} =$ ❶

$\cos x = \dfrac{\overline{OB}}{\overline{OA}} = \dfrac{\overline{OB}}{1} =$ ❷

$\tan x = \dfrac{\overline{CD}}{\overline{OD}} = \dfrac{\overline{CD}}{1} =$ ❸

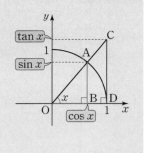

답 ❶ $\overline{AB}$ ❷ $\overline{OB}$ ❸ $\overline{CD}$

대표문제

0116 •중하•••

오른쪽 그림과 같이 반지름의 길이
가 1인 사분원에서 다음 중 옳지
않은 것은?

① $\sin x = \overline{AB}$　② $\cos x = \overline{OB}$
③ $\sin y = \overline{OB}$　④ $\cos z = \overline{AB}$
⑤ $\tan z = \overline{CD}$

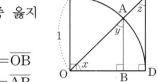

0117 ••중••

오른쪽 그림과 같이 반지름의 길이
가 1인 사분원에서 $\overline{CD}$의 길이와 그
값이 같은 것은?

① $\sin x$　　② $\cos x$
③ $\tan x$　　④ $\dfrac{1}{\sin x}$
⑤ $\dfrac{1}{\tan x}$

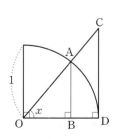

0118 ••중••

오른쪽 그림과 같이 반지름의 길
이가 1인 사분원에서
$\cos 48° + \tan 48°$의 값을 구하시
오.

필수유형 14 0°, 90°의 삼각비의 값

삼각비 A	0°	30°	45°	60°	90°	
$\sin A$	0	$\dfrac{1}{2}$	$\dfrac{\sqrt{2}}{2}$	$\dfrac{\sqrt{3}}{2}$	**①**	증가
$\cos A$	1	$\dfrac{\sqrt{3}}{2}$	$\dfrac{\sqrt{2}}{2}$	$\dfrac{1}{2}$	0	감소
$\tan A$	**②**	$\dfrac{\sqrt{3}}{3}$	1	$\sqrt{3}$	정할 수 없다.	증가

답 ❶1 ❷0

대표문제

0119 ●중하●●●

다음 중 옳지 <u>않은</u> 것은?

① $\sin 90° + \cos 0° = 2$

② $\sin 0° + \sin 90° = 1$

③ $\cos 0° + \tan 0° = 1$

④ $\sin 90° + 2\cos 0° = 3$

⑤ $2\cos 90° + \tan 0° = 2$

0120 ●중하●●●

$\sin 45° \times \cos 0° \times \tan 60° - \sin 60° \times \sin 90° \times \tan 0°$의 값을 구하시오.

0121 ●중하●●●

다음 중 옳지 <u>않은</u> 것은?

① $\tan 45° - \sin 90° = 0$

② $\sin 30° + \cos 60° = 1$

③ $\sin 30° - \sin 45° = \dfrac{1-\sqrt{2}}{2}$

④ $\sin 90° \times \cos 0° + \sin 0° \times \cos 90° = 0$

⑤ $\sin 45° \times \cos 45° + \tan 60° \times \tan 30° = \dfrac{3}{2}$

필수유형 15 삼각비의 대소 관계 〈중요〉

(1) $0° \leq x \leq 90°$인 범위에서 x의 값이 증가할 때

  ① $\sin x$의 값은 0에서 1까지 증가 ➡ $0 \leq \sin x \leq 1$

  ② $\cos x$의 값은 1에서 0까지 **①** ➡ $0 \leq \cos x \leq 1$

  ③ $\tan x$의 값은 0에서 무한히 **②** ➡ $\tan x \geq 0$

(2) $\sin x$, $\cos x$, $\tan x$의 대소 관계

  ① $0° \leq x < 45°$ ➡ $\sin x < \cos x$

  ② $x = 45°$ ➡ $\sin x$ **③** $\cos x$ **④** $\tan x$

  ③ $45° < x < 90°$ ➡ $\cos x < \sin x < \tan x$

답 ❶감소 ❷증가 ❸= ❹<

대표문제

0122 ●●중●●●

다음 삼각비의 값을 작은 것부터 차례대로 나열한 것은?

㉠ $\sin 90°$	㉡ $\cos 90°$	㉢ $\sin 70°$
㉣ $\cos 70°$	㉤ $\tan 50°$	

① ㉠, ㉢, ㉡, ㉣, ㉤

② ㉡, ㉢, ㉤, ㉣, ㉠

③ ㉡, ㉣, ㉢, ㉠, ㉤

④ ㉢, ㉠, ㉡, ㉣, ㉤

⑤ ㉤, ㉠, ㉢, ㉣, ㉡

0123 ●●중●●

$0° \leq A \leq 90°$일 때, 다음 중 옳은 것은?

① A의 값이 커지면 $\sin A$의 값은 작아진다.

② A의 값이 커지면 $\cos A$의 값은 커진다.

③ $\sin A$의 최댓값은 1이다.

④ $\cos A$의 최댓값은 0이다.

⑤ $\tan A$의 최댓값은 1이다.

0124 ●●중●● 〔잘 틀리는 문제〕

$A = \sin 61°$, $B = \cos 35°$, $C = \tan 46°$일 때, 다음 중 A, B, C의 대소 관계를 바르게 나타낸 것은?

① $A < B < C$　② $A < C < B$　③ $B < A < C$

④ $B < C < A$　⑤ $C < B < A$

필수유형 16 삼각비의 대소 관계의 활용

$0° < x < 90°$일 때, $\sqrt{(\sin x - 1)^2}$을 간단히 하기

① 삼각비의 값의 대소를 비교한다.
 ➡ $0° < x < 90°$이면 $0 < \sin x < 1$이므로
 $\sin x - 1$ ❶ ⬜ 0

② 제곱근의 성질을 이용하여 근호를 벗긴다.
 ➡ $\sqrt{(\sin x - 1)^2} = $ ❷ ⬜ $(\sin x - 1) = 1 - \sin x$

참고 $a > 0$이면 $\sqrt{a^2} = a$
 $a < 0$이면 $\sqrt{a^2} = -a$

답 ❶ < ❷ −

대표문제

0125 ••중••

$\sqrt{(\sin x + 1)^2} + \sqrt{(\sin x - 1)^2}$을 간단히 하시오.

(단, $0° < x < 90°$)

0126 ••중•• **서술형**

$45° < x < 90°$일 때,

$\sqrt{(1 - \tan x)^2} - \sqrt{\tan^2 x} + \sqrt{(1 - \sin x)^2}$을 간단히 하시오.

0127 •••상중•

$\sqrt{(\sin A + \cos A)^2} + \sqrt{(\cos A - \sin A)^2} = \sqrt{3}$일 때,
$\cos A$의 값을 구하시오. (단, $45° < A < 90°$)

필수유형 17 삼각비의 표를 이용하여 삼각비의 값 구하기

삼각비의 표에서 삼각비의 값은 각도의 가로줄과 sin, cos, tan의 세로줄이 만나는 곳의 수이다.

대표문제

0128 하••••

다음 삼각비의 표를 이용하여 $\sin x° = 0.3907$, $\cos y° = 0.9397$을 만족하는 $x + y$의 값을 구하시오.

각도	사인(sin)	코사인(cos)	탄젠트(tan)
19°	0.3256	0.9455	0.3443
20°	0.3420	0.9397	0.3640
21°	0.3584	0.9336	0.3839
22°	0.3746	0.9272	0.4040
23°	0.3907	0.9205	0.4245

0129 •중하•••

다음 중 아래 삼각비의 표에 대한 설명으로 옳지 <u>않은</u> 것을 모두 고르면? (정답 2개)

각도	사인(sin)	코사인(cos)	탄젠트(tan)
37°	0.6018	0.7986	0.7536
38°	0.6157	0.7880	0.7813
39°	0.6293	0.7771	0.8098
40°	0.6428	0.7660	0.8391
41°	0.6561	0.7547	0.8693

① $\sin 37°$의 값은 0.6018이다.
② $\cos 41°$의 값은 0.6561이다.
③ tan의 값이 0.7813인 각도는 38°이다.
④ $\cos 40° + \tan 41° = 1.6051$
⑤ $\sin 38°$와 $\tan 39°$의 값의 차는 0.1941이다.

필수유형 **18** 삼각비의 표를 이용하여 변의 길이 구하기

직각삼각형에서 직각이 아닌 한 각의 크기와 한 변의 길이가 주어지면 삼각비의 표를 이용하여 나머지 두 변의 길이를 구할 수 있다.

대표문제

0130 하 ●●●●

오른쪽 그림과 같이 ∠A＝90°인 직각삼각형 ABC에서 ∠C＝20°, $\overline{BC}$＝10 cm일 때, $\overline{AC}$의 길이를 다음 삼각비의 표를 이용하여 구하시오.

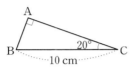

각도	사인(sin)	코사인(cos)	탄젠트(tan)
20°	0.3420	0.9397	0.3640
70°	0.9397	0.3420	2.7475

0131 ●● 중 ●●

아래 삼각비의 표를 이용하여 다음 물음에 답하시오.

각도	사인(sin)	코사인(cos)	탄젠트(tan)
50°	0.7660	0.6428	1.1918
51°	0.7771	0.6293	1.2349
52°	0.7880	0.6157	1.2799
53°	0.7986	0.6018	1.3270
54°	0.8090	0.5878	1.3764
55°	0.8192	0.5736	1.4281

(1) 오른쪽 그림의 직각삼각형 ABC에서 $\overline{BC}$의 길이를 구하시오.

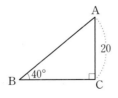

(2) 오른쪽 그림의 직각삼각형 ABC에서 $\overline{AB}+\overline{BC}$의 값을 구하시오.

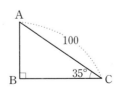

발전유형 **19** 특수한 각에 대한 삼각비의 값을 이용하여 선분의 길이 구하기 ⑵

대표문제

0132 ●●●●● 상

오른쪽 그림과 같이 두 개의 직각삼각형 ABC와 DBC를 겹쳐 놓았다. $\overline{BC}$＝10, ∠A＝60°, ∠EBC＝45°일 때, △EBC의 넓이를 구하시오.

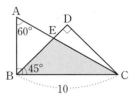

0133 ●●● 상중 ●

오른쪽 그림과 같이 $\overline{BC}$＝6, $\overline{CD}$＝4, ∠C＝60°인 등변사다리꼴 ABCD의 넓이를 구하시오.

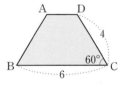

0134 ●●●● 상

오른쪽 그림의 삼각형 ABC에서 $\overline{AB}$＝2, ∠B＝60°, ∠C＝45°일 때, sin A의 값을 구하시오.

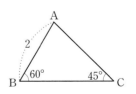

발전유형 **20** 반각

대표문제
0135 ●●●●상

오른쪽 그림과 같이 ∠C=90°
인 직각삼각형 ABC에서
∠B=15°, ∠ADC=30°,
$\overline{BD}=4$일 때, tan 15°의 값을 구하시오.

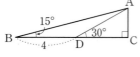

0136 ●●●●상

오른쪽 그림과 같이 ∠B=90°인 직각삼각형
ABC에서 ∠DAB=60°, $\overline{AB}=1$ cm이고
$\overline{AD}=\overline{CD}$일 때, tan 75°의 값을 구하시오.

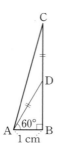

0137 ●●●●상

오른쪽 그림과 같이 ∠C=90°인
직각삼각형 ABC에서
$\overline{AD}=\overline{BD}$이고 ∠ADC=45°일
때, tan 22.5°의 값을 구하시오.

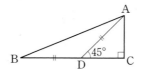

발전유형 **21** 여러 가지 심화 문제

0138 ●●●상중●

오른쪽 그림의 부채꼴 AOB에서
중심각의 크기는 45°이고
$\overarc{AB}=4\pi$, $\overline{AH}\perp\overline{OB}$일 때, 색칠한
부분의 넓이를 구하시오.

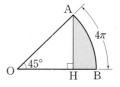

0139 ●●●상중● 서술형

오른쪽 그림과 같이 한 변의 길이
가 2인 정사각형 ABCD를 점 A
를 중심으로 30°만큼 회전시켜 정
사각형 AB′C′D′을 만들었다. 이
때 □AB′ED의 둘레의 길이와
넓이를 각각 구하시오.

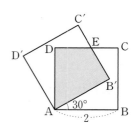

0140 ●●●●상

오른쪽 그림과 같이 $\overline{FG}=6$인 직육면
체에서 ∠CFG=60°, ∠AFE=45°이
고 ∠ACF=x라 할 때, $\cos\dfrac{x}{2}$의 값을
구하시오.

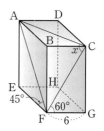

0141 ●중하●●●

오른쪽 그림의 직각삼각형 ABC 에서 $\overline{AC}=\sqrt{10}$, $\overline{BC}=1$일 때, 다음 중 옳지 <u>않은</u> 것은?

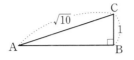

① $\sin A=\dfrac{\sqrt{10}}{10}$ ② $\cos A=\dfrac{3\sqrt{10}}{10}$

③ $\tan A=\dfrac{1}{3}$ ④ $\cos C=\dfrac{\sqrt{10}}{5}$

⑤ $\tan C=3$

0142 ●중하●●●

오른쪽 그림과 같이 $\angle C=90°$인 직각 삼각형 ABC에서 $\overline{AB}=8$ cm, $\sin B=\dfrac{3}{4}$일 때, $\overline{BC}$의 길이는?

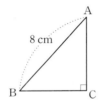

① 4 cm   ② $2\sqrt{7}$ cm

③ 6 cm   ④ $4\sqrt{3}$ cm

⑤ 10 cm

0143 ●●중●●● 〔서술형〕

$\angle B=90°$인 직각삼각형 ABC에서 $\cos A=\dfrac{7}{9}$일 때, $\tan A-\sin A$의 값을 구하시오.

0144 ●●중●●●

$\tan A=2$일 때, $\dfrac{\sin A-\cos A}{\sin A+\cos A}$의 값은?

(단, $0°<A<90°$)

① $\dfrac{\sqrt{2}}{2}$ ② $\dfrac{1}{2}$ ③ $\dfrac{\sqrt{3}}{3}$

④ $\dfrac{1}{3}$ ⑤ $\dfrac{\sqrt{5}}{5}$

0145 ●중하●●●

오른쪽 그림의 직각삼각형 ABC 에서 $\overline{DE}\perp\overline{BC}$이고 $\overline{AB}=12$, $\overline{AC}=5$일 때, $\cos x$의 값은?

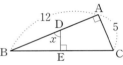

① $\dfrac{5}{13}$ ② $\dfrac{5}{12}$ ③ $\dfrac{12}{13}$

④ $\dfrac{12}{5}$ ⑤ $\dfrac{13}{5}$

0146 ●●중●●● 〔서술형〕

오른쪽 그림의 △ABC에서 $\angle A=90°$, $\overline{AB}=6$ cm, $\overline{AC}=8$ cm이고 $\overline{AH}\perp\overline{BC}$일 때, $\sin x+\cos y$의 값을 구하시오.

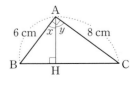

0147 ●●중●● [서술형]

오른쪽 그림과 같이 일차방정식 $12x-5y+60=0$의 그래프가 x축의 양의 방향과 이루는 각의 크기를 α라 할 때, $\sin \alpha + \cos \alpha$의 값을 구하시오.

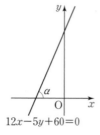

0148 ●●중●●

오른쪽 그림과 같이 가로, 세로의 길이가 각각 4 cm, 3 cm이고 높이가 5 cm인 직육면체에서 ∠DFH$=x$라 할 때, $\cos x$의 값을 구하시오.

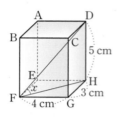

0149 ●●중●● [융합형]

오른쪽 그림과 같이 $\overline{AD} \parallel \overline{BC}$인 등변사다리꼴 ABCD에서 $\overline{AB}=6$, $\overline{AD}=4$, $\overline{BC}=8$일 때, $\sin B$의 값을 구하시오.

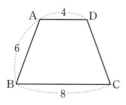

0150 ●●중●●

$\sqrt{2}\sin 45° + \tan 60° \times \cos 30° - \tan 45° \times \sin 30°$의 값을 구하시오.

0151 ●●중●●

∠A : ∠B : ∠C$=1 : 2 : 3$인 △ABC에 대하여 $\sin B + \tan A$의 값은?

① $\dfrac{5\sqrt{3}}{6}$ ② $\sqrt{3}$ ③ $\dfrac{3+2\sqrt{3}}{6}$

④ $\dfrac{4\sqrt{3}}{3}$ ⑤ $\dfrac{3\sqrt{3}}{2}$

0152 ●●중●● [서술형]

$\sin(x+15°)=\dfrac{\sqrt{3}}{2}$일 때, $\cos x - 2\tan x$의 값을 구하시오. (단, $0° < x+15° < 90°$)

0153 ●●중●●

오른쪽 그림과 같이 ∠C$=90°$인 직각삼각형 ABC에서 $\overline{BD}=\overline{CD}$이고 $\overline{AB}=20$ cm, ∠B$=30°$일 때, $\overline{AD}$의 길이를 구하시오.

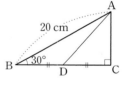

0154 ●●중●●

오른쪽 그림과 같이 x절편이 3이고 x축과 이루는 예각의 크기가 60°인 직선의 방정식은?

① $\sqrt{3}x+y-3=0$

② $\sqrt{3}x+y-3\sqrt{3}=0$

③ $\sqrt{3}x-y+3\sqrt{3}=0$

④ $3x+\sqrt{3}y+\sqrt{3}=0$

⑤ $3x+\sqrt{3}y-\sqrt{3}=0$

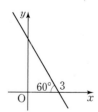

02 일반 삼각형의 변의 길이   유형 04, 05

(1) △ABC에서 두 변의 길이 a, c와 그 끼인각 ∠B의 크기를 알 때

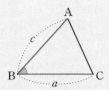

➡ $\overline{AC}=\sqrt{(c\sin B)^2+(a-c\cos B)^2}$

설명 꼭짓점 A에서 $\overline{BC}$에 내린 수선의 발을 H라 하면

△ABH에서

$\overline{AH}=c\sin B$

$\overline{BH}=c\cos B$

∴ $\overline{CH}=a-c\cos B$

△AHC에서

$\overline{AC}=\sqrt{\overline{AH}^2+\overline{CH}^2}$

$=\sqrt{(\boxed{❶})^2+(a-c\cos B)^2}$

(2) △ABC에서 한 변의 길이 a와 그 양 끝 각 ∠B, ∠C의 크기를 알 때

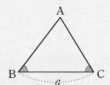

➡ $\overline{AC}=\dfrac{a\sin B}{\sin A}$, $\overline{AB}=\dfrac{a\sin C}{\sin A}$

설명 꼭짓점 B, C에서 대변에 내린 수선의 발을 각각 H, H′이라 하면

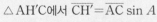

△BCH′에서

$\overline{CH'}=a\sin B$ ⋯⋯ ㉠

△AH′C에서 $\overline{CH'}=\overline{AC}\sin A$ ⋯⋯ ㉡

㉠, ㉡에서 $a\sin B=\overline{AC}\sin A$

∴ $\overline{AC}=\dfrac{a\sin B}{\boxed{❷}}$

같은 방법으로 $\overline{BH}=a\sin C=\overline{AB}\sin A$

∴ $\overline{AB}=\dfrac{a\sin C}{\sin A}$

답 ❶ $c\sin B$ ❷ $\sin A$

[0173~0176] 오른쪽 그림과 같은 △ABC에서 $\overline{AH}\perp\overline{BC}$일 때, 다음을 구하시오.

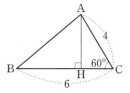

0173 $\overline{CH}$의 길이

0174 $\overline{AH}$의 길이

0175 $\overline{BH}$의 길이

0176 $\overline{AB}$의 길이

[0177~0178] 오른쪽 그림과 같은 △ABC에서 $\overline{CH}\perp\overline{AB}$일 때, 다음을 구하시오.

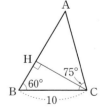

0177 $\overline{CH}$의 길이

0178 $\overline{AC}$의 길이

핵심 포인트! · 일반 삼각형의 변의 길이를 구할 때에는 특수한 각의 삼각비를 이용할 수 있도록 한 꼭짓점에서 그 대변에 수선을 그어 직각삼각형을 만든다.

03 삼각형의 높이

유형 06, 07

$\triangle$ABC에서 한 변의 길이 a와 그 양 끝 각 $\angle$B, $\angle$C의 크기를 알 때, 높이 h는

(1) $\angle$B, $\angle$C가 예각일 때

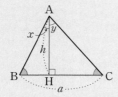

➡ $h=\dfrac{a}{\tan x+\tan y}$

설명 $\triangle$ABH에서 $\overline{\text{BH}}=h\tan x$

$\triangle$AHC에서 $\overline{\text{CH}}=h\tan y$

이때 $a=\overline{\text{BH}}+\overline{\text{CH}}$이므로

$a=h\tan x+h\tan y$

$\therefore h=\dfrac{a}{\tan x\,\boxed{\text{❶}}\,\tan y}$

(2) $\angle$B, $\angle$C 중 하나가 둔각일 때

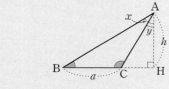

➡ $h=\dfrac{a}{\tan x-\tan y}$

설명 $\triangle$ABH에서 $\overline{\text{BH}}=h\tan x$

$\triangle$ACH에서 $\overline{\text{CH}}=h\tan y$

이때 $a=\overline{\text{BH}}-\overline{\text{CH}}$이므로

$a=h\tan x-h\tan y$

$\therefore h=\dfrac{a}{\tan x\,\boxed{\text{❷}}\,\tan y}$

圖 ❶ + ❷ −

[0179~0181] 오른쪽 그림과 같은 $\triangle$ABC에서 $\overline{\text{AH}}\perp\overline{\text{BC}}$일 때, 다음 물음에 답하시오.

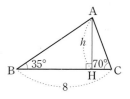

0179 $\overline{\text{BH}}$의 길이를 h와 $\angle$BAH의 크기를 이용하여 나타내시오.

0180 $\overline{\text{CH}}$의 길이를 h와 $\angle$CAH의 크기를 이용하여 나타내시오.

0181 높이 h를 삼각비를 이용하여 나타내시오.

[0182~0184] 오른쪽 그림과 같은 $\triangle$ABC에서 $\overline{\text{AH}}\perp\overline{\text{BH}}$일 때, 다음 물음에 답하시오.

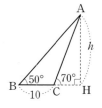

0182 $\overline{\text{BH}}$의 길이를 h와 $\angle$BAH의 크기를 이용하여 나타내시오.

0183 $\overline{\text{CH}}$의 길이를 h와 $\angle$CAH의 크기를 이용하여 나타내시오.

0184 높이 h를 삼각비를 이용하여 나타내시오.

핵심 포인트! · 일반 삼각형의 높이를 구할 때에는 한 꼭짓점에서 그 대변에 수선을 그어 만든 2개의 직각삼각형에서 tan의 값을 이용한다.

필수유형 01 직각삼각형에서 변의 길이 구하기

(1) $\sin B = \dfrac{b}{c}$

  ➡ $b = $ ❶ $\sin B$, $c = \dfrac{b}{\sin B}$

(2) $\cos B = \dfrac{a}{c}$

  ➡ $a = c \cos B$, $c = \dfrac{a}{❷}$
  $\cos B$

(3) $\tan B = \dfrac{b}{a}$

  ➡ $b = a \tan B$, $a = \dfrac{b}{❸}$

답 ❶ c ❷ a ❸ $\tan B$

필수유형 02 입체도형에서 직각삼각형의 변의 길이의 활용

① 입체도형에서 한 변의 길이와 한 예각의 크기가 주어진 직각삼각형을 찾는다.

② 삼각비를 이용하여 나머지 변의 길이를 구한다.

대표문제

0188 ●●중●●

오른쪽 그림과 같은 직육면체에서 ∠DFH=60°이고 $\overline{FG}$=4 cm, $\overline{GH}$=3 cm일 때, $\overline{DF}$의 길이를 구하시오.

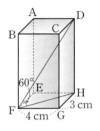

대표문제

0185 ●중하●●●

오른쪽 그림과 같은 직각삼각형 ABC에서 ∠B=50°, $\overline{AC}$=10일 때, 다음 중 $\overline{AB}$의 길이를 나타내는 것을 모두 고르면? (정답 2개)

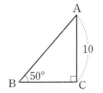

① $10 \sin 50°$ ② $10 \tan 40°$

③ $\dfrac{10}{\sin 50°}$ ④ $\dfrac{10}{\cos 40°}$

⑤ $\dfrac{10}{\tan 50°}$

0189 ●●중●● 서술형

오른쪽 그림과 같이 모선과 밑면이 이루는 각의 크기가 45°이고 모선의 길이가 6 cm인 원뿔의 부피를 구하시오.

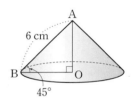

0186 하●●●●

오른쪽 그림과 같은 직각삼각형 ABC에서 ∠A=64°, $\overline{AB}$=8일 때, $\overline{BC}$의 길이를 구하시오. (단, sin 64°=0.90, cos 64°=0.44, tan 64°=2.05로 계산한다.)

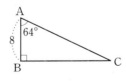

0190 ●●중●●

오른쪽 그림과 같이 ∠ACB=90°, ∠ABC=30°이고 $\overline{AB}$=8 cm, $\overline{AD}$=10 cm인 삼각기둥의 겉넓이를 구하시오.

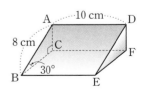

0187 하●●●●

오른쪽 그림과 같은 직각삼각형 ABC에서 ∠B=42°, $\overline{BC}$=12 cm일 때, $\overline{AC}$의 길이를 구하시오. (단, sin 42°=0.67, cos 42°=0.74로 계산한다.)

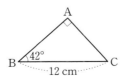

필수유형 03 · 중요 · 삼각비와 실생활

① 주어진 그림에서 직각삼각형을 찾는다.
② 삼각비를 이용하여 높이 또는 변의 길이를 구한다.

대표문제

0191 ••중••

영호는 나무의 높이를 알아보려고 오른쪽 그림과 같이 나무에서 10 m 떨어진 지점에서 나무를 올려다본 각의 크기를 재었다. 영호의 눈높이가 1.7 m일 때, 나무의 높이를 구하시오. (단, tan 40°=0.84로 계산한다.)

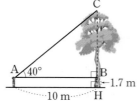

0192 하••••

오른쪽 그림과 같이 20 m 떨어진 지점에서 탑 꼭대기를 올려다본 각의 크기가 25°일 때, 이 탑의 높이를 구하시오. (단, tan 25°=0.47로 계산한다.)

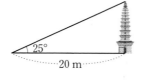

0193 •중하•••

다음 그림과 같이 서현이가 눈높이가 해발 80 m의 높이에서 바다 위에 있는 배를 내려다본 각의 크기가 35°이었다. 서현이는 이 배가 있는 곳에서 수평 거리로 x m 떨어져 있을 때, x의 값을 구하시오. (단, sin 55°=0.82, cos 55°=0.57, tan 55°=1.43으로 계산한다.)

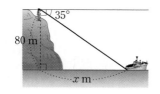

0194 ••중••

똑바로 서 있던 나무가 벼락을 맞아 오른쪽 그림과 같이 직각으로 구부려져 쓰러졌다. 이 나무가 쓰러지기 전의 높이를 다음 삼각비의 표를 이용하여 구하시오.

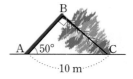

각도	사인(sin)	코사인(cos)	탄젠트(tan)
40°	0.6428	0.7660	0.8391
50°	0.7660	0.6428	1.1918

0195 ••중••

오른쪽 그림과 같이 건물로부터 4 m 떨어진 지점에서 나무의 양 끝을 올려다본 각의 크기가 각각 45°, 60°일 때, 나무의 높이를 구하시오.

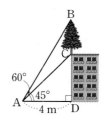

0196 ••중••

오른쪽 그림과 같이 간격이 $10\sqrt{3}$ m인 서점과 은행이 있다. 서점 옥상에서 은행을 올려다본 각의 크기는 30°이고 내려다본 각의 크기는 45°일 때, 은행의 높이를 구하시오.

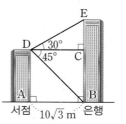

0197 ●●●충●●●

산의 높이 $\overline{CH}$의 길이를 구하기 위하여 산 아래쪽의 지평면 위에 $\overline{AB}=100$ m가 되도록 두 지점 A, B를 정하고 측량하였더니 오른쪽 그림과 같았다. 이때 산의 높이 $\overline{CH}$의 길이를 구하시오.

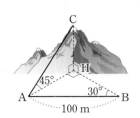

0198 ●●●상중●

잘 틀리는 문제

오른쪽 그림과 같이 길이가 30 cm인 실에 매달린 추가 $\overline{OA}$와 30°의 각을 이루며 B 지점에 있을 때, 추는 A 지점을 기준으로 하여 몇 cm의 높이에 있는지 구하시오. (단, 추의 크기는 생각하지 않는다.)

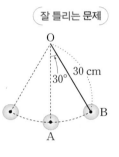

0199 ●●●상중●

다음 그림과 같이 높이가 $3\sqrt{3}$ m인 속도 감시카메라에서 직선도로를 일정한 속력으로 움직이는 한 자동차를 관측하였다. A 지점에서 B 지점까지 오는 데 걸린 시간은 0.3초일 때, 이 자동차의 속력을 구하시오.

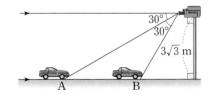

필수유형 **04** **중요** | 두 변의 길이와 그 끼인각의 크기를 알 때, 변의 길이 구하기

길이를 구하고자 하는 변이 직각삼각형의 빗변이 되도록 수선을 긋고 삼각비를 이용한다.

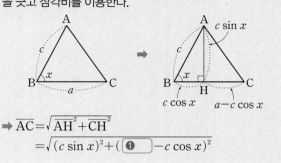

$$\Rightarrow \overline{AC}=\sqrt{\overline{AH}^2+\overline{CH}^2}$$
$$=\sqrt{(c\sin x)^2+(\boxed{①}-c\cos x)^2}$$

답 **①** a

대표문제

0200 ●●●중●●●

오른쪽 그림의 △ABC에서 $\overline{AC}=10$, $\overline{BC}=7\sqrt{3}$, $\angle C=30°$일 때, $\overline{AB}$의 길이를 구하시오.

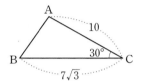

0201 ●●●중●●● 서술형

오른쪽 그림의 △ABC에서 $\overline{AB}=8$ cm, $\overline{BC}=12$ cm, $\angle B=60°$일 때, $\overline{AC}$의 길이를 구하시오.

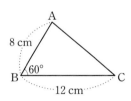

0202 ●●●중●●●

오른쪽 그림의 △ABC에서 $\overline{AC}=6$, $\overline{BC}=4$, $\angle C=120°$일 때, $\overline{AB}$의 길이를 구하시오.

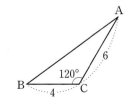

2

삼각비의 활용

필수유형 05 한 변의 길이와 그 양 끝 각의 크기를 알 때, 변의 길이 구하기

주어진 각 중 특수한 각이 아닌 꼭짓점에서 수선을 그어 직각삼각형을 만들고 삼각비를 이용한다.

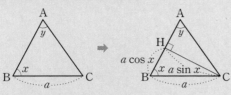

(1) $\tan y = \dfrac{\overline{CH}}{\overline{AH}}$ 이므로 $\overline{AH} = \dfrac{a \sin x}{\boxed{\textbf{❶}}}$

(2) $\sin y = \dfrac{\overline{CH}}{\overline{AC}}$ 이므로 $\overline{AC} = \dfrac{a \sin x}{\sin y}$

📋 ❶ $\tan y$

대표문제

0203 ••❸••

오른쪽 그림의 $\triangle ABC$에서 $\overline{AC} = 6\sqrt{2}$, $\angle A = 75°$, $\angle B = 60°$ 일 때, $\overline{AB}$의 길이를 구하시오.

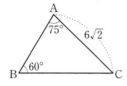

0204 ••❸••

오른쪽 그림의 $\triangle ABC$에서 $\overline{BC} = 2$, $\angle B = 105°$, $\angle C = 45°$일 때, $\overline{AB}$의 길이를 구하시오.

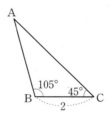

0205 ••❸••

호수의 폭 $\overline{AB}$의 길이를 구하기 위하여 호수의 바깥쪽에 점 C를 정하고 오른쪽 그림과 같이 측량하였더니 $\overline{AC} = 12$ m, $\angle A = 75°$, $\angle B = 45°$이었다. 이 때 호수의 폭 $\overline{AB}$의 길이를 구하시오.

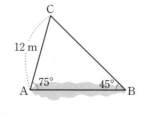

0206 ••❸••

오른쪽 그림과 같이 강의 양쪽에 위치한 두 지점 A, B 사이의 거리를 측정하기 위하여 A 지점과 같은 쪽에 $\overline{AC} = 50$ m인 C 지점을 잡았다. $\angle A = 45°$, $\angle C = 105°$일 때, 두 지점 A, B 사이의 거리를 구하시오.

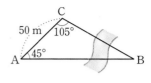

중요

필수유형 06 예각이 주어질 때, 삼각형의 높이 구하기

$\overline{BH} = h \tan x$
$\overline{CH} = h \tan y$
$a = h \tan x + h \tan y$
$\therefore h = \dfrac{a}{\tan x + \tan y}$

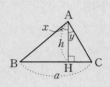

대표문제

0207 ••❸••

오른쪽 그림의 $\triangle ABC$에서 $\overline{BC} = 20$, $\angle B = 45°$, $\angle C = 60°$이고 $\overline{AH} \perp \overline{BC}$일 때, $\overline{AH}$의 길이를 구하시오.

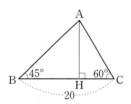

0208 ••❸••

오른쪽 그림의 $\triangle ABC$에서 $\overline{BC} = 12$, $\angle B = 50°$, $\angle C = 35°$이고 $\overline{AH} \perp \overline{BC}$일 때, 다음 중 $\overline{AH}$의 길이를 나타내는 것은?

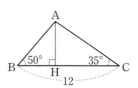

① $\dfrac{12}{\tan 50° - \tan 35°}$ ② $\dfrac{12}{\tan 35° + \tan 50°}$

③ $\dfrac{12}{\tan 55° - \tan 40°}$ ④ $\dfrac{12}{\tan 40° + \tan 55°}$

⑤ $12(\tan 40° + \tan 55°)$

0209 ●●●○○

오른쪽 그림과 같이 200 m 떨어져 있는 지면 위의 두 지점 A, B에서 기구를 올려다본 각의 크기가 각각 45°, 30°였다. 지면으로부터 기구까지의 높이를 구하시오.

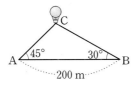

0210 ●●●●○

오른쪽 그림의 △ABC에서 ∠B=60°, ∠C=45°, $\overline{BC}=\sqrt{3}+1$일 때, △ABC의 넓이를 구하시오.

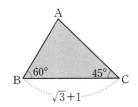

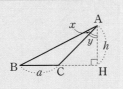

필수유형07 **둔각이 주어질 때, 삼각형의 높이 구하기**

$\overline{BH}=h\tan x$
$\overline{CH}=h\tan y$
$a=h\tan x-h\tan y$
$\therefore h=\dfrac{a}{\tan x-\tan y}$

대표문제

0211 ●●●○○

오른쪽 그림과 같이 100 m 떨어져 있는 지면 위의 두 지점 A, B에서 기구를 올려다본 각의 크기가 각각 30°, 45°이었다. 이때 지면에서 기구까지의 높이를 구하시오.

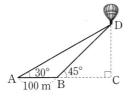

0212 ●●●○○

오른쪽 그림과 같이 △ABC의 꼭짓점 A에서 $\overline{BC}$의 연장선에 내린 수선의 발을 H라 할 때, $\overline{BC}=15$, ∠B=35°, ∠ACH=65°이다. 다음 중 $\overline{AH}$의 길이를 나타내는 것은?

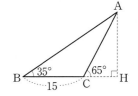

① $\dfrac{15}{\tan 65°-\tan 35°}$ ② $\dfrac{15}{\tan 35°+\tan 65°}$
③ $\dfrac{15}{\tan 55°-\tan 25°}$ ④ $\dfrac{15}{\tan 25°+\tan 55°}$
⑤ $15(\tan 55°-\tan 25°)$

0213 ●●●○○

오른쪽 그림과 같이 ∠B=90°인 직각삼각형 ABC에서 $\overline{AD}=10$, ∠CAD=30°, ∠CDB=60°일 때, $\overline{BC}$의 길이를 구하시오.

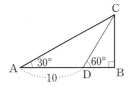

0214 ●●●○○ **서술형**

오른쪽 그림과 같이 ∠B=23°, $\overline{BC}=9$인 △ABC가 있다. 꼭짓점 A에서 변 BC의 연장선에 내린 수선의 발을 H라 할 때, ∠ACH=45°이다. 이때 △ABC의 넓이를 구하시오. (단, sin 23°=0.4, cos 23°=0.9, tan 23°=0.4로 계산한다.)

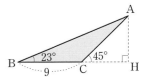

개념 마스터

04 삼각형의 넓이 유형 08~10

△ABC에서 두 변의 길이 a, c와 그 끼인각 ∠B의 크기를 알 때, 넓이 S는

(1) ∠B가 예각인 경우

$$S = \frac{1}{2}ac \;❶$$

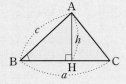

(2) ∠B가 둔각인 경우

$$S = \frac{1}{2}ac \;❷$$

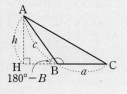

답 ❶ $\sin B$ ❷ $\sin(180° - B)$

[0215~0220] 다음 △ABC의 넓이를 구하시오.

0215
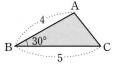

0216
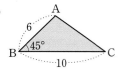

0217
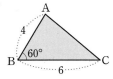

0218
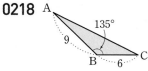

0219
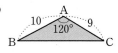

0220
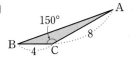

05 사각형의 넓이 유형 11, 12

(1) **평행사변형의 넓이**

평행사변형 ABCD의 이웃하는 두 변의 길이가 a, b이고 그 끼인각 x가 예각일 때,

□ABCD $= ab \;❶$

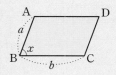

(2) **사각형의 넓이**

□ABCD의 두 대각선의 길이가 a, b이고 두 대각선이 이루는 각 x가 예각일 때,

□ABCD $= \frac{1}{2}ab \sin x$

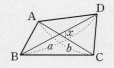

답 ❶ $\sin x$

[0221~0224] 다음 평행사변형 ABCD의 넓이를 구하시오.

0221
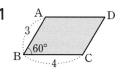

0222
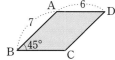

0223
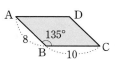

0224
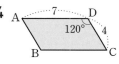

[0225~0226] 다음 사각형 ABCD의 넓이를 구하시오.

0225
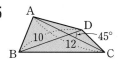

0226
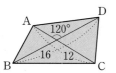

핵심 포인트!

$S = \frac{1}{2}ab \sin x$

$S = \frac{1}{2}ab \sin(180° - x)$

$S = ab \sin x$

$S = \frac{1}{2}ab \sin x$

2

삼각비의 활용

필수유형 **08** 예각이 주어질 때, 삼각형의 넓이 구하기

△ABC에서 ∠B가 예각일 때

① $\overline{AH}=$ ❶

② △ABC$=\dfrac{1}{2}ac\sin B$

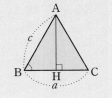

달 ❶ $c\sin B$

대표문제

0227 하••••

오른쪽 그림과 같은 △ABC에서 $\overline{AB}=8$ cm, $\overline{BC}=12$ cm, ∠B$=60°$일 때, △ABC의 넓이를 구하시오.

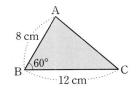

0228 •중하•••

오른쪽 그림과 같이 $\overline{AB}=4\sqrt{5}$, ∠B$=30°$인 △ABC의 넓이가 20일 때, $\overline{BC}$의 길이를 구하시오.

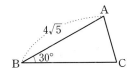

0229 •중하•••

오른쪽 그림과 같이 $\overline{AB}=\overline{AC}=6$ cm인 이등변삼각형 ABC에서 ∠B$=75°$일 때, △ABC의 넓이를 구하시오.

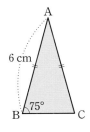

0230 ••중••

오른쪽 그림과 같은 △ABC에서 $\overline{AB}=6$, $\overline{AC}=8$이고 △ABC의 넓이가 $8\sqrt{2}$일 때, $\tan x$의 값을 구하시오.

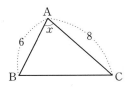

0231 ••중••

오른쪽 그림과 같은 □ABCD에서 $\overline{AB}=10$, $\overline{BC}=12$, ∠B$=45°$이고 $\overline{AE}\,/\!/\,\overline{DC}$일 때, □ABED의 넓이를 구하시오.

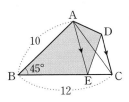

0232 •••상중• 서술형

오른쪽 그림의 △ABC에서 $\overline{AB}=10$, $\overline{AC}=8$, ∠A$=60°$이다. $\overline{AD}$는 ∠A의 이등분선일 때, $\overline{AD}$의 길이를 구하시오.

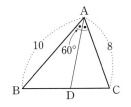

필수유형 09 둔각이 주어질 때, 삼각형의 넓이 구하기

△ABC에서 ∠B가 둔각일 때

① $\overline{AH}=c\sin(180°-B)$

② $\triangle ABC=\dfrac{1}{2}ac\sin(180°-B)$

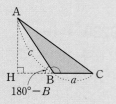

대표문제

0233 하••••

오른쪽 그림과 같은 △ABC에서 ∠C=135°, $\overline{AC}=4\sqrt{2}$ cm, $\overline{BC}=3$ cm일 때, △ABC의 넓이를 구하시오.

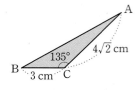

0234 하••••

오른쪽 그림과 같은 △ABC에서 $\overline{AB}=20$ cm, $\overline{BC}=8$ cm, ∠B=120°일 때, △ABC의 넓이를 구하시오.

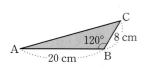

0235 •중하•••

다음 그림과 같이 ∠C=150°, $\overline{BC}=8$ cm인 △ABC의 넓이가 $6\sqrt{2}$ cm²일 때, $\overline{AC}$의 길이를 구하시오.

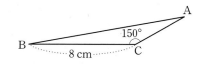

0236 ••중••

오른쪽 그림에서 $\overline{AB}$는 반원 O의 지름이고 ∠CAO=30°, $\overline{AO}=4\sqrt{3}$일 때, 색칠한 부분의 넓이를 구하시오.

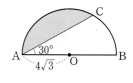

필수유형 10 다각형의 넓이

보조선을 그어 다각형을 여러 개의 ❶ [   ]으로 나눈 후 삼각형의 넓이의 합을 구한다.

답 ❶ 삼각형

대표문제

0237 ••중••

오른쪽 그림과 같은 □ABCD의 넓이를 구하시오.

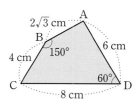

0238 ••중•• 서술형

오른쪽 그림과 같은 □ABCD의 넓이를 구하시오.

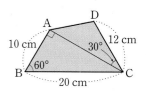

0239 ●●중●●●

오른쪽 그림과 같이 한 변의 길이가 4인 정육각형의 넓이를 구하시오.

0240 ●●중●●

오른쪽 그림과 같이 반지름의 길이가 6인 원 O에 내접하는 정육각형의 넓이를 구하시오.

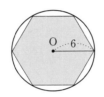

0241 ●●●상중●

잘 틀리는 문제

오른쪽 그림과 같이 원에 내접하는 정팔각형의 넓이가 $32\sqrt{2} \text{ cm}^2$일 때, 이 원의 반지름의 길이를 구하시오.

필수유형**11** 평행사변형의 넓이

평행사변형 ABCD에서

(1) ∠B가 예각일 때   (2) ∠B가 둔각일 때

☐ABCD
= ① □ sin B

☐ABCD
= $ab \sin(180° - B)$

답 ① ab

대표문제

0242 하●●●●

오른쪽 그림과 같은 평행사변형 ABCD에서 두 변의 길이는 각각 6 cm, 8 cm이고 ∠B=60°일 때, 평행사변형 ABCD의 넓이를 구하시오.

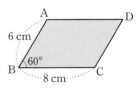

0243 ●중하●●●

오른쪽 그림과 같이 $\overline{\text{AD}}=5\sqrt{3}$, ∠A=120°인 평행사변형 ABCD의 넓이가 30일 때, $\overline{\text{AB}}$의 길이를 구하시오.

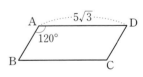

0244 ●●중●●

오른쪽 그림과 같은 마름모 ABCD의 넓이가 $50\sqrt{2} \text{ cm}^2$일 때, 마름모 ABCD의 둘레의 길이를 구하시오.

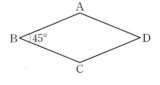

필수유형 **12** 사각형의 넓이

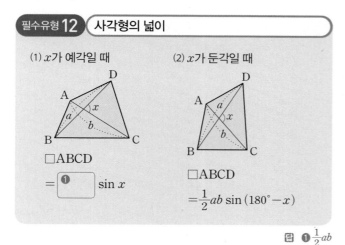

(1) x가 예각일 때

(2) x가 둔각일 때

□ABCD

= ① $\boxed{}$ $\sin x$

□ABCD

$= \dfrac{1}{2}ab\sin(180°-x)$

답 ① $\dfrac{1}{2}ab$

대표문제

0245 ••중••

오른쪽 그림과 같은 등변사다리꼴 ABCD에서 두 대각선이 이루는 각의 크기가 135°이고 넓이가 $20\sqrt{2}$일 때, 대각선 AC의 길이를 구하시오.

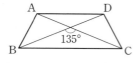

0246 •중하•••

오른쪽 그림의 □ABCD에서 ∠DBC=40°, ∠ACB=80°, $\overline{AC}=9$ cm, $\overline{BD}=12$ cm일 때, □ABCD의 넓이를 구하시오. (단, 점 O는 두 대각선의 교점이다.)

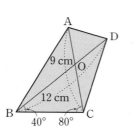

0247 ••중•• 서술형

오른쪽 그림에서 ∠B=90°, $\overline{AB}=6$ cm, $\overline{BC}=8$ cm, $\overline{BD}=16$ cm, ∠AOB=45°일 때, □ABCD의 넓이를 구하시오. (단, 점 O는 두 대각선의 교점이다.)

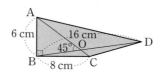

발전유형 **13** 여러 가지 심화 문제

0248 ••••상

오른쪽 그림과 같은 평행사변형 ABCD에서 ∠B=60°, $\overline{BC}=10$ cm, $\overline{CD}=6$ cm이다. 점 M, N이 각각 $\overline{BC}$, $\overline{CD}$의 중점일 때, △AMN의 넓이를 구하시오.

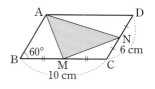

0249 ••••상

오른쪽 그림의 직각삼각형 ABC에서 $\overline{AB}=\overline{BD}=\overline{DC}$이고 $\overline{AD}=2\sqrt{2}$일 때, $\cos a$의 값을 구하시오.

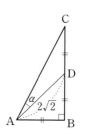

0250 ••••상

잘 틀리는 문제

오른쪽 그림과 같이 폭이 5 cm로 일정한 직사각형 모양의 띠를 겹쳐 놓았을 때, 두 띠가 이루는 예각의 크기가 a이다. 이때 겹쳐진 부분의 넓이를 a를 사용한 식으로 나타내시오.

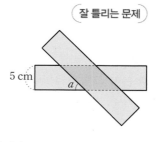

0251 ●중하●●●

오른쪽 그림과 같은 직각삼각형 ABC에서 $\overline{BC}=9$, ∠B=58°일 때, 다음 중 $\overline{AB}$의 길이를 나타내는 것은?

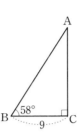

① $9\sin 58°$
② $9\cos 58°$
③ $9\tan 58°$
④ $\dfrac{9}{\sin 58°}$
⑤ $\dfrac{9}{\cos 58°}$

0252 ●●중●●● 창의력

아래 그림과 같이 지름의 길이가 8 cm인 반원 O 위에 ∠PAB=30°, ∠APB=90°가 되도록 점 P를 잡고 점 P에서 $\overline{AB}$에 내린 수선의 발을 R라 하자. □PRBQ가 직사각형이 되도록 점 Q를 잡을 때, 다음 물음에 답하시오.

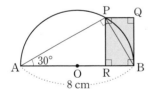

(1) $\overline{PR}$의 길이를 구하시오.

(2) $\overline{RB}$의 길이를 구하시오.

(3) □PRBQ의 넓이를 구하시오.

0253 ●●중●●

오른쪽 그림과 같이 나무로부터 10 m 떨어진 지점에서 나무 꼭대기를 올려다본 각의 크기가 35°이다. 사람의 눈높이가 1.5 m일 때, 나무의 높이를 구하시오.
(단, $\sin 35°=0.5736$, $\cos 35°=0.8192$, $\tan 35°=0.7002$로 계산한다.)

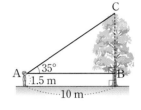

0254 ●●중●● 서술형

오른쪽 그림과 같이 나무의 밑 A 지점에서의 경사가 30°인 언덕을 6 m 올라간 C 지점에서 나무 꼭대기를 올려다본 각의 크기가 45°일 때, 나무의 높이 $\overline{AB}$의 길이를 구하시오.
(단, 눈높이는 생각하지 않는다.)

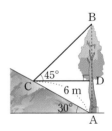

0255 ●●중●●

오른쪽 그림의 △ABC에서 ∠C=60°, $\overline{AC}=4$ cm, $\overline{BC}=5$ cm이고 $\overline{AD}\perp\overline{BC}$일 때, $\overline{AB}$의 길이는?

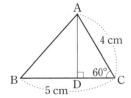

① $2\sqrt{3}$ cm
② $3\sqrt{2}$ cm
③ $2\sqrt{5}$ cm
④ $\sqrt{21}$ cm
⑤ 5 cm

0256 ●●^중●●

호수의 폭 $\overline{AB}$의 길이를 구하기 위하여 호수의 바깥쪽에 점 C를 정하고 측량하였더니 오른쪽 그림과 같았다. 이때 호수의 폭 $\overline{AB}$의 길이를 구하시오.

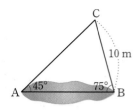

0257 ●●●^{상중}● 융합형

오른쪽 그림과 같이 두 사람이 윈드서핑을 할 때, 같은 지점 O에서 동시에 출발하여 서로 다른 방향으로 시속 6 km, 시속 8 km로 달려서 2시간 후 각각 P, Q 지점에 이르렀다. 다음 물음에 답하시오.

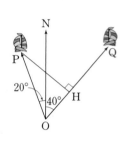

(1) $\overline{OP}$, $\overline{OQ}$의 길이를 각각 구하시오.

(2) $\overline{PH}$, $\overline{HQ}$의 길이를 각각 구하시오.

(3) 두 지점 P, Q 사이의 거리를 구하시오.

0258 ●●^중●●

오른쪽 그림과 같이 P 지점에 떠 있는 인공위성을 100 km 떨어진 두 관측소 A, B에서 동시에 올려다본 각의 크기가 각각 30°, 45°일 때, 관측소 A에서 인공위성까지의 거리를 구하시오.

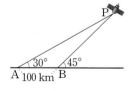

0259 ●●^중●●

오른쪽 그림과 같이 $\overline{AB}=8$, $\overline{BC}=10$인 △ABC의 넓이가 $20\sqrt{3}$일 때, ∠B의 크기를 구하시오. (단, $0°<B<90°$)

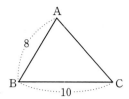

0260 ●●^중●●

오른쪽 그림과 같이 $\overline{BC}=20$ cm, ∠B=60°인 △ABC의 넓이가 $60\sqrt{3}$ cm²일 때, $\overline{AC}$의 길이를 구하시오.

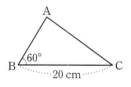

0261 ●●^중●● 서술형

오른쪽 그림에서 $\overline{AC}/\!/\overline{DE}$이고 $\overline{AB}=5$ cm, $\overline{BC}=6$ cm, $\overline{CE}=2$ cm일 때, □ABCD의 넓이를 구하시오.

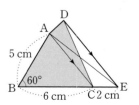

STEP 2 유형 마스터

필수유형 01 중심각의 크기와 호, 현의 길이 사이의 관계

한 원 또는 합동인 두 원에서
(1) 크기가 같은 두 중심각에 대한 호
　(현)의 길이는 **①** .
(2) 길이가 같은 두 호(현)에 대한 중
　심각의 크기는 **②** .
(3) 중심각의 크기와 호의 길이는 정비례한다.
(4) 중심각의 크기와 현의 길이는 정비례하지 않는다.

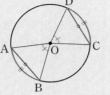

답 ❶ 같다 ❷ 같다

대표문제

0277 ●●중●●

오른쪽 그림의 원 O에서
∠AOB=∠COD=∠DOE일 때,
다음 중 옳지 <u>않은</u> 것은?

① $\overarc{AB}=\overarc{CD}$
② $2\overarc{AB}=\overarc{CE}$
③ $\overline{AB}=\overline{CD}$
④ $2\overline{AB}=\overline{CE}$
⑤ $\triangle AOB \equiv \triangle DOE$

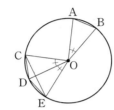

0278 ●중하●●●

다음 그림의 원 O에서 x의 값을 구하시오.

(1)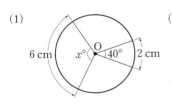

(2)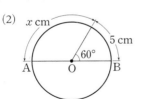

(단, $\overline{AB}$는 원 O의 지름)

0279 ●●중●●

오른쪽 그림의 원 O에서
$\overarc{AB}:\overarc{BC}:\overarc{CA}=6:5:4$일 때,
∠AOB의 크기를 구하시오.

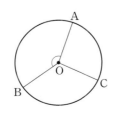

필수유형 02 중심각의 크기에 대한 호의 길이

오른쪽 그림의 원 O에서
$\overline{AB}/\!/\overline{CD}$이면
∠OBA=∠DOB (엇각),
∠OAB=∠OBA ($\because \overline{OA}=\overline{OB}$)
임을 이용한다.

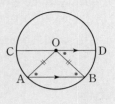

대표문제

0280 ●●중●●

오른쪽 그림에서 $\overline{CD}$는 원 O의
지름이고 $\overline{AB}/\!/\overline{CD}$이다.
∠BOD=40°, $\overarc{BD}=8$ cm일 때,
$\overarc{AB}$의 길이를 구하시오.

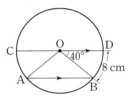

0281 ●●중●● 서술형

오른쪽 그림에서 $\overline{BC}$는 원 O의
지름이고 $\overline{AO}/\!/\overline{DC}$이다.
∠AOB=45°, $\overarc{AB}=5$ cm일 때,
$\overarc{CD}$의 길이를 구하시오.

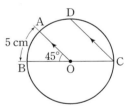

0282 ●●중●●

오른쪽 그림의 원 O에서
$\overline{DO}=\overline{DE}$이다.
$\overarc{AC}=12$ cm, ∠E=15°일
때, $\overarc{BD}$의 길이를 구하시
오.

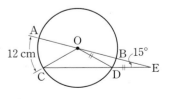

3

원과 직선

3. 원과 직선 • 49

필수유형**03** 원의 중심과 현의 수직이등분선 (1)

원의 중심에서 현에 내린 수선은 그 현
을 ❶ 한다.
(1) $\overline{OH} \perp \overline{AB}$이면 $\overline{AH} = \overline{BH}$
(2) 직각삼각형 OAH에서
$\overline{OA}^2 = \overline{AH}^2 + \overline{OH}^2$

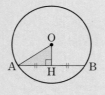

답 ❶이등분

대표문제
0283 ●중하●●●
오른쪽 그림의 원 O에서 $\overline{OH} \perp \overline{AB}$
이고 $\overline{OA} = 6$ cm, $\overline{OH} = 3$ cm일 때,
$\overline{AB}$의 길이를 구하시오.

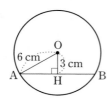

0284 ●중하●●●
오른쪽 그림의 원 O에서 $\overline{OH} \perp \overline{AB}$
이고 $\overline{AB} = 24$ cm, $\overline{OH} = 5$ cm일 때,
$\overline{OA}$의 길이를 구하시오.

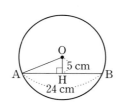

0285 ●●중●●●
반지름의 길이가 5 cm인 원의 중심에서 길이가 8 cm인
현까지의 거리를 구하시오.

중요
필수유형**04** 원의 중심과 현의 수직이등분선 (2)

오른쪽 그림의 원 O에서
(1) $\overline{OH} \perp \overline{AB}$이면 $\overline{AH} = \overline{BH}$
(2) $\overline{OA} = \overline{OC}$ (❶ 의 길이)이므로
$\overline{OH} = \overline{OC} - \overline{HC} = \overline{OA} - \overline{HC}$
(3) 직각삼각형 OAH에서
$\overline{OA}^2 = \overline{AH}^2 + \overline{OH}^2$

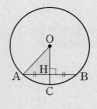

답 ❶반지름

대표문제
0286 ●●중●●
오른쪽 그림의 원 O에서 $\overline{AB} \perp \overline{OC}$이
고 $\overline{AD} = 4$, $\overline{CD} = 2$일 때, 원 O의 반
지름의 길이를 구하시오.

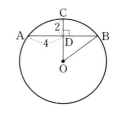

0287 ●중하●●●
오른쪽 그림과 같이 반지름의 길이가
8 cm인 원 O에서 $\overline{AB} \perp \overline{OC}$,
$\overline{OH} = \overline{HC}$일 때, $\overline{AB}$의 길이를 구하
시오.

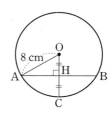

0288 ●●중●●
오른쪽 그림의 원 O에서 $\overline{AB} \perp \overline{OD}$
이고 $\overline{AC} = 5$, $\overline{CD} = 3$일 때, 원 O의
반지름의 길이를 구하시오.

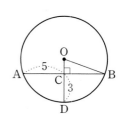

0289 ●●●중●●●

오른쪽 그림의 원 O에서 $\overline{AB} \perp \overline{CD}$
이고 $\overline{OH}=5$, $\angle COB=120°$일 때,
$\overline{AH}$의 길이를 구하시오.

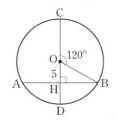

0292 ●●●중●●● 서술형

오른쪽 그림에서 $\overset{\frown}{AB}$는 반지름
의 길이가 15 cm인 원의 일부
분이다. $\overline{AB} \perp \overline{CD}$, $\overline{AD}=\overline{BD}$
이고 $\overline{AB}=24$ cm일 때, $\overline{CD}$의
길이를 구하시오.

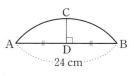

필수유형 05 원의 중심과 현의 수직이등분선 (3)

오른쪽 그림과 같이 원의 일부분
이 주어졌을 때
① 원의 ❶ 을 찾아 반지름의
   길이를 r로 놓는다.
② 직각삼각형 AOD에서 피타고
   라스 정리를 이용한다.
➡ $r^2=(r-a)^2+b^2$

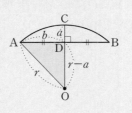

🔑 ❶중심

대표문제

0290 ●●●중●●

오른쪽 그림에서 $\overset{\frown}{AB}$는 원의 일부
분이다. $\overline{AB} \perp \overline{CD}$,
$\overline{AD}=\overline{BD}=6$, $\overline{CD}=4$일 때, 이
원의 반지름의 길이를 구하시오.

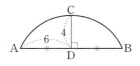

0293 ●●●중●●

오른쪽 그림에서 $\overset{\frown}{AB}$는 반지름
의 길이가 10 cm인 원의 일부분
이다. $\overline{AB} \perp \overline{HP}$, $\overline{AH}=\overline{BH}$이고
$\overline{HP}=4$ cm일 때, $\triangle APB$의 넓이를 구하시오.

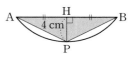

0291 ●●●중●●

오른쪽 그림에서 $\overset{\frown}{AB}$는 반지름
의 길이가 5 cm인 원의 일부분
이다. $\overline{AB} \perp \overline{CD}$, $\overline{AD}=\overline{BD}$이고
$\overline{CD}=1$ cm일 때, $\overline{AB}$의 길이를 구하시오.

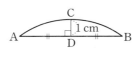

0294 ●●●중●●

오른쪽 그림은 고려시대 접시의 일
부분이다. 원래 원 모양이었던 이 접
시의 지름의 길이를 구하시오.

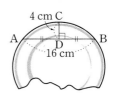

필수유형 06 원의 중심과 현의 수직이등분선 (4)

오른쪽 그림과 같이 원O에서 원주 위의 한 점이 원의 중심에 오도록 접었을 때, 원의 중심에서 현에 ❶을 그어 피타고라스 정리를 이용한다.

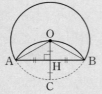

(1) $\overline{OH} \perp \overline{AB}$이면 $\overline{AH} = \overline{BH}$

(2) $\overline{OH} = \overline{HC} = \dfrac{1}{2}\overline{OC}$

(3) 직각삼각형 OAH에서 $\overline{OA}^2 = \overline{AH}^2 + \overline{OH}^2$

답 ❶ 수선

대표문제

0295 ••중••

오른쪽 그림과 같이 반지름의 길이가 10 cm인 원 O의 원주 위의 한 점이 원의 중심 O에 겹쳐지도록 $\overline{AB}$를 접는 선으로 하여 접었을 때, $\overline{AB}$의 길이를 구하시오.

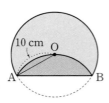

0296 ••중••

오른쪽 그림과 같이 원 O의 원주 위의 한 점이 원의 중심 O에 겹쳐지도록 $\overline{AB}$를 접는 선으로 하여 접었더니 현 AB의 길이가 $6\sqrt{3}$이었다. 이때 원 O의 반지름의 길이를 구하시오.

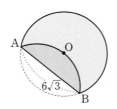

0297 •••상중•

오른쪽 그림과 같이 반지름의 길이가 4인 원 O의 원주 위의 한 점이 원의 중심 O에 겹쳐지도록 $\overline{AB}$를 접는 선으로 하여 접었을 때, ∠AOB의 크기를 구하시오.

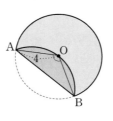

필수유형 07 원의 중심과 현의 길이 (1)

한 원에서

(1) $\overline{OM} = \overline{ON}$이면 $\overline{AB} = $ ❶

(2) $\overline{AB} = \overline{CD}$이면 $\overline{OM} = $ ❷

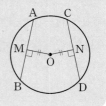

답 ❶ $\overline{CD}$ ❷ $\overline{ON}$

대표문제

0298 •중하•••

오른쪽 그림과 같이 원의 중심 O에서 두 현 AB, CD에 내린 수선의 발을 각각 M, N이라 하자. $\overline{AB} = 8$ cm, $\overline{OM} = \overline{ON} = 5$ cm일 때, $\overline{OC}$의 길이를 구하시오.

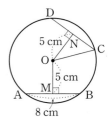

0299 ••중••

오른쪽 그림과 같이 반지름의 길이가 6 cm인 원 O에서 $\overline{OM} \perp \overline{AB}$, $\overline{ON} \perp \overline{CD}$이고 $\overline{BM} = 5$ cm, $\overline{CD} = 10$ cm일 때, $\overline{ON}$의 길이를 구하시오.

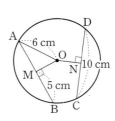

0300 ••중•• 서술형

오른쪽 그림의 원 O에서 $\overline{AB} = \overline{CD}$이고 $\overline{OM} \perp \overline{CD}$이다. $\overline{OA} = 3\sqrt{2}$, $\overline{OM} = 3$일 때, △OBA의 넓이를 구하시오.

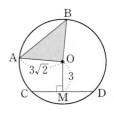

0301 ●●●●상중●

오른쪽 그림과 같이 반지름의 길이가 10 cm인 원 O에서 $\overline{AB} /\!/ \overline{CD}$이고 $\overline{AB} = \overline{CD} = 12$ cm일 때, 현 AB와 현 CD 사이의 거리를 구하시오.

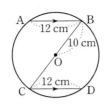

필수유형 08 원의 중심과 현의 길이 (2)

(1) $\overline{OM} = \overline{ON}$이면 $\overline{AB} = \overline{AC}$이므로 △ABC는 ❶ 이다.

(2) $\overline{OL} = \overline{OM} = \overline{ON}$이면 $\overline{AB} = \overline{BC} = \overline{CA}$이므로 △ABC는 ❷ 이다.

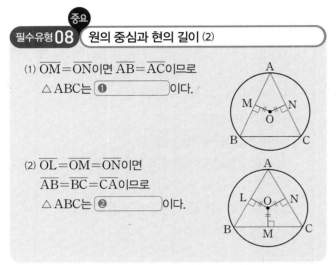

답 ❶ 이등변삼각형 ❷ 정삼각형

대표문제

0302 ●●중●●

오른쪽 그림과 같이 원 O에 내접하는 △ABC에서 $\overline{AB} \perp \overline{OM}$, $\overline{AC} \perp \overline{ON}$, $\overline{OM} = \overline{ON}$이고 ∠BAC = 50°일 때, ∠ABC의 크기를 구하시오.

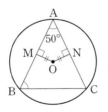

0303 ●●중●●

오른쪽 그림과 같이 원 O에 내접하는 △ABC에서 $\overline{AB} \perp \overline{OM}$, $\overline{AC} \perp \overline{ON}$, $\overline{OM} = \overline{ON}$이고 ∠ABC = 55°일 때, ∠BAC의 크기를 구하시오.

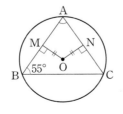

0304 ●●중●●

오른쪽 그림과 같이 원 O에 내접하는 △ABC에서 $\overline{AB} \perp \overline{OL}$, $\overline{BC} \perp \overline{OM}$, $\overline{AC} \perp \overline{ON}$, $\overline{OL} = \overline{OM} = \overline{ON}$이고 $\overline{AB} = 4\sqrt{3}$ cm일 때, △ABC의 둘레의 길이를 구하시오.

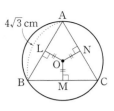

0305 ●●●상중● 서술형

오른쪽 그림과 같이 반지름의 길이가 10 cm인 원 O에 내접하는 △ABC에서 $\overline{AB} \perp \overline{OM}$, $\overline{AC} \perp \overline{ON}$, $\overline{OM} = \overline{ON}$이고 ∠MON = 120°일 때, 다음을 구하시오.

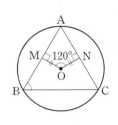

(1) ∠ABC의 크기

(2) △ABC의 둘레의 길이

0306 ●●●상중● 잘 틀리는 문제

오른쪽 그림과 같이 원 O에 △ABC가 내접하고 있다. 원의 중심 O에서 두 변 AB, BC에 내린 수선의 발을 각각 M, N이라 할 때, $\overline{OM} = \overline{ON} = 3$ cm, ∠BAC = 60°이다. 다음 중 옳지 않은 것은?

① $\overline{AM} = 3\sqrt{3}$ cm ② $\overline{BC} = 6\sqrt{3}$ cm

③ $\overline{OB} = 3\sqrt{2}$ cm ④ ∠ACB = 60°

⑤ 원 O의 넓이는 36π cm²이다.

개념 마스터

03 원의 접선의 길이 유형 09~14

(1) 원 밖의 한 점에서 원에 그을 수 있는 접선은 ❶ 개뿐이다.

(2) 원 밖의 한 점 P에서 원 O 에 그은 두 접선의 접점을 각각 A, B라 할 때, $\overline{PA}$, $\overline{PB}$의 길이를 점 P에서 원 O에 그은 **접선의 길이**라 한다.

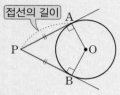

접선의 길이

(3) 원 밖의 한 점에서 그 원에 그은 두 접선의 길이는 같 다. ➡ $\overline{PA}=$ ❷

설명 (3) △PAO와 △PBO에서
∠PAO=∠PBO=90°,
$\overline{PO}$는 공통,
$\overline{OA}=\overline{OB}$ (반지름의 길이)이므로
△PAO≡△PBO (RHS 합동)
∴ $\overline{PA}=\overline{PB}$

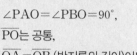

답 ❶ 2 ❷ $\overline{PB}$

0307 오른쪽 그림에서 $\overline{PA}$, $\overline{PB}$는 원 O의 접선이고 두 점 A, B는 접점이다. ∠P=50°일 때, ∠x의 크기를 구하시오.

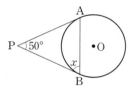

0308 오른쪽 그림에서 $\overline{PA}$, $\overline{PB}$는 원 O의 접선이고 두 점 A, B는 접점이다. $\overline{OA}=5$ cm, $\overline{OP}=13$ cm일 때, $\overline{PB}$의 길이를 구하시오.

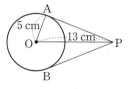

04 삼각형의 내접원, 외접사각형의 성질 유형 15~17

(1) **삼각형의 내접원**

원 O가 △ABC의 내접원 이고 세 점 D, E, F는 접점 일 때, 내접원 O의 반지름의 길이를 r라 하면

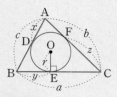

① $\overline{AD}=\overline{AF}$, $\overline{BD}=\overline{BE}$, $\overline{CE}=\overline{CF}$

② (△ABC의 둘레의 길이)$=a+b+c$
$=$ ❶ $(x+y+z)$

③ △ABC$=\dfrac{1}{2}r(a+b+c)$

(2) **외접사각형의 성질**

① 원의 외접사각형의 두 쌍의 대 변의 길이의 합은 서로 같다.
➡ $\overline{AB}+\overline{CD}=\overline{AD}+\overline{BC}$

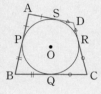

② 대변의 길이의 합이 서로 같 은 사각형은 원에 ❷ 한다.

답 ❶ 2 ❷ 외접

[0309~0310] 다음 그림에서 원 O는 △ABC의 내접원이고 세 점 D, E, F는 접점일 때, x의 값을 구하시오.

0309

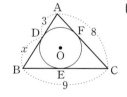

0310

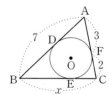

[0311~0312] 다음 그림에서 □ABCD가 원 O에 외접할 때, x 의 값을 구하시오.

0311

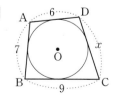

0312

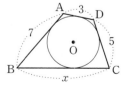

핵심 포인트! · 원의 접선은 그 접점을 지나는 원의 반지름에 수직이다.
· 원 밖의 한 점에서 원에 그을 수 있는 접선은 2개이고, 그 접선의 길이는 같다.

필수유형 09 원의 접선의 성질 (1)

$\overrightarrow{PA}$는 원 O의 접선이고 점 A는 접점일 때

(1) ∠PAO= ❶ °

(2) 직각삼각형 OPA에서
$\overline{OP}^2 = \overline{PA}^2 + \overline{OA}^2$

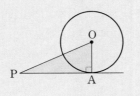

답 ❶ 90

대표문제

0313 ••중••

오른쪽 그림에서 $\overline{PT}$는 원 O의 접선이고 점 T는 접점이다. $\overline{PT}=4$ cm, $\overline{BP}=2$ cm일 때, 원 O의 반지름의 길이를 구하시오.

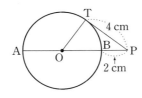

0314 ••중••

오른쪽 그림에서 $\overline{PT}$는 반원 O의 접선이고 점 T는 접점이다. $\overline{PQ}=\overline{OQ}$이고 $\overline{OT}=4$ cm일 때, $\overline{PT}$의 길이를 구하시오.

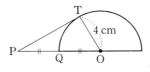

0315 ••중•• **서술형**

오른쪽 그림에서 $\overline{PT}$는 원 O의 접선이고 점 T는 접점이다. $\overline{PT}=2\sqrt{3}$ cm, ∠POT=60°일 때, $\overline{PA}$의 길이를 구하시오.

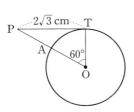

필수유형 10 원의 접선의 성질 (2)

중심이 같은 두 원에서 큰 원의 현 AB가 작은 원의 접선이고 점 H는 접점일 때

(1) $\overline{OH} \perp \overline{AB}$, $\overline{AH}=$ ❶

(2) 직각삼각형 OAH에서
$\overline{OA}^2 = \overline{AH}^2 + \overline{OH}^2$

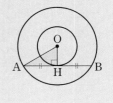

답 ❶ $\overline{BH}$

대표문제

0316 ••중••

오른쪽 그림과 같이 중심이 같은 두 원에서 큰 원의 현 AB는 작은 원과 점 P에서 접한다. 큰 원의 반지름의 길이는 5 cm, 작은 원의 반지름의 길이는 4 cm일 때, $\overline{AB}$의 길이를 구하시오.

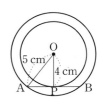

0317 ••중••

오른쪽 그림과 같이 중심이 같은 두 원의 반지름의 길이가 각각 6 cm, 8 cm이고 작은 원에 그은 접선이 큰 원과 만나는 두 점을 A, B라 할 때, $\overline{AB}$의 길이를 구하시오.

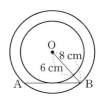

0318 ••중••

오른쪽 그림과 같이 중심이 같은 두 원에서 작은 원의 접선이 큰 원과 두 점 A, B에서 만난다. $\overline{AB}=12$ cm일 때, 색칠한 부분의 넓이를 구하시오.

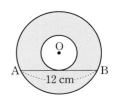

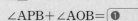

필수유형**11** 원의 접선의 성질 (3)

$\overrightarrow{PA}$, $\overrightarrow{PB}$가 원 O의 접선이고 두 점 A, B가 접점일 때
(1) ∠PAO=90°, ∠PBO=90°이므로
$$∠APB+∠AOB= ❶ °$$
(2) $\overline{PA}=\overline{PB}$이므로 △PBA는 ❷ 삼각형이다.

답 ❶180 ❷이등변

대표문제
0319 ●중하●●●

오른쪽 그림에서 $\overrightarrow{PA}$, $\overrightarrow{PB}$는 원 O의 접선이고 두 점 A, B는 접점이다. ∠AOB=135°일 때, ∠P의 크기를 구하시오.

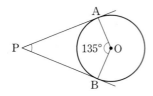

0320 ●●중●●

오른쪽 그림에서 $\overrightarrow{PA}$, $\overrightarrow{PB}$는 원 O의 접선이고 두 점 A, B는 접점이다. ∠P=42°일 때, ∠OBA의 크기를 구하시오.

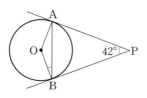

0321 ●●중●●

오른쪽 그림에서 $\overrightarrow{PT}$, $\overrightarrow{PT'}$은 반지름의 길이가 6 cm인 원 O의 접선이고 두 점 T, T'은 각각 접점이다. ∠P=80°일 때, 다음 물음에 답하시오.

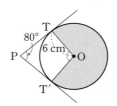

(1) ∠TOT'의 크기를 구하시오.

(2) 색칠한 부분의 넓이를 구하시오.

0322 ●●중●●

오른쪽 그림에서 $\overrightarrow{PA}$, $\overrightarrow{PB}$는 원 O의 접선이고 두 점 A, B는 접점이다. $\overline{AC}$가 원 O의 지름이고 ∠BAC=24°일 때, ∠P의 크기를 구하시오.

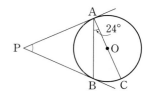

0323 ●●중●● 서술형

오른쪽 그림에서 $\overline{PA}$, $\overline{PB}$는 원 O의 접선이고 두 점 A, B는 접점이다. $\overline{PA}=8$ cm, ∠P=60°일 때, △PBA의 둘레의 길이를 구하시오.

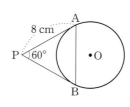

0324 ●●중●●

오른쪽 그림에서 $\overrightarrow{PA}$, $\overrightarrow{PB}$는 원 O의 접선이고 두 점 A, B는 접점이다. 원 위의 한 점 C에 대하여 $\overline{AC}=\overline{BC}$이고 ∠PAC=30°, ∠ACB=120°일 때, ∠P의 크기를 구하시오.

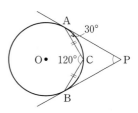

필수유형12 원의 접선의 성질 (4)

$\overline{PA}$, $\overline{PB}$가 원 O의 접선이고 두
점 A, B가 접점일 때

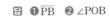

(1) △PAO≡△PBO

(RHS 합동)

(2) $\overline{PA}=$ ❶

(3) ∠APO=∠BPO, ∠POA= ❷

(4) $\overline{PA}^2=\overline{PO}^2-\overline{OA}^2=\overline{PO}^2-\overline{OB}^2=\overline{PB}^2$

답 ❶ $\overline{PB}$ ❷ ∠POB

 대표문제

0325 ●●중●●

오른쪽 그림에서 $\overline{PA}$, $\overline{PB}$는
원 O의 접선이고 두 점 A, B는
접점이다. $\overline{OB}=4$ cm,
$\overline{PC}=6$ cm일 때, $\overline{PA}$의 길이
를 구하시오.

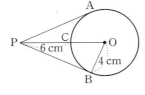

0326 ●중하●●●

오른쪽 그림에서 $\overline{PA}$, $\overline{PB}$는 원
O의 접선이고 두 점 A, B는 접점
이다. $\overline{PO}=17$ cm, $\overline{OA}=8$ cm
일 때, $\overline{PB}$의 길이를 구하시오.

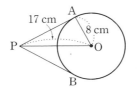

0327 ●●중●●

오른쪽 그림에서 $\overline{PA}$, $\overline{PB}$는 원
O의 접선이고 두 점 A, B는 접점
이다. $\overline{PA}=10$ cm일 때, 다음 중
옳지 않은 것은?

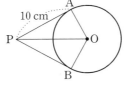

① $\overline{AO}=5$ cm   ② ∠PAO=∠PBO

③ $\overline{PB}=10$ cm   ④ ∠APB=2∠APO

⑤ ∠APB+∠AOB=180°

0328 ●●중●●●ㅁ

오른쪽 그림과 같이 $\overrightarrow{PA}$, $\overrightarrow{PB}$는
원 O의 접선이고 두 점 A, B는 접
점이다. ∠POB=60°,
$\overline{AP}=6\sqrt{3}$ cm일 때,
$\overline{OB}$의 길이를
구하시오.

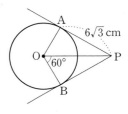

0329 ●●중●●

오른쪽 그림에서 $\overrightarrow{PA}$, $\overrightarrow{PB}$는 원 O
의 접선이고 두 점 A, B는 접점이
다. ∠AOB=120°, $\overline{OA}=12$ cm
일 때, 다음 중 옳지 않은 것은?

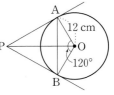

① ∠APB=60°   ② ∠APO=∠OAB=30°

③ $\overline{PO}=24$ cm   ④ $\overline{PA}=12\sqrt{3}$ cm

⑤ $\overline{AB}=12\sqrt{2}$ cm

0330 ●●●상중●   잘 틀리는 문제

오른쪽 그림에서 $\overrightarrow{PA}$, $\overrightarrow{PB}$는 반지
름의 길이가 6 cm인 원 O의 접선이
고 두 점 A, B는 접점이다.
$\overline{PO}=10$ cm일 때, $\overline{AB}$의 길이를 구
하시오.

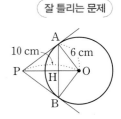

3

원과 직선

필수유형 13 원의 접선의 성질의 활용

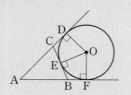

$\overrightarrow{\mathrm{AD}}$, $\overrightarrow{\mathrm{AF}}$, $\overline{\mathrm{BC}}$는 원 O의 접선이고
세 점 D, E, F는 접점일 때
(1) $\overline{\mathrm{BF}}=\overline{\mathrm{BE}}$, $\overline{\mathrm{CD}}=\overline{\mathrm{CE}}$
(2) (△ABC의 둘레의 길이)
　= $\overline{\mathrm{AB}}+\overline{\mathrm{BC}}+\overline{\mathrm{CA}}$
　= $\overline{\mathrm{AB}}+(\overline{\mathrm{BE}}+\overline{\mathrm{CE}})+\overline{\mathrm{CA}}$
　= $\overline{\mathrm{AB}}+(\overline{\mathrm{BF}}+\overline{\mathrm{CD}})+\overline{\mathrm{CA}}$
　= $\overline{\mathrm{AF}}+\overline{\mathrm{AD}}$
　= ❶ $\overline{\mathrm{AD}}$

답 ❶ 2

대표문제

0331 ●●중●●

오른쪽 그림에서 $\overrightarrow{\mathrm{AD}}$, $\overrightarrow{\mathrm{AF}}$,
$\overline{\mathrm{BC}}$는 원 O의 접선이고 세 점 D,
E, F는 접점이다. $\overline{\mathrm{AB}}=6\,\mathrm{cm}$,
$\overline{\mathrm{AC}}=5\,\mathrm{cm}$, $\overline{\mathrm{AD}}=8\,\mathrm{cm}$일 때,
$\overline{\mathrm{BC}}$의 길이를 구하시오.

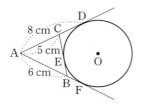

0332 ●중하●●●

오른쪽 그림에서 $\overrightarrow{\mathrm{AD}}$, $\overrightarrow{\mathrm{AF}}$, $\overline{\mathrm{BC}}$
는 원 O의 접선이고 세 점 D, E,
F는 접점이다. $\overline{\mathrm{AD}}=10\,\mathrm{cm}$일 때,
△ABC의 둘레의 길이를 구하
시오.

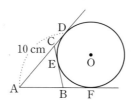

0333 ●●중●●

오른쪽 그림에서 $\overrightarrow{\mathrm{AD}}$, $\overrightarrow{\mathrm{AF}}$,
$\overline{\mathrm{BC}}$는 원 O의 접선이고 세 점
D, E, F는 접점이다.
$\overline{\mathrm{AO}}=13\,\mathrm{cm}$, $\overline{\mathrm{OD}}=5\,\mathrm{cm}$일 때,
△ABC의 둘레의 길이를 구하
시오.

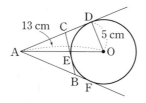

0334 ●●중●● 　〔잘 틀리는 문제〕

오른쪽 그림에서 $\overrightarrow{\mathrm{AD}}$, $\overrightarrow{\mathrm{AF}}$,
$\overline{\mathrm{BC}}$는 원 O의 접선이고 세 점
D, E, F는 접점이다. 다음 중
옳지 <u>않은</u> 것은?

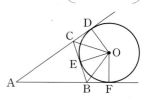

① $\overline{\mathrm{AD}}=\overline{\mathrm{AF}}$
② $\overline{\mathrm{BE}}=\overline{\mathrm{BF}}$
③ $\overline{\mathrm{OD}}=\overline{\mathrm{OE}}=\overline{\mathrm{OF}}$
④ △OBE≡△OCE
⑤ △ABC의 둘레의 길이는 $\overline{\mathrm{AF}}$의 길이의 2배이다.

0335 ●●중●● 　서술형

오른쪽 그림에서 $\overrightarrow{\mathrm{AD}}$, $\overrightarrow{\mathrm{AF}}$,
$\overline{\mathrm{BC}}$는 원 O의 접선이고 세 점
D, E, F는 접점이다.
$\overline{\mathrm{AB}}=10\,\mathrm{cm}$, $\overline{\mathrm{AC}}=8\,\mathrm{cm}$,
$\overline{\mathrm{BC}}=8\,\mathrm{cm}$일 때, $\overline{\mathrm{BF}}$, $\overline{\mathrm{CD}}$의
길이를 각각 구하시오.

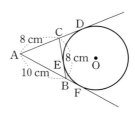

0336 ●●중●●

오른쪽 그림에서 $\overline{\mathrm{BC}}$와 $\overrightarrow{\mathrm{AB}}$,
$\overrightarrow{\mathrm{AC}}$의 연장선은 원 O의 접선
이고 세 점 D, E, F는 접점이
다. ∠ABC=90°,
$\overline{\mathrm{AB}}=16\,\mathrm{cm}$, $\overline{\mathrm{AC}}=20\,\mathrm{cm}$
일 때, $\overline{\mathrm{BE}}$의 길이를 구하시오.

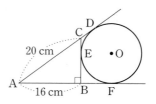

필수유형 14 반원에서의 접선

$\overline{AB}$, $\overline{AD}$, $\overline{CD}$가 반원 O의 접선이고
점 E는 반원 O와 $\overline{AD}$의 접점일 때

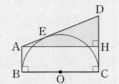

(1) $\overline{AB}=\overline{AE}$, $\overline{DC}=\overline{DE}$이므로
$\overline{AD}=\overline{AB}+\overline{DC}$

(2) 꼭짓점 A에서 $\overline{DC}$에 내린 수선의
발을 H라 하면 직각삼각형 AHD에서
$\overline{AD}^2=\overline{AH}^2+\overline{DH}^2$

대표문제

0337 ●●중●●

오른쪽 그림에서 $\overline{BC}$는 반원
O의 지름이고 $\overline{AB}$, $\overline{AD}$, $\overline{CD}$
는 접선이다. 점 E는 반원 O
와 $\overline{AD}$의 접점이고
$\overline{AB}=9$ cm, $\overline{CD}=4$ cm일 때,
□ABCD의 넓이를 구하시오.

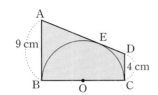

0338 ●●중●● 서술형

오른쪽 그림에서 $\overline{AB}$는 반
원 O의 지름이고 $\overline{AC}$, $\overline{BD}$,
$\overline{CD}$는 접선이다. 점 P는 반
원 O와 $\overline{CD}$의 접점이고
$\overline{AC}=5$ cm, $\overline{BD}=8$ cm일 때, $\overline{AB}$의 길이를 구하시오.

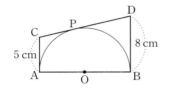

0339 ●●중●●

오른쪽 그림에서 □ABCD는
원 O에 외접하고 세 점 E, F,
G는 접점이다. $\overline{EF}$는 원 O의
지름이고 $\overline{BC}=8$ cm,
$\overline{BF}=6$ cm일 때, 원 O의 넓이
를 구하시오.

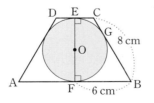

0340 ●●중●●

오른쪽 그림에서 $\overline{AB}$는 반원 O의 지
름이고 $\overline{AC}$, $\overline{CD}$, $\overline{BD}$는 접선이다. 점
P는 반원 O와 $\overline{CD}$의 접점일 때, 다음
중 옳지 않은 것은?

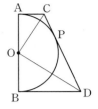

① $\overline{CA}=\overline{CP}$

② $\overline{AC}+\overline{BD}=\overline{AB}$

③ $\angle BDO=\angle PDO$

④ $\angle ACO+\angle BDO=90°$

⑤ $\angle COD=90°$

0341 ●●●상중●

오른쪽 그림에서 □ABCD는
한 변의 길이가 10 cm인 정사
각형이다. $\overline{AE}$는 $\overline{BC}$를 지름으
로 하는 반원 O의 접선이고 점
F는 반원 O와 $\overline{AE}$의 접점일
때, $\overline{AE}$의 길이를 구하시오.

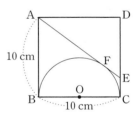

0342 ●●●상중●

오른쪽 그림에서 $\overline{BC}$는 반원
O의 지름이고 $\overline{AB}$, $\overline{AD}$, $\overline{DC}$
는 접선이다. 점 E는 반원 O와
$\overline{AD}$의 접점이고 $\overline{AB}=2$ cm,
$\overline{CD}=8$ cm일 때, △AOD의
넓이를 구하시오.

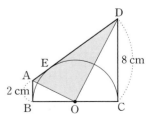

필수유형 **15** 삼각형의 내접원

원 O는 △ABC의 내접원이고 세 점 D, E, F는 접점일 때
$\overline{AD}=\overline{AF}$, $\overline{BD}=\overline{BE}$, $\overline{CE}=\overline{CF}$

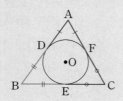

대표문제

0343 ••중••

오른쪽 그림에서 원 O는 △ABC의 내접원이고 세 점 D, E, F는 접점이다. $\overline{AB}=10$ cm, $\overline{BC}=12$ cm, $\overline{CA}=8$ cm일 때, $\overline{BD}$의 길이를 구하시오.

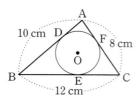

0344 ••중하•••

오른쪽 그림에서 원 O는 △ABC의 내접원이고 세 점 D, E, F는 접점이다. $\overline{AB}=12$ cm, $\overline{BD}=7$ cm, $\overline{BC}=11$ cm일 때, $\overline{AC}$의 길이를 구하시오.

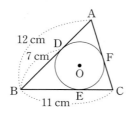

0345 ••중•• 서술형

오른쪽 그림에서 원 O는 △ABC의 내접원이고 세 점 D, E, F는 접점이다. $\overline{AB}=14$ cm, $\overline{BC}=16$ cm, $\overline{CA}=12$ cm일 때, $\overline{AD}$의 길이를 구하시오.

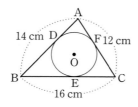

0346 ••중••

오른쪽 그림에서 원 O는 △ABC의 내접원이고 세 점 D, E, F는 접점이다. △ABC의 둘레의 길이가 30 cm일 때, $\overline{AD}$의 길이를 구하시오.

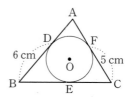

0347 ••중••

오른쪽 그림에서 원 O는 반지름의 길이가 3 cm인 △ABC의 내접원이고 세 점 D, E, F는 접점이다. $\overline{AB}=10$ cm, $\overline{BE}=6$ cm일 때, $\overline{AG}$의 길이를 구하시오.

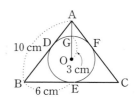

0348 ••중••

오른쪽 그림에서 원 O는 △ABC의 내접원이고 세 점 F, H, I는 접점이다. $\overline{DE}$는 원 O와 점 G에서 접하고 $\overline{AB}=8$, $\overline{BC}=10$, $\overline{AC}=6$일 때, △DBE의 둘레의 길이를 구하시오.

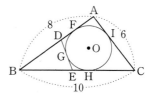

0373 ●●중●●

오른쪽 그림과 같이 원 O에 내접하는
△ABC에서 $\overline{AB} \perp \overline{OM}$, $\overline{AC} \perp \overline{ON}$,
$\overline{OM} = \overline{ON}$이고 ∠A = 44°일 때,
∠ABC의 크기를 구하시오.

0374 ●●중●●

오른쪽 그림과 같이 원 O에 내접하는
△ABC에서 $\overline{AB} \perp \overline{OD}$, $\overline{BC} \perp \overline{OE}$,
$\overline{AC} \perp \overline{OF}$, $\overline{OD} = \overline{OE} = \overline{OF}$이고
$\overline{AB} = 8$ cm일 때, 원 O의 반지름의
길이를 구하시오.

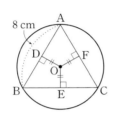

0375 ●●중●● 융합형

오른쪽 그림에서 $\overline{PT}$는 좌표
평면 위의 점 P(−2, −3)에
서 중심이 C(3, 2)인 원에 그
은 접선이고 점 T는 접점이
다. 원 C의 반지름의 길이가
1일 때, $\overline{PT}$의 길이는?

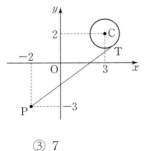

① 3 　　② 5 　　③ 7
④ 9 　　⑤ 11

0376 ●●중●● 서술형

오른쪽 그림과 같은 원 모양의 접시
가 있다. 작은 원에 접하는 큰 원의
현 AB의 길이가 20 cm일 때, 이 접
시의 색칠된 부분의 넓이를 구하
시오.

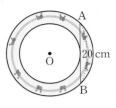

0377 ●●●●상 창의력

오른쪽 그림과 같이 원 O에 길이
가 6인 현을 원을 따라 한 바퀴 돌
렸을 때, 현이 지나간 부분의 넓이
를 구하시오.

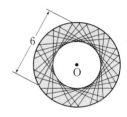

0378 ●●중●●

오른쪽 그림에서 $\overrightarrow{PA}$, $\overrightarrow{PB}$
는 각각 점 A, B를 접점으
로 하는 원 O의 접선이고
$\overline{AC}$는 지름이다.
∠CAB = 28°일 때, ∠P의
크기를 구하시오.

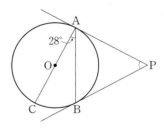

0379 ●● 중 ●●

오른쪽 그림에서 원 O는 △ABC의 내접원이고 세 점 D, E, F는 접점이다. ∠B=50°, ∠C=70°일 때, ∠x의 크기는?

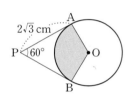

① 55° ② 60°

③ 65° ④ 70°

⑤ 75°

0380 ●● 중 ●●

오른쪽 그림에서 두 점 A, B는 점 P에서 원 O에 그은 두 접선의 접점이다. ∠APB=60°이고 $\overline{AP}=2\sqrt{3}$ cm일 때, 색칠한 부분의 넓이를 구하시오.

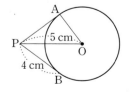

0381 ● 중하 ●●●

오른쪽 그림에서 두 점 A, B는 점 P에서 원 O에 그은 두 접선의 접점이다. $\overline{AO}$의 길이를 구하시오.

0382 ●● 중 ●●

오른쪽 그림에서 $\overrightarrow{AF}$, $\overrightarrow{AE}$, $\overline{BC}$는 원 O의 접선이고 세 점 D, E, F는 접점이다. $\overline{AB}=11$, $\overline{AC}=13$, $\overline{BC}=10$일 때, $\overline{BF}$의 길이를 구하시오.

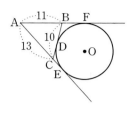

0383 ●● 중 ●● 〔서술형〕

오른쪽 그림에서 $\overline{PA}$, $\overline{PB}$, $\overline{QR}$는 원 O의 접선이고 두 점 A, B는 접점이다. ∠APB=60°, $\overline{OP}=8\sqrt{3}$ cm일 때, 다음 물음에 답하시오.

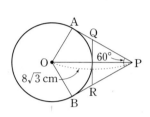

(1) 원 O의 반지름의 길이를 구하시오.

(2) $\overline{PA}$, $\overline{PB}$의 길이를 각각 구하시오.

(3) △PQR의 둘레의 길이를 구하시오.

0384 ●● 중 ●●

오른쪽 그림과 같이 원 O의 지름 AB의 양 끝 점에서 그은 두 접선과 원 위의 한 점 P에서 그은 접선이 만나는 점을 각각 C, D라 하자. $\overline{AC}=4$ cm, $\overline{BD}=9$ cm일 때, 다음 중 옳지 <u>않은</u> 것은?

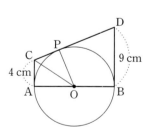

① $\overline{CP}=4$ cm   ② $\overline{CD}=13$ cm

③ $\overline{AB}=12$ cm   ④ $\overline{OC}=2\sqrt{13}$ cm

⑤ $\overline{OP}=5$ cm

0385 ●●● 중 ●●● 서술형

오른쪽 그림에서 원 O는 △ABC의 내접원이고 세 점 P, Q, R는 접점일 때, $\overline{CQ}$의 길이를 구하시오.

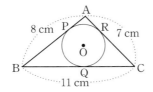

0386 ●●● 중 ●●●

다음 그림에서 원 O는 △ABC의 내접원이고 세 점 F, H, I는 접점이다. $\overline{DE}$는 원 O와 점 G에서 접하고 $\overline{AB}=12$, $\overline{BC}=22$, $\overline{AC}=18$일 때, △DBE의 둘레의 길이를 구하시오.

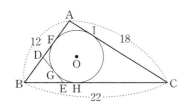

0387 ●●● 중 ●●●

오른쪽 그림에서 원 O는 ∠C=90° 인 직각삼각형 ABC의 내접원이고 세 점 P, Q, R는 접점이다. 다음을 구하시오.

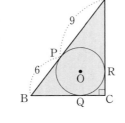

(1) 원 O의 반지름의 길이

(2) △ABC의 넓이

0388 ●●● 하 ●●●

오른쪽 그림에서 □ABCD가 원 O에 외접하고 $\overline{AB}=7$, $\overline{AD}=6$, $\overline{CD}=10$일 때, $\overline{BC}$의 길이를 구하시오.

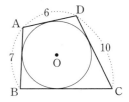

0389 ●●● 상중 ●

오른쪽 그림과 같이 원 O에 외접하는 등변사다리꼴 ABCD에서 $\overline{AD}=8$ cm, $\overline{BC}=18$ cm일 때, 원 O의 반지름의 길이는?

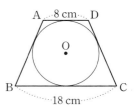

① 3 cm ② 4 cm

③ 5 cm ④ 6 cm

⑤ 7 cm

0390 ●●● 상중 ●

오른쪽 그림에서 원 O는 직사각형 ABCD의 세 변과 $\overline{DE}$에 접하고, 네 점 P, Q, R, S는 접점이다.
$\overline{AB}=6$ cm, $\overline{AD}=9$ cm일 때, △DEC의 넓이를 구하시오.

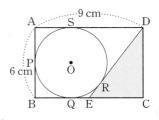

4

원주각

원 O에서 호 AB 위에 있지 않은 원 위의 한 점 P에 대하여 ∠APB를 호 AB에 대한 원주각이라고 하지.

원주각의 성질은 저 비석에 쓰인 것과 같단다.

원주각

P

A O B

한 원에서 한 호에 대한 원주각의 크기는 모두 같다.

⇨ ∠APB=∠AQB=∠ARB

P

Q R

A B

탈레스

Step 1 개념 마스터

Step 2 유형 마스터

☐☐ **필수유형 01** 원주각과 중심각의 크기(1) 중요

☐☐ **필수유형 02** 원주각과 중심각의 크기(2) – 두 접선이 주어진 경우

☐☐ **필수유형 03** 한 호에 대한 원주각의 크기 중요

☐☐ **필수유형 04** 반원에 대한 원주각(1) 중요

☐☐ **필수유형 05** 반원에 대한 원주각(2) – 삼각비 이용

☐☐ **필수유형 06** 원주각의 크기와 호의 길이(1) – 호의 길이가 같은 경우

☐☐ **필수유형 07** 원주각의 크기와 호의 길이(2) 중요

☐☐ **필수유형 08** 원주각의 크기와 호의 길이(3)

☐☐ **필수유형 09** 네 점이 한 원 위에 있을 조건

Step 1 개념 마스터

Step 2 유형 마스터

☐☐ **필수유형 10** 원에 내접하는 사각형의 성질(1) 중요

☐☐ **필수유형 11** 원에 내접하는 사각형의 성질(2) 중요

☐☐ **필수유형 12** 원에 내접하는 사각형의 성질의 활용(1)

☐☐ **필수유형 13** 원에 내접하는 사각형의 성질의 활용(2) – 원에 내접하는 다각형

☐☐ **필수유형 14** 원에 내접하는 사각형의 성질의 활용(3) – 두 원에서 내접하는 사각형

☐☐ **필수유형 15** 사각형이 원에 내접하기 위한 조건

☐☐ **필수유형 16** 접선과 현이 이루는 각 중요

☐☐ **필수유형 17** 접선과 현이 이루는 각의 활용(1) – 할선이 원의 중심을 지날 때 중요

☐☐ **필수유형 18** 접선과 현이 이루는 각의 활용(2) – 원에 내접하는 사각형의 성질 이용 중요

☐☐ **필수유형 19** 접선과 현이 이루는 각의 활용(3)

☐☐ **필수유형 20** 두 원에서 접선과 현이 이루는 각

☐☐ **발전유형 21** 여러 가지 심화 문제

Step 3 내신 마스터

개념 마스터

01 원주각과 중심각의 크기
유형 01, 02

(1) **원주각** 원 O에서 $\widehat{AB}$를 제외한 원 위의 한 점 P에 대하여 ∠APB를 $\widehat{AB}$에 대한 원주각이라 한다.

(2) 원에서 한 호에 대한 원주각의 크기는 그 호에 대한 중심각의 크기의 $\frac{1}{2}$이다.

➡ ∠APB = **❶** ∠AOB

설명 (2) $\overline{PO}$의 연장선과 원 O의 교점을 Q라 하면 △OPA, △OPB는 이등변삼각형이므로

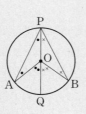

∠AOB = ∠AOQ + ∠BOQ
  = 2∠APQ + 2∠BPQ
  = 2(∠APQ + ∠BPQ)
  = 2∠APB

∴ ∠APB = $\frac{1}{2}$∠AOB

답 ❶ $\frac{1}{2}$

[0391~0394] 다음 그림에서 ∠x의 크기를 구하시오.

0391
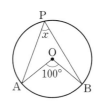

0392
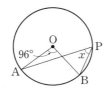

0393

0394
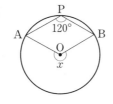

02 원주각의 성질
유형 03~05

(1) 원에서 한 호에 대한 원주각의 크기는 모두 같다.

➡ ∠APB = ∠AQB
  = **❶**

(2) 반원에 대한 원주각의 크기는 **❷** °이다.

➡ ∠APB = 90°

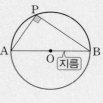

설명 (2) ∠APB = $\frac{1}{2}$∠AOB
  = $\frac{1}{2}$ × 180° = 90°

답 ❶ ∠ARB ❷ 90

[0395~0398] 다음 그림에서 ∠x의 크기를 구하시오.

0395
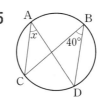

0396
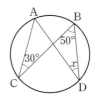

0397
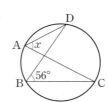

0398
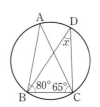

[0399~0400] 다음 그림에서 ∠x의 크기를 구하시오.

0399
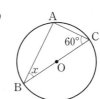

0400
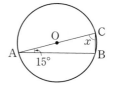

핵심 포인트! · $\widehat{AB}$에 대한 중심각은 하나뿐이지만 원주각은 무수히 많다.

03 원주각의 크기와 호의 길이 　　유형 06~08

한 원 또는 합동인 두 원에서
(1) 길이가 같은 호에 대한 원주
　각의 크기는 서로 같다.
　➡ $\widehat{AB}=\widehat{CD}$이면
　　∠APB= **①**
(2) 크기가 같은 원주각에 대한 호의 길이는 서로 같다.
　➡ ∠APB=∠CQD이면 $\widehat{AB}=$ **②**
(3) 호의 길이는 그 호에 대한 원주각의 크기에 정비례
　한다.

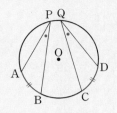

답 **①** ∠CQD **②** $\widehat{CD}$

[0401~0404] 다음 그림에서 x의 값을 구하시오.

0401

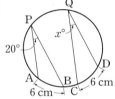

0402

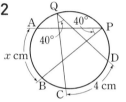

0403

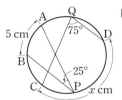

0404

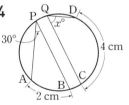

0405 오른쪽 그림에서 $\widehat{AB}=\widehat{BC}$,
∠ABD=50°, ∠BDC=35°
일 때, ∠x의 크기를 구하시
오.

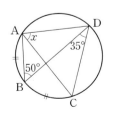

04 네 점이 한 원 위에 있을 조건 　　유형 09

직선 AB에 대하여 같은 쪽에 있
는 두 점을 C, D라 할 때,
∠ACB= **①** 이면 네 점
A, B, C, D는 한 원 위에 있다.

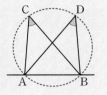

답 **①** ∠ADB

[0406~0407] 다음 그림에서 네 점 A, B, C, D가 한 원 위에
있을 때, ∠x의 크기를 구하시오.

0406

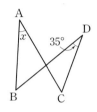

0407

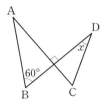

[0408~0411] 다음 그림에서 네 점 A, B, C, D가 한 원 위에
있으면 ○표, 한 원 위에 있지 않으면 ×표를 (　　) 안에 써넣
으시오.

0408

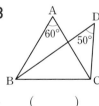

(　　　)

0409

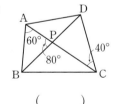

(　　　)

0410

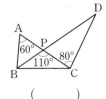

(　　　)

0411

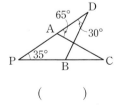

(　　　)

핵심 포인트!　· 중심각의 크기와 호의 길이는 정비례하므로 원주각의 크기와 호의 길이도 정비례한다.
　　　　　　· 중심각의 크기와 현의 길이는 정비례하지 않으므로 원주각의 크기와 현의 길이도 정비례하지 않는다.

4

원주각

 필수유형01 원주각과 중심각의 크기 (1)

원에서 한 호에 대한 원주각의 크기는 그 호에 대한 중심각의 크기의 $\frac{1}{2}$이다.

➡ $\angle APB =$ ❶ $\angle AOB$

답 ❶ $\frac{1}{2}$

대표문제

0412 ●중하●●●

오른쪽 그림과 같은 원 O에서 $\angle BOD = 140°$일 때, $\angle x$, $\angle y$의 크기를 각각 구하시오.

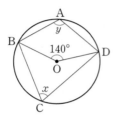

0413 ●중하●●●

오른쪽 그림과 같은 원 O에서 $\angle APB = 105°$일 때, $\angle x$의 크기를 구하시오.

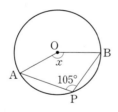

0414 ●중하●●●

오른쪽 그림과 같은 원 O에서 $\angle ADE = 20°$, $\angle ECB = 40°$일 때, $\angle AOB$의 크기를 구하시오.

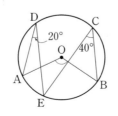

0415 ●●중●●

오른쪽 그림과 같은 원 O에서 $\angle APB = 50°$일 때, $\angle OAB$의 크기를 구하시오.

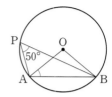

0416 ●●중●●

오른쪽 그림과 같이 반지름의 길이가 8 cm인 원 O에 내접하는 삼각형 ABC에서 $\angle A = 75°$일 때, $\triangle OBC$의 넓이를 구하시오.

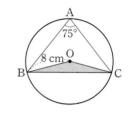

0417 ●●중●● 서술형

오른쪽 그림과 같이 원 모양의 공연장에 무대가 있다. 공연장의 경계 위의 한 지점 B에서 공연장 무대의 양 끝 A, C를 바라본 각의 크기가 30°이고 A, C 사이의 거리가 15 m일 때, 이 공연장의 반지름의 길이를 구하시오.

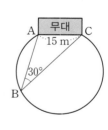

0418 ●●●상중● 잘 틀리는 문제

오른쪽 그림과 같은 원 O에서 점 P는 두 현 AB, CD의 연장선의 교점이고 $\angle AOC = 130°$, $\angle BOD = 50°$일 때, $\angle x$의 크기를 구하시오.

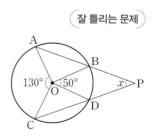

빠른 정답 p.4 | 정답과 해설 p.49

필수유형 02 원주각과 중심각의 크기 (2)
– 두 접선이 주어진 경우

$\overrightarrow{PA}$, $\overrightarrow{PB}$가 원 O의 접선이고 두 점
A, B는 접점일 때

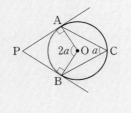

(1) ∠PAO=∠PBO=90°이므로

∠P+∠AOB=**❶**°

(2) ∠ACB=**❷** ∠AOB

답 ❶ 180 ❷ $\frac{1}{2}$

필수유형 03 〔중요〕 한 호에 대한 원주각의 크기

원에서 한 호에 대한 원주각의 크기
는 모두 같다.

➡ ∠APB=∠AQB=**❶**

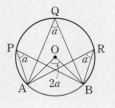

답 ❶ ∠ARB

〔대표문제〕

0419 ●●〔중〕●●

오른쪽 그림에서 $\overrightarrow{PA}$, $\overrightarrow{PB}$는 원
O의 접선이고 두 점 A, B는 접점
이다. ∠P=70°일 때, ∠x−∠y
의 크기를 구하시오.

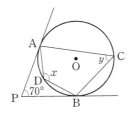

〔대표문제〕

0422 ●〔중하〕●●●

오른쪽 그림에서 ∠ACB=35°,
∠DAC=23°일 때, ∠DPC의 크
기를 구하시오.

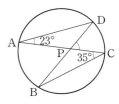

0420 ●●〔중〕●●

오른쪽 그림에서 $\overrightarrow{PA}$, $\overrightarrow{PB}$는
원 O의 접선이고 두 점 A, B
는 접점이다. ∠P=52°일 때,
∠AQB의 크기를 구하시오.

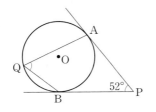

0423 〔하〕●●●●●

오른쪽 그림과 같은 원 O에서
∠AQB=30°일 때, ∠x−∠y의 크
기를 구하시오.

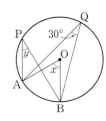

0421 ●●〔중〕●● 〔서술형〕

오른쪽 그림에서 $\overrightarrow{PA}$, $\overrightarrow{PB}$는
원 O의 접선이고 두 점 A, B
는 접점이다. ∠AQB=110°
일 때, ∠P의 크기를 구하시오.

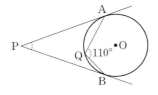

0424 ●〔중하〕●●●

오른쪽 그림과 같은 원 O에서
∠AQC=70°, ∠BOC=80°일 때,
∠x의 크기를 구하시오.

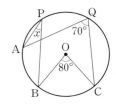

4

원주각

0425 ●중하●●●

오른쪽 그림에서 ∠AQB=28°,
∠BRC=34°일 때, ∠x의 크기를
구하시오.

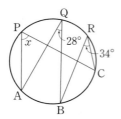

0426 ●●중●●

오른쪽 그림에서 ∠BAC=32°,
∠BPC=75°일 때, ∠y−∠x의 크기
를 구하시오.

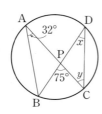

0427 ●●●상중● 　　　잘 틀리는 문제

오른쪽 그림에서 네 점 A,
B, C, D는 원 위의 점이고
$\overline{AC}$와 $\overline{BD}$의 교점을 P, $\overline{AB}$
와 $\overline{CD}$의 연장선의 교점을
Q라 하자. ∠APD=70°,
∠Q=30°일 때, ∠BDC의 크기를 구하시오.

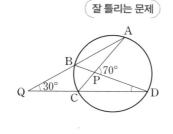

중요
필수유형 04 반원에 대한 원주각 (1)

반원에 대한 원주각의 크기는
[❶]°이다.
➡ $\overline{AB}$가 원 O의 지름이면
　∠APB=∠AQB=[❷]°

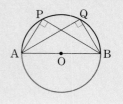

답 ❶ 90 ❷ 90

대표문제
0428 ●●중●●

오른쪽 그림에서 $\overline{AB}$는 원 O의 지
름이고 ∠BAC=37°일 때, ∠x의
크기를 구하시오.

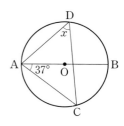

0429 ●●중●●

오른쪽 그림에서 $\overline{AB}$는 원 O의 지
름이고 ∠DEB=54°일 때, ∠x의
크기를 구하시오.

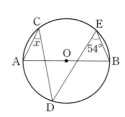

0430 ●●중●●

오른쪽 그림에서 $\overline{AD}$는 원 O의 지름
이고 점 F는 두 현 AC와 BD의 교점
이다. ∠BEC=20°일 때, ∠AFB의
크기를 구하시오.

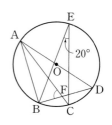

0431 ●●중●●

오른쪽 그림에서 $\overline{AB}$는 원 O의 지름
이고 점 P는 두 현 AB와 CD의 교점
이다. $\angle CDB = 40°$, $\angle DCB = 25°$
일 때, $\angle CPB$의 크기를 구하시오.

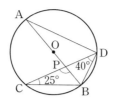

필수유형 05 반원에 대한 원주각 (2) – 삼각비 이용

$\triangle ABC$가 원 O에 내접할 때, 원의 중심
O를 지나는 $\overline{A'B}$와 $\overline{A'C}$를 그으면
$\angle A = \angle A'$이고 $\triangle A'BC$는 ❶
삼각형이므로
$\sin A = \sin A'$, $\cos A = \cos A'$,
$\tan A = \tan A'$임을 이용한다.

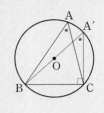

🔒 ❶ 직각

0432 ●●중●●

오른쪽 그림에서 $\overline{BD}$는 원 O의 지름
이고 $\angle DBC = 42°$, $\angle ACB = 38°$일
때, $\angle y - \angle x$의 크기를 구하시오.

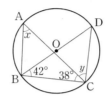

대표문제

0435 ●●중●●

오른쪽 그림과 같이 원 O에 내접
하는 $\triangle ABC$에서 $\tan A = 2\sqrt{3}$,
$\overline{BC} = 4\sqrt{3}$일 때, 원 O의 반지름의
길이를 구하시오.

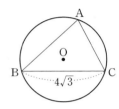

0433 ●●중●● 서술형

오른쪽 그림에서 $\overline{AB}$는 원 O의 지
름이고 $\angle DOE = 40°$일 때, $\angle x$의
크기를 구하시오.

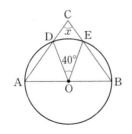

0436 ●●중●●

오른쪽 그림과 같이 원 O에 내접하
는 $\triangle ABC$에서 $\angle A = 30°$,
$\overline{BC} = 6\sqrt{2}$일 때, 원 O의 지름의 길이
를 구하시오.

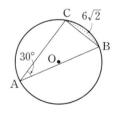

0434 ●●중●●

오른쪽 그림에서 $\overline{AB}$는 반원 O의
지름이고 $\angle CPD = \angle COD$,
$\angle CAB = 48°$일 때, $\angle ODB$의
크기를 구하시오.

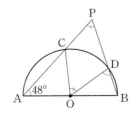

0437 ●●●●상

오른쪽 그림과 같이 반지름의 길이
가 4인 원 O에 내접하는 $\triangle ABC$에
서 $\angle B = 60°$, $\angle C = 45°$일 때, $\overline{BC}$
의 길이를 구하시오.

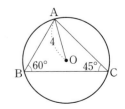

4

원주각

필수유형 06 | 원주각의 크기와 호의 길이 (1) – 호의 길이가 같은 경우

한 원 또는 합동인 두 원에서

(1) 길이가 같은 호에 대한 원주각의
크기는 서로 같다.
➡ $\overset{\frown}{AB}=\overset{\frown}{CD}$이면
  ∠ACB=❶ ⬚

(2) 크기가 같은 원주각에 대한 호의 길이는 서로 같다.
➡ ∠ACB=∠DBC이면 ❷ ⬚ =$\overset{\frown}{CD}$

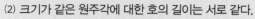

답 ❶ ∠DBC ❷ $\overset{\frown}{AB}$

대표문제

0438 ●중하●●●●

오른쪽 그림에서 $\overset{\frown}{AC}=\overset{\frown}{BD}$이고
∠ABC=25°일 때, ∠APD의 크
기를 구하시오.

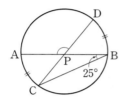

0439 ●중하●●●●

오른쪽 그림에서 $\overset{\frown}{BC}=\overset{\frown}{CD}$이고
∠ABD=45°, ∠BAC=30°일 때,
∠BCA의 크기를 구하시오.

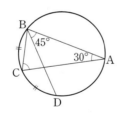

0440 ●중하●●●●

오른쪽 그림에서 $\overset{\frown}{PQ}=\overset{\frown}{QR}$이고
∠APB=37°, ∠PAQ=21°일 때,
∠ASB의 크기를 구하시오.

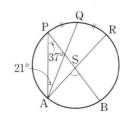

0441 ●●중●●

오른쪽 그림에서 $\overline{PC}$는 원 O의 지
름이고 $\overset{\frown}{AB}=\overset{\frown}{CD}=3$ cm,
∠PCD=55°일 때, ∠APB의 크
기를 구하시오.

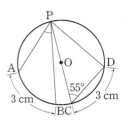

0442 ●●중●●

오른쪽 그림에서 $\overline{AB}$는 원 O의 지
름이고 $\overset{\frown}{BC}=\overset{\frown}{CD}$, ∠CAB=32°
일 때, ∠ABD의 크기를 구하시오.

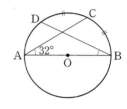

0443 ●●중●●

오른쪽 그림에서 $\overline{AB}$는 원 O의 지
름이고 $\overset{\frown}{AR}=\overset{\frown}{RQ}=\overset{\frown}{QB}$일 때,
∠RPQ의 크기를 구하시오.

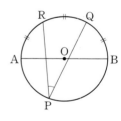

0444 ●●중●●

오른쪽 그림에서 $\overline{AB}$는 원 O의 지
름이고 $\overset{\frown}{AD}=\overset{\frown}{BF}$, ∠ACD=23°
일 때, ∠DEF의 크기를 구하시오.

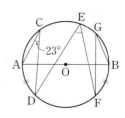

필수유형07 원주각의 크기와 호의 길이 (2)

한 원 또는 합동인 두 원에서 호의 길이는 그 호에 대한 원주각의 크기에 정비례한다.

→ $\widehat{AB} : \widehat{BC} = \angle APB :$ ❶

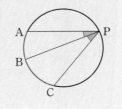

답 ❶ ∠BPC

대표문제

0445 ••중••

오른쪽 그림에서 $\widehat{BC}=3\widehat{AD}$이고 ∠BPC=80°일 때, ∠$x$의 크기를 구하시오.

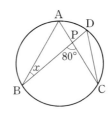

0446 ••중••

오른쪽 그림에서 $\widehat{AB} : \widehat{CD}=3 : 1$이고 ∠E=32°일 때, ∠$x$의 크기를 구하시오.

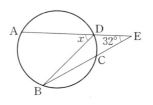

0447 ••중•• **서술형**

오른쪽 그림에서 $\widehat{CB}=9$ cm, ∠ACD=30°, ∠CPB=75°일 때, $\widehat{AD}$의 길이를 구하시오.

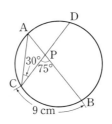

필수유형08 원주각의 크기와 호의 길이 (3)

$\widehat{AB}$의 길이가 원주의 $\frac{1}{k}$이면

$\angle ACB=$ ❶ $° \times \frac{1}{k}$

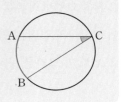

답 ❶ 180

대표문제

0448 ••중••

오른쪽 그림의 원에서 $\widehat{AC}$의 길이는 원주의 $\frac{1}{6}$이고 $\widehat{BD}$의 길이는 원주의 $\frac{1}{4}$일 때, ∠x의 크기를 구하시오.

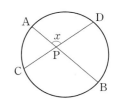

0449 •중하•••

오른쪽 그림의 원 O에서 $\widehat{AB} : \widehat{BC} : \widehat{CA}=5 : 4 : 3$일 때, ∠A, ∠B, ∠C의 크기를 각각 구하시오.

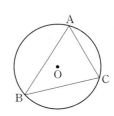

0450 ••중••

오른쪽 그림의 원 O에서 $\widehat{AC}$의 길이는 원주의 $\frac{1}{4}$이고 $\widehat{BD}$의 길이는 원주의 $\frac{1}{10}$일 때, ∠P의 크기를 구하시오.

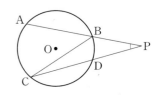

4

원주각

0451 ••중••

오른쪽 그림에서 $\overset{\frown}{AC} : \overset{\frown}{BD} = 3 : 2$
이고 $\overset{\frown}{BD}$의 길이는 원주의 $\dfrac{1}{6}$일 때,
∠APC의 크기를 구하시오.

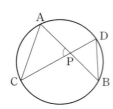

0452 ••중•• 서술형

오른쪽 그림에서 $\overline{AB}$는 원 O의 지
름이고 $\overset{\frown}{AC} : \overset{\frown}{CB} = 2 : 3$,
$\overset{\frown}{AD} = \overset{\frown}{DE} = \overset{\frown}{EB}$일 때, ∠BPD의
크기를 구하시오.

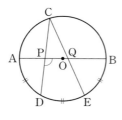

0453 •••상중•

오른쪽 그림과 같이 반지름의 길이
가 4 cm인 원 O에서 ∠DPB=60°
일 때, $\overset{\frown}{AC} + \overset{\frown}{BD}$의 값을 구하시오.

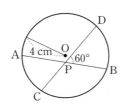

0454 •••상중•

오른쪽 그림의 원 O에서 두 현
AB와 CD의 교점을 P라 하자.
∠APC=40°, $\overset{\frown}{AC}=3\pi$,
$\overset{\frown}{DB}=5\pi$일 때, 다음 물음에 답
하시오.

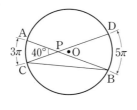

(1) ∠ABC, ∠DCB의 크기를 각각 구하시오.

(2) 원 O의 반지름의 길이를 구하시오.

필수유형 **09** 네 점이 한 원 위에 있을 조건

오른쪽 그림과 같이 두 점 A, D가 $\overline{BC}$
에 대하여 같은 쪽에 있고
∠BAC=∠BDC이면 네 점 A, B, C,
D는 한 ❶ 위에 있다.

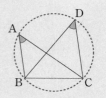

답 ❶ 원

대표문제

0455 ••중••

다음 중 네 점 A, B, C, D가 한 원 위에 있지 <u>않은</u> 것은?

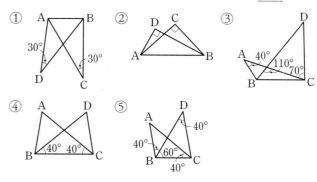

0456 •중하•••

오른쪽 그림에서 네 점 A, B, C,
D가 한 원 위에 있을 때, ∠ACD
의 크기를 구하시오.

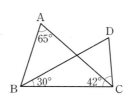

0457 ••중••

오른쪽 그림에서 네 점 A, B, C, D
가 한 원 위에 있을 때, ∠x, ∠y의
크기를 각각 구하시오.

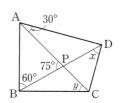

개념 마스터

05 원에 내접하는 사각형의 성질

유형 10~15

(1) 원에 내접하는 사각형에서 한 쌍의 대각의 크기의 합은 180° 이다.

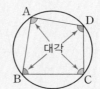

➡ ∠A + ∠C = 180°

∠B + ∠D = ❶

(2) 원에 내접하는 사각형에서 한 외각의 크기는 그 외각에 이웃한 내각에 대한 대각의 크기와 같다.

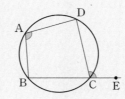

➡ ∠DCE = ❷

설명 (1)

$2∠x + 2∠y = 360°$

$∴ ∠x + ∠y = 180°$

(2)

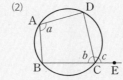

$∠a + ∠b = 180°$

$∠b + ∠c = 180°$

$∴ ∠a = ∠c$

답 ❶ 180 ❷ ∠A

[0458~0461] 다음 그림에서 $∠x$, $∠y$의 크기를 각각 구하시오.

0458
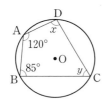

0459
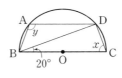

0460
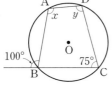

0461
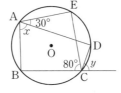

06 접선과 현이 이루는 각

유형 16~20

원의 접선과 그 접점을 지나는 현이 이루는 각의 크기는 그 각의 내부에 있는 호에 대한 원주각의 크기와 같다.

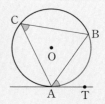

➡ ∠BAT = ❶

설명 원 O에서 ∠BAT = ∠BCA이면 $\overleftrightarrow{AT}$는 원 O의 접선이다.

답 ❶ ∠BCA

[0462~0463] 다음 그림에서 $\overleftrightarrow{BT}$가 원의 접선이고 점 B가 접점일 때, $∠x$의 크기를 구하시오.

0462
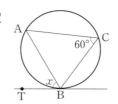

0463
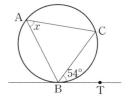

[0464~0465] 다음 그림에서 $\overleftrightarrow{PT}$가 원의 접선이고 점 T가 접점일 때, $∠x$의 크기를 구하시오.

0464
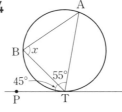

0465
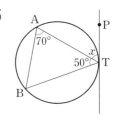

핵심 포인트 ! · 정사각형, 직사각형, 등변사다리꼴은 모두 대각의 크기의 합이 180°이므로 항상 원에 내접하는 사각형이다.

필수유형 10 원에 내접하는 사각형의 성질 (1)

□ABCD가 원에 내접할 때, 한 쌍의
대각의 크기의 합은 180°이다.

➡ ∠A+∠C=180°

∠B+∠D= ❶ °

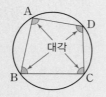

답 ❶ 180

대표문제

0466 ●중하●●●

오른쪽 그림에서 □ABCD는 원 O
에 내접하고 ∠BAC=35°,
∠ADC=80°일 때, ∠BCA의 크기
를 구하시오.

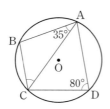

0467 ●중하●●●

오른쪽 그림과 같이 원에 내접하는
□ABCD에서 ∠A : ∠C=3 : 2일 때,
∠A의 크기를 구하시오.

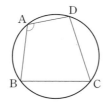

0468 ●●중●●

오른쪽 그림과 같이 원에 내접하는
□ABCD에서 ∠x, ∠y의 크기를 각
각 구하시오.

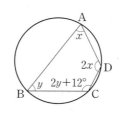

0469 ●●중●●

오른쪽 그림에서 □APBC는 원 O에
내접하고 $\overline{AB}=\overline{AC}$, ∠BAC=56°
일 때, ∠APB의 크기를 구하시오.

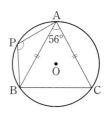

0470 ●●중●●

오른쪽 그림과 같이 원 O에 내접하
는 □ABCD에서 ∠BAD=55°일
때, ∠x+∠y의 크기를 구하시오.

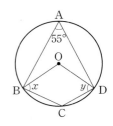

0471 ●●중●● 서술형

오른쪽 그림에서 □ABCD는 $\overline{AB}$
를 지름으로 하는 원 O에 내접하
고 $\widehat{AD}=\widehat{CD}$, ∠CAB=30°일 때,
∠DAC의 크기를 구하시오.

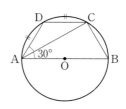

0472 ●●중●●

오른쪽 그림과 같이 □ABCD와
□ABCE가 원 O에 내접하고
∠ADC=75°, ∠EAD=31°일 때,
∠x+∠y의 크기를 구하시오.

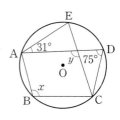

필수유형 11 원에 내접하는 사각형의 성질 (2)

□ABCD가 원에 내접할 때, 한 외각의 크기는 그 외각에 이웃한 내각에 대한 **①** 의 크기와 같다.

➡ ∠DCE=∠A

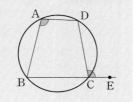

답 **①** 대각

대표문제

0473 ●중하●●●

오른쪽 그림과 같이 □ABCD는 원 O에 내접하고 ∠BAD=108°, ∠ABC=84°일 때, ∠x+∠y의 크기를 구하시오.

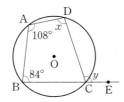

0474 ●중하●●●

오른쪽 그림과 같이 □ABCD는 원 O에 내접하고 $\overline{AD}$와 $\overline{BC}$의 연장선의 교점을 P라 하자. ∠P=30°, ∠BCD=80°일 때, ∠ABP의 크기를 구하시오.

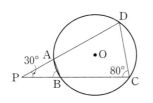

0475 ●●중●●

오른쪽 그림과 같이 □ABCD는 원에 내접하고 ∠DBC=35°, ∠DCE=80°일 때, ∠BAC의 크기를 구하시오.

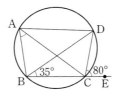

0476 ●●중●●

오른쪽 그림과 같이 □ABCD는 원에 내접하고 ∠A : ∠C=2 : 1, ∠D=∠A−20°일 때, ∠ABE의 크기를 구하시오.

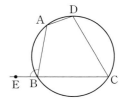

0477 ●●중●●

오른쪽 그림과 같이 □ABCD는 원 O에 내접하고 ∠BAD=110°일 때, ∠x+∠y의 크기를 구하시오.

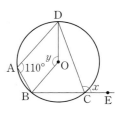

0478 ●●중●●

오른쪽 그림과 같이 □ABCD는 $\overline{AB}$를 지름으로 하는 원 O에 내접하고 ∠CAB=30°, ∠DCE=65°일 때, ∠x−∠y의 크기를 구하시오.

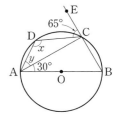

4

원주각

필수유형 **12** 원에 내접하는 사각형의 성질의 활용 (1)

(1) □ABCD가 원에 내접할 때
   ∠CDQ=∠ABC=∠x
(2) △PBC에서
   ∠DCQ=∠x+∠a
(3) △DCQ에서
   ∠x+(∠x+∠a)+∠b=180°

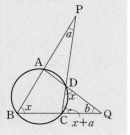

대표문제

0479 ••중••

오른쪽 그림에서 □ABCD는 원
에 내접하고 ∠BQC=23°,
∠APB=35°일 때, ∠x의 크기
를 구하시오.

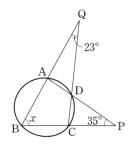

0480 ••중••

오른쪽 그림에서 □ABCD는 원에
내접하고 ∠BQC=25°,
∠ADC=130°일 때, ∠x의 크기를
구하시오.

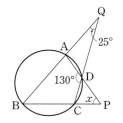

0481 ••중••

오른쪽 그림에서 □ABCD는 원
O에 내접하고 ∠AFB=32°,
∠DEA=56°일 때, ∠ABC의
크기를 구하시오.

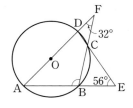

필수유형 **13** 원에 내접하는 사각형의 성질의 활용 (2)
          – 원에 내접하는 다각형

원에 내접하는 다각형이 주어질 때에는
보조선을 그어 원에 내접하는 사각형을
만든다.

대표문제

0482 ••중••

오른쪽 그림과 같이 원 O에 내접하
는 오각형 ABCDE에서
∠AOE=80°, ∠CDE=100°일 때,
∠x의 크기를 구하시오.

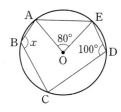

0483 ••중•• 서술형

오른쪽 그림에서 오각형 ABCDE
가 원 O에 내접하고 ∠BAE=88°,
∠CDE=150°일 때, ∠x의 크기를
구하시오.

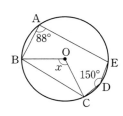

0484 ••중••

오른쪽 그림과 같이 육각형
ABCDEF가 원에 내접하고
∠A=110°, ∠C=125°일 때,
∠E의 크기를 구하시오.

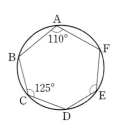

필수유형 14 | 원에 내접하는 사각형의 성질의 활용 (3)
– 두 원에서 내접하는 사각형

□ABQP와 □PQCD가 각각
원에 내접할 때

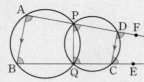

(1) ∠BAP = ∠PQC
    = ❶

(2) ∠ABQ = ∠QPD
    = ❷

(3) ∠BAP = ∠CDF (동위각)이므로 $\overline{AB}$ ∥ $\overline{DC}$

답 ❶ ∠CDF ❷ ∠DCE

대표문제

0485 ●●❮중❯●●

오른쪽 그림과 같이 두 원 O, O′
이 만나는 점을 각각 P, Q라
하자. ∠PBD=98°일 때,
∠x+∠y의 크기를 구하시오.

0486 ●●❮중❯●●

오른쪽 그림과 같이 두 원 O, O′
이 만나는 점을 각각 P, Q라 하
자. ∠BAP=95°일 때, ∠x의
크기를 구하시오.

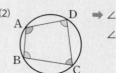

0487 ●●❮중❯●●

오른쪽 그림과 같이 두 원 O,
O′이 만나는 점을 각각 P, Q
라 하자. ∠PDC=92°,
∠DCR=87°일 때, ∠x의 크
기를 구하시오.

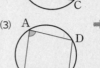

필수유형 15 | 사각형이 원에 내접하기 위한 조건

다음 중 어느 하나를 만족하면 □ABCD는 원에 내접한다.

(1) 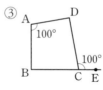 ➡ ∠BAC=∠BDC

(2) 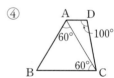 ➡ ∠A+∠C=180°
∠B+∠D=180°

(3) ➡ ∠DCE=∠A

대표문제

0488 ●●❮중❯●●

다음 중 □ABCD가 원에 내접하지 <u>않는</u> 것은?

①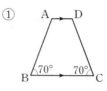

②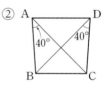

③ ④

⑤ A —▸ D

0489 ●●❮중❯●●

다음 중 오른쪽 그림과 같은
□ABCD가 원에 내접할 조건
이 <u>아닌</u> 것은?

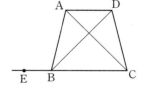

① ∠ABC+∠ADC=180°

② ∠ADB=∠ACB

③ ∠ADC=∠ABE

④ ∠BAC=∠BDC

⑤ ∠DAB+∠ABC=180°

0490 ●●●중●●●

오른쪽 그림과 같은 □ABCD 가 원에 내접할 때, ∠x+∠y 의 크기를 구하시오.

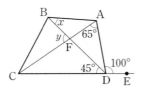

0491 ●●●중●●●

다음 중 항상 원에 내접하는 사각형을 모두 고르면?

(정답 2개)

① 평행사변형　② 사다리꼴　③ 등변사다리꼴

④ 마름모　⑤ 직사각형

0492 ●●●중●●●

오른쪽 그림에서 ∠C=58°, ∠Q=23°일 때, □ABCD가 원에 내접하도록 하는 ∠x의 크기를 구하시오.

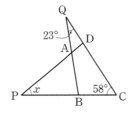

0493 ●●●●상

〔잘 틀리는 문제〕

오른쪽 그림과 같이 △ABC의 세 꼭짓점에서 대변에 내린 수선의 발을 각각 D, E, F라 하고 세 수선의 교점을 G라 하자. 7개의 점 A~G 중 4개의 점을 연결하여 만들어지는 사각형 중에서 원에 내접하는 사각형은 모두 몇 개인지 구하시오.

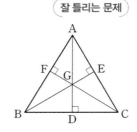

필수유형16 중요　접선과 현이 이루는 각

직선 TT′이 원 O의 접선이고 점 A 가 접점일 때

(1) ∠CAT = ❶ ☐

(2) ∠BAT′ = ❷ ☐

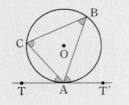

📋 ❶ ∠CBA　❷ ∠BCA

대표문제

0494 ●●중하●●●

오른쪽 그림에서 직선 AT가 원 O 의 접선이고 점 A는 접점이다. ∠BAT=70°, ∠CBA=35°일 때, ∠x의 크기를 구하시오.

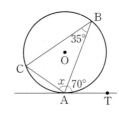

0495 ●●중하●●●

오른쪽 그림에서 $\overrightarrow{PA}$는 원 O 의 접선이고 점 A는 접점이다. ∠BPA=30°, ∠BCA=70° 일때, ∠x의 크기를 구하시오.

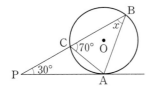

0496 ●●●중●●●

오른쪽 그림에서 직선 AT가 원 O 의 접선이고 점 A는 접점이다. $\widehat{AB}=\widehat{PB}$이고 ∠BAT=65°일 때, ∠PBA의 크기를 구하시오.

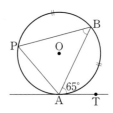

0535 ●●중●●

다음 보기에서 □ABCD가 원에 내접하는 것을 모두 고른 것은?

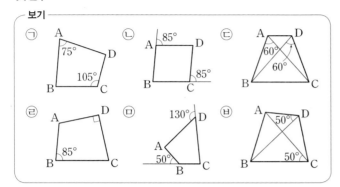

보기

① ㄱ, ㄴ

② ㄴ, ㄷ, ㄹ

③ ㄷ, ㄹ, ㅁ

④ ㄱ, ㄷ, ㅁ, ㅂ

⑤ ㄱ, ㄴ, ㄷ, ㅁ, ㅂ

0536 ●●중●●

오른쪽 그림에서 $\overleftrightarrow{DT}$는 점 D를 접점으로 하는 원 O의 접선이고 점 P는 원 O의 두 현 AB, CD 의 연장선의 교점이다.

$\overparen{AC} : \overparen{BD} = 1 : 3$이고

∠BDT=51°일 때, ∠P의 크기는?

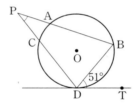

① 30°　　② 31°　　③ 32°

④ 33°　　⑤ 34°

0537 ●●중●●

오른쪽 그림에서 $\overleftrightarrow{TT'}$은 원 O의 접 선이고 $\overline{BT'}$은 원 O의 중심을 지난 다. ∠BAT=67°일 때, ∠y−∠x 의 크기를 구하시오.

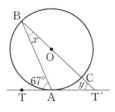

0538 ●●●●상

오른쪽 그림에서 $\overleftrightarrow{PB}$는 원 O의 접 선이고 점 B는 접점이다. $\overline{AB}=6$, ∠ABP=60°일 때, 원 O의 둘레의 길이를 구하시오.

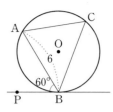

0539 ●●중●● 서술형

다음 그림에서 $\overleftrightarrow{PT}$는 원의 접선이고 점 B는 접점이다. □ABCD가 원에 내접할 때, ∠x+∠y의 크기를 구하시오.

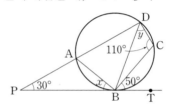

0540 ●●중●● 창의력

다음 그림에서 $\overleftrightarrow{PA}$, $\overleftrightarrow{PB}$는 원 O의 접선이고 두 점 A, B는 접점이다. $\overparen{AC} : \overparen{BC} = 1 : 2$이고 ∠APB=42°일 때, ∠PBC의 크기를 구하시오.

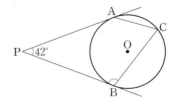

5
통계

Step 1 개념 마스터

Step 2 유형 마스터

☐☐ **필수유형 01** 평균의 뜻과 성질
☐☐ **필수유형 02** 중앙값의 뜻과 성질 중요
☐☐ **필수유형 03** 최빈값의 뜻과 성질
☐☐ **필수유형 04** 여러 가지 자료에서의 대푯값
☐☐ **필수유형 05** 중앙값을 알 때, 변량 구하기
☐☐ **필수유형 06** 평균과 최빈값을 알 때, 변량 구하기 중요
☐☐ **발전유형 07** 변화된 변량의 평균
☐☐ **발전유형 08** 여러 가지 심화 문제

Step 1 개념 마스터

Step 2 유형 마스터

☐☐ **필수유형 09** 편차
☐☐ **필수유형 10** 편차를 이용하여 변량 구하기
☐☐ **필수유형 11** 분산 또는 표준편차 구하기 중요
☐☐ **필수유형 12** 편차가 주어질 때, 분산 또는 표준편차 구하기
☐☐ **필수유형 13** 평균과 분산을 이용하여 식의 값 구하기 중요
☐☐ **필수유형 14** 변화된 변량의 평균과 표준편차
☐☐ **필수유형 15** 두 집단 전체의 평균과 표준편차
☐☐ **필수유형 16** 자료의 해석 중요
☐☐ **발전유형 17** 여러 가지 심화 문제

Step 1 개념 마스터

Step 2 유형 마스터

☐☐ **필수유형 18** 산점도 해석하기 (1) 중요
☐☐ **필수유형 19** 산점도 해석하기 (2)
☐☐ **필수유형 20** 산점도 해석하기 (3)
☐☐ **필수유형 21** 산점도 해석하기 (4)
☐☐ **필수유형 22** 산점도 해석하기 (5) − 종합
☐☐ **필수유형 23** 상관관계 중요
☐☐ **필수유형 24** 산점도 해석하기 (6) 중요

Step 3 내신 마스터

01 **대푯값과 평균** 유형 01, 04, 06

(1) **대푯값** 어떤 자료 전체의 특징을 대표적으로 나타
내는 값

참고 대푯값에는 평균, 중앙값, 최빈값 등의 여러 가지가 있
지만 가장 많이 사용하는 것은 평균이다.

(2) **평균** 변량의 총합을 변량의 개수로 나눈 값

$$(평균) = \frac{(변량)의\ 총합}{(변량)의\ ❶}$$

답 ❶ 개수

[0541~0543] 다음 자료의 평균을 구하시오.

0541 51, 47, 60, 54, 48

0542 24, 16, 20, 32, 18, 34

0543 11, 9, 8, 7, 10, 13, 6, 9, 10, 8

0544 다음은 어느 중학교 3학년 8개 반의 학생 수이다.
이 자료의 평균을 구하시오.

(단위 : 명)

> 34, 35, 37, 36, 40, 36, 38, 36

02 **중앙값** 유형 02, 04, 05

(1) **중앙값** 자료를 작은 값에서부터 크기순으로 나열
할 때 중앙에 놓인 값

(2) **중앙값을 구하는 방법** 자료를 작은 값에서부터 크기
순으로 나열할 때

① 자료의 개수가 홀수이면 : 중앙에 놓인 값

② 자료의 개수가 짝수이면 : 중앙에 놓인 두 값의
❶

참고 n개의 자료를 작은 값에서부터 크기순으로 나열할 때
중앙값은

① n이 홀수이면 ➡ $\frac{n+1}{2}$번째 값

② n이 짝수이면 ➡ $\frac{n}{2}$번째와 $\left(\frac{n}{2}+1\right)$번째 값의 평균

예 ① 자료가 12, 5, 7, 11, 8로 5개일 때,
자료를 작은 값에서부터 크기순으로 나열하면 5, 7, 8,
11, 12이므로 중앙값은 3번째 값인 ❷ 이다.

② 자료가 10, 19, 19, 17, 16, 14로 6개일 때,
자료를 작은 값에서부터 크기순으로 나열하면 10, 14,
16, 17, 19, 19이므로 중앙값은 3번째와 4번째 값인
16과 17의 평균, 즉 $\frac{16+17}{2} =$ ❸ 이다.

답 ❶ 평균 ❷ 8 ❸ 16.5

[0545~0548] 다음 자료의 중앙값을 구하시오.

0545 8, 13, 9, 10, 25

0546 3, 8, 3, 10, 5, 6, 9

0547 12, 10, 11, 10, 13, 14

0548 5, 7, 2, 4, 11, 8, 7, 4

핵심 포인트! · 자료에 매우 크거나 작은 값, 즉 극단적인 값이 있으면 평균은 그 값에 영향을 받으므로 이 경우에는 평균보다 중앙값이 대푯값으
로 적절하다.

0549 다음 표는 8월의 어느 날 주요 도시의 불쾌지수를 나타낸 것이다. 이 자료의 중앙값을 구하시오.

도시	서울	부산	대전	광주	대구
불쾌지수	86	79	83	81	90

03 **최빈값** 유형 03, 04, 06

최빈값 자료의 값 중에서 가장 많이 나타나는 값

참고 최빈값은 자료에 따라 2개 이상일 수도 있다.

예 자료가 2, 5, 7, 3, 2, 7이면 3과 5는 각각 한 번씩 나타나지만 2와 7은 각각 두 번씩 나타나므로 최빈값은 2와 7의 **❶** 개이다.

답 **❶**2

0550 다음 자료의 최빈값을 구하시오.

5, 4, 3, 1, 1, 6, 6, 1, 4, 2

0551 오른쪽 표는 혜인이네 반 학생 26명이 좋아하는 꽃을 조사하여 나타낸 것이다. 이 자료의 최빈값을 구하시오.

꽃	학생 수(명)
장미	8
카네이션	3
백합	6
국화	9
합계	26

0552 오른쪽 표는 슬기네 반 학생 30명이 좋아하는 음료를 조사하여 나타낸 것이다. 이 자료의 최빈값을 구하시오.

음료	학생 수(명)
우유	5
탄산음료	10
과일주스	7
이온음료	3
물	5
합계	30

[0553~0555] 아래 자료는 하은이의 6일 동안의 피아노 연습 시간을 조사하여 나타낸 것이다. 다음을 구하시오.

(단위 : 시간)

3, 7, 2, 3, 5, 1

0553 평균

0554 중앙값

0555 최빈값

[0556~0558] 아래 표는 C 중학교 3학년 남학생 25명의 턱걸이 기록을 조사하여 나타낸 것이다. 다음을 구하시오.

턱걸이(회)	1	2	3	4	5	6	합계
학생 수(명)	3	5	6	7	3	1	25

0556 평균

0557 중앙값

0558 최빈값

핵심 포인트! · 최빈값은 자료에 따라 2개 이상일 수도 있다.
· 자료의 개수가 매우 많거나 자료가 수로 표현되지 못하는 경우에는 최빈값이 대푯값으로 적절하다.

필수유형01 평균의 뜻과 성질

(1) 평균 : 변량의 총합을 변량의 개수로 나눈 값

$$\Rightarrow (평균) = \frac{(변량)의\ 총합}{(변량)의\ 개수}$$

(2) **❶** 은 대푯값으로 가장 많이 사용된다.

답 ❶ 평균

대표문제

0559 ••중••

다음은 학생 8명의 일주일 동안의 운동 시간을 조사하여 나타낸 것이다. 운동 시간의 평균이 7시간일 때, x의 값을 구하시오.

(단위 : 시간)

> 5, 9, 14, x, 1, 2, 6, 10

0560 •중하•••

다음 학생 4명의 키의 평균이 162 cm일 때, 수현이의 키를 구하시오.

| 민아 : 160 cm | 신혜 : 152 cm |
| 수현 : ? | 종석 : 171 cm |

0561 ••중••

4개의 변량 a, b, c, d의 평균이 5일 때, 5개의 변량 $a, b, c,$ $d, 15$의 평균을 구하시오.

필수유형02 중앙값의 뜻과 성질

(1) 중앙값 : 자료를 작은 값에서부터 크기순으로 나열할 때 중앙에 놓인 값

① 자료의 개수가 홀수이면 중앙에 놓인 값

② 자료의 개수가 짝수이면 중앙에 놓인 두 값의 평균

(2) 자료에 극단적인 값이 있으면 대푯값으로 평균보다 **❶** 이 적절하다.

답 ❶ 중앙값

대표문제

0562 ••중••

다음은 태우네 모둠 학생 10명의 1분 동안의 윗몸 일으키기 기록을 조사하여 나타낸 것이다. 윗몸 일으키기 기록의 평균을 a회, 중앙값을 b회라 할 때, $a+b$의 값을 구하시오.

(단위 : 회)

> 12, 17, 23, 18, 28, 15, 20, 22, 15, 20

0563 하••••

다음은 학생 6명의 나이를 조사하여 나타낸 것이다. 이 학생 6명의 나이의 중앙값을 구하시오.

(단위 : 세)

> 19, 13, 14, 15, 16, 18

0564 ••중•• 서술형

다음은 어느 회사에 근무하는 직원 10명의 연간 소득을 조사하여 나타낸 것이다. 연간 소득의 평균이 3000만 원일 때, 중앙값을 구하시오.

(단위 : 만 원)

> 2800, 2400, 4200, 5000, 1800,
> 2000, x, 3200, 2800, 3000

필수유형03 최빈값의 뜻과 성질

(1) 최빈값 : 자료의 값 중에서 가장 많이 나타나는 값
(2) 자료가 수로 표현되지 못하는 경우에는 ❶ [　　　]이 대푯값
　　으로 적절하다.

📄 ❶ 최빈값

대표문제

0565 ●중하●●●

오른쪽 표는 남학생 22명이
좋아하는 운동 경기를 조사하
여 나타낸 것이다. 평균, 중앙
값, 최빈값 중에서 이 자료의
대푯값으로 가장 적절한 것을
말하고, 그 값을 구하시오.

운동 경기	학생 수(명)
배드민턴	3
축구	7
야구	5
농구	5
탁구	2
합계	22

0566 ●중하●●●

다음은 혜나의 10일 동안의 수면 시간을 조사하여 나타낸
것이다. 이 자료의 평균, 중앙값, 최빈값을 각각 a시간, b시
간, c시간이라 할 때, a, b, c의 대소 관계를 부등호를 사용
하여 나타내시오.

(단위 : 시간)

9, 7, 8, 7, 8, 8, 6, 6, 7, 8

0567 ●●중●● 서술형

다음은 학생 8명이 일주일 동안 운동한 시간을 조사하여
나타낸 것이다. 운동한 시간의 평균이 8시간일 때, 중앙값
을 a시간, 최빈값을 b시간이라 하자. 이때 $a+b$의 값을 구
하시오.

(단위 : 시간)

x, 1, 14, 5, 8, 12, 5, 14

필수유형04 여러 가지 자료에서의 대푯값

대표문제

0568 ●●중●●

다음은 어느 중학교 3학년 학생 20명의 오래 매달리기 기
록을 조사하여 나타낸 줄기와 잎 그림이다. 이 자료의 중앙
값을 a초, 최빈값을 b초라 할 때, $b-a$의 값을 구하시오.

(0 | 5는 5초)

줄기	잎
0	5　5　6　8　9　9
1	0　1　4　5　6　6　7　7　7　8　9
2	3　8　8

0569 ●●중●●

다음은 18명의 야구 선수들이 각각 10번의 타석에서 안타
를 친 횟수를 조사하여 나타낸 표이다. 이 자료의 평균을
a회, 중앙값을 b회, 최빈값을 c회라 할 때, a, b, c의 대소
관계를 부등호를 사용하여 나타내시오.

횟수(회)	0	1	2	3	4	합계
선수 수(명)	2	7	5	3	1	18

0570 ●●중●●　　　　　　　잘 틀리는 문제

오른쪽 그림은 동원이네 반
학생들이 한 달 동안 마신 우
유의 개수를 조사하여 꺾은
선그래프로 나타낸 것이다.
한 달 동안 마신 우유의 개수
의 평균, 중앙값, 최빈값을
각각 구하시오.

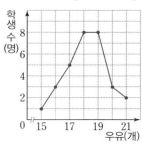

필수유형 05 중앙값을 알 때, 변량 구하기

중앙값이 주어지면
① 자료를 작은 값에서부터 크기순으로 나열한다.
② 자료의 개수가 홀수일 때와 짝수일 때에 따라 조건에 맞는 식을 세워 변량을 구한다.

대표문제

0571 ••중••
4개의 변량 8, 10, 17, a의 중앙값이 12일 때, a의 값을 구하시오.

0572 ••중••
두 자료 A, B에 대하여 자료 A의 중앙값이 12일 때, 두 자료 A, B 전체의 최빈값을 구하시오.

자료 A : 4, 16, 10, 17, a
자료 B : 11, $a-4$, 5, 9, $a-2$

0573 ••중•• 잘 틀리는 문제
5개의 변량 a, 3, b, 5, 14의 중앙값이 7이고, 4개의 변량 8, a, b, 12의 중앙값이 9일 때, $b-a$의 값을 구하시오.
(단, $a<b$)

0574 •••상중•
어느 모둠의 학생 6명의 영어 점수를 작은 값에서부터 크기순으로 나열하면 3번째 학생의 점수는 73점이고, 중앙값은 76점이라고 한다. 이 모둠에 영어 점수가 80점인 학생이 들어왔을 때, 학생 7명의 영어 점수의 중앙값을 구하시오.

필수유형 06 중요 평균과 최빈값을 알 때, 변량 구하기

평균과 최빈값이 주어지면
① 자료에서 평균에 대한 식을 세운다.
② 자료에서 최빈값, 즉 가장 많이 나타나는 수를 찾는다.
③ ①, ②를 이용하여 변량을 구한다.

대표문제

0575 ••중••
다음은 학생 7명의 하루 동안의 휴대 전화 문자 메시지 수신 횟수를 조사하여 나타낸 것이다. 이 자료의 평균과 최빈값이 같을 때, x의 값을 구하시오.
(단위 : 회)

7, 8, 10, 7, x, 7, 6

0576 ••중•• 서술형
다음은 정우가 5회에 걸쳐 치른 한문 시험의 성적을 조사하여 나타낸 것이다. 이 자료의 평균과 최빈값이 같을 때, x의 값을 구하시오.
(단위 : 점)

85, 93, 78, 84, x

0577 ••중••
다음은 농구 동호회 회원 5명의 나이를 변량으로 한 자료에 대한 설명이다. 이때 나머지 한 회원의 나이를 구하시오.

• 가장 어린 회원의 나이는 13살이다.
• 한 회원의 나이는 15살이다.
• 최빈값은 16살로 2명이 있다.
• 회원들의 나이의 평균은 15.6살이다.

0578 ●●●●(상중)●
다음 자료의 평균이 5이고 최빈값이 3일 때, $b-a$의 값을 구하시오. (단, $a<b$)

$$3, \ 5, \ a, \ 6, \ 7, \ 2, \ b$$

발전유형 08 여러 가지 심화 문제

0582 ●●●(상중)●
성민이가 12과목의 중간고사 성적의 평균을 구하는데 71점인 어떤 과목의 성적을 잘못 보아 평균이 실제보다 1점 높게 나왔다. 71점을 몇 점으로 잘못 보았는지 구하시오.

발전유형 07 변화된 변량의 평균

3개의 변량 a, b, c의 평균이 m일 때,
$pa+q$, $pb+q$, $pc+q$의 평균은 $pm+q$이다. (단, p, q는 상수)

대표문제
0579 ●●(중)●●
4개의 변량 a, b, c, d의 평균이 6일 때, 변량 $3a-4$, $3b-4$, $3c-4$, $3d-4$의 평균을 구하시오.

0583 ●●●(상중)●
서로 다른 5개의 변량 중 가장 큰 변량을 제외한 4개의 변량의 평균은 20이고, 가장 작은 변량을 제외한 4개의 변량의 평균은 30이다. 가장 큰 변량과 가장 작은 변량의 합이 60일 때, 서로 다른 5개의 변량의 평균을 구하시오.

쌍둥이 문제
0580 ●●(중)●●
5개의 변량 x_1, x_2, x_3, x_4, x_5의 평균이 m일 때, 변량 cx_1+d, cx_2+d, cx_3+d, cx_4+d, cx_5+d의 평균을 c, m, d의 식으로 나타내시오.

0584 ●●●(상중)●
우진이는 네 번의 시험에서 각각 87점, 93점, 97점, x점을 받았다. 시험 점수의 중앙값은 90점이고 평균은 90점을 초과했다고 할 때, 이를 만족하는 자연수 x의 개수를 구하시오.

0581 ●●●(상중)●
4개의 변량 $2a-3$, $2b-3$, $2c-3$, $2d-3$의 평균이 8일 때, 변량 a, b, c, d의 평균을 구하시오.

0585 ●●●●(상)
10개의 자연수로 이루어진 자료 1, 2, 3, 4, 5, 6, 7, 9, a, b에 대하여 평균, 중앙값, 최빈값이 모두 같을 때, ab의 값을 구하시오.

개념 마스터

04 분산과 표준편차 　　　유형 09~16

(1) **산포도** 　변량들이 대푯값 주위에 흩어져 있는 정도
를 하나의 수로 나타낸 값

⑩ 변량들이 대푯값을 중심으로 가까이 모여 있으면 산포도
는 작고, 변량들이 대푯값을 중심으로 멀리 흩어져 있으
면 산포도는 크다.

참고 산포도에는 분산, 표준편차 등이 있다.

(2) **편차** 　어떤 자료의 각 변량에서 그 자료의 평균을 뺀 값

(편차)=(변량)−(❶ 　　)

참고 ① 편차의 총합은 항상 0이다.

② 평균보다 큰 변량의 편차는 양수이고,
평균보다 작은 변량의 편차는 음수이다.

③ 편차의 절댓값이 클수록 그 변량은 평균에서 멀리
떨어져 있고, 편차의 절댓값이 작을수록 그 변량은
평균에 가까이 있다.

(3) **분산** 　편차의 제곱의 평균

$$(분산)=\dfrac{(편차)^2의\ 총합}{(변량)의\ 개수}$$

(4) **표준편차** 　분산의 양의 제곱근

$$(표준편차)=\sqrt{(❷\ \ \ \ )}$$

참고 분산은 단위를 쓰지 않고 표준편차는 자료와 같은 단
위를 쓴다.

(5) **자료의 분포** 　분산과 표준편차가 작을수록 변량이
평균에 가까이 모여 있는 것이므로 자료의 분포 상태
가 고르다고 할 수 있다.

답 ❶ 평균 ❷ 분산

[0586~0587] 아래는 학생 5명의 통학 시간을 조사하여 나타낸
것이다. 다음을 구하시오.

(단위 : 분)

5, 10, 13, 15, 7

0586 평균

0587 각 변량에 대한 편차

[0588~0590] 어떤 자료의 편차가 다음과 같을 때, x의 값을 구
하시오.

0588 　-2, 　x, 　2, 　-1, 　4

0589 　5, 　-3, 　-2, 　1, 　-4, 　x

0590 　-4, 　1, 　x, 　8, 　$x-1$

0591 다음은 표준편차를 구하는 과정을 나타낸 것이다.
순서대로 나열하시오.

> ㉠ 편차를 구한다.
> ㉡ 자료의 평균을 구한다.
> ㉢ 편차의 제곱을 구한다.
> ㉣ 분산의 양의 제곱근을 구한다.
> ㉤ 분산을 구한다.

[0592~0596] 아래 자료를 보고 다음을 구하시오.

3, 5, 2, 4, 1

0592 평균

0593 편차의 합

0594 $(편차)^2$의 총합

0595 분산

0596 표준편차

핵심 포인트! 　· 표준편차를 구하는 순서 : 평균 → 편차 → $(편차)^2$의 총합 → 분산 → 표준편차

필수유형 09 편차

(1) (편차)＝(변량)－(평균)
(2) 편차의 총합은 항상 [❶]이다.

답 ❶ 0

대표문제

0597 하••••

다음 표는 학생 6명의 일주일 동안의 평균 독서 시간에 대한 편차를 나타낸 것이다. 이때 x의 값을 구하시오.

학생	A	B	C	D	E	F
편차(시간)	4	－3	1	x	－5	－2

0598 ••중••

아래 표는 학생 5명의 수학 점수에 대한 편차를 나타낸 것이다. 다음 보기 중 옳은 것을 모두 고른 것은?

학생	A	B	C	D	E
편차(점)	－1	x	1	－2	5

보기
㉠ x의 값은 －3이다.
㉡ 학생 E의 수학 점수가 가장 높다.
㉢ 평균 점수는 학생 C의 수학 점수보다 1점 높다.

① ㉠   ② ㉡   ③ ㉠, ㉡
④ ㉠, ㉢   ⑤ ㉠, ㉡, ㉢

0599 ••중••

다음 표는 어떤 자료에 대한 편차와 도수를 나타낸 것이다. x의 값을 구하시오.

편차	－2	－1	0	1	2	3
도수	7	10	6	5	x	3

필수유형 10 편차를 이용하여 변량 구하기

(1) 편차의 총합이 0임을 이용한다.
(2) (변량)＝(평균)＋(편차), (평균)＝(변량)－([❶])임을 이용한다.

답 ❶ 편차

대표문제

0600 ••중••

다음 표는 어느 식당의 일주일 동안의 요일별 손님 수에 대한 편차를 나타낸 것이다. 평균 손님 수가 70명일 때, 금요일에 온 손님 수를 구하시오.

요일	월	화	수	목	금	토	일
편차(명)	－8	3	－16	－14	x	20	13

0601 ••중••

다음 표는 어느 반 학생 5명의 수학 점수에 대한 편차를 나타낸 것이다. 이때 $a+b+c$의 값을 구하시오.

학생	찬원	영탁	호중	민호	동원
수학 점수 (점)	89	a	79	75	b
편차 (점)	9	4	－1	－5	c

0602 ••중••

아래 표는 학생 5명의 몸무게에 대한 편차를 나타낸 것이다. 다음 중 옳지 않은 것은?

학생	A	B	C	D	E
편차(kg)	－3	$x-1$	$3x$	8	0

① x의 값은 －1이다.
② E의 몸무게는 평균과 같다.
③ E의 몸무게는 중앙값과 같다.
④ C와 D의 몸무게의 차는 11 kg이다.
⑤ 몸무게가 평균보다 무거운 사람은 1명이다.

중요

필수유형 11 | 분산 또는 표준편차 구하기

(1) 분산 : ❶____의 제곱의 평균

➡ (분산) = $\dfrac{(편차)^2의 \; 총합}{(변량)의 \; 개수}$

(2) 표준편차 : 분산의 ❷____의 제곱근

➡ (표준편차) = $\sqrt{(분산)}$

답 ❶ 편차 ❷ 양

대표문제

0603 ••중••

다음은 혜지가 다트를 10번 던져 얻은 점수를 조사하여 나타낸 것이다. 점수의 평균과 표준편차를 각각 구하시오.

(단위 : 점)

> 4, 5, 4, 9, 10, 7, 7, 8, 6, 10

0604 •중하•••

다음 4개의 변량의 분산을 구하시오.

> $x+3, \; x, \; x-1, \; x-2$

0605 •중하•••

다음은 5회에 걸쳐 실시한 과학 실험에서 동수가 받은 점수를 조사하여 나타낸 것이다. 점수의 분산을 구하시오.

(단위 : 점)

> 8, 7, 6, 9, 10

0606 ••중••

다음 중 아래 자료에 대한 설명으로 옳지 않은 것은?

> 9, 10, 8, 8, 7, 6

① 자료의 평균은 8이다.
② 자료의 중앙값은 변량 중에 존재한다.
③ 자료의 최빈값은 8이다.
④ 각 변량들의 편차의 총합은 0이다.
⑤ 자료의 분산은 10이다.

0607 ••중•• 서술형

다음 표는 어느 모둠 학생 8명이 지난주에 TV를 시청한 시간을 조사하여 나타낸 것이다. 이 자료의 표준편차를 구하시오.

학생	승호	지성	혜수	선미	경은	현빈	준성	동우
시간	18	16	13	18	15	15	19	14

0608 •••상중•

다음 자료의 평균이 0이고 중앙값이 1일 때, 분산을 구하시오. (단, $a<b$)

> $-2, \; -3, \; a, \; b, \; 5, \; 3, \; 2$

필수유형 12 편차가 주어질 때, 분산 또는 표준편차 구하기

(1) 편차의 총합은 항상 **①**   이다.

(2) (분산)$=\dfrac{(편차)^2의\ 총합}{(변량)의\ 개수}$, (표준편차)$=\sqrt{(\ ②\ )}$

🗒 **①** 0 **②** 분산

대표문제

0609 ●●중●●

다음 표는 학생 6명의 키에 대한 편차를 나타낸 것이다. 학생 6명의 키의 표준편차를 구하시오.

학생	A	B	C	D	E	F
편차(cm)	-3		4	1	3	-2

0610 ●중하●●●

다음은 어떤 자료의 편차를 나타낸 것이다. 이 자료의 분산과 표준편차를 각각 구하시오.

$$-3,\ \ 4,\ \ -5,\ \ 1,\ \ 3$$

0611 ●●중●●

다음 표는 희원이의 7회에 걸친 영어 말하기 시험 성적에 대한 편차를 나타낸 것이다. 5회의 편차가 a점이고 영어 말하기 시험 성적의 분산이 b일 때, ab의 값을 구하시오.

회	1	2	3	4	5	6	7
편차(점)	3	-1	-2	0	a	-2	-5

0612 ●●중●●   잘 틀리는 문제

아래 표는 어떤 자료에 대한 편차와 도수를 나타낸 것이다. 다음 물음에 답하시오.

편차	-2	-1	0	3	4
도수	4	3	5	1	x

(1) x의 값을 구하시오.

(2) 분산을 구하시오.

(3) 표준편차를 구하시오.

0613 ●●중●●   서술형

다음 표는 어느 반 학생 10명의 활쏘기 점수에 대한 편차와 도수를 나타낸 것이다. 표준편차를 구하시오.

편차(점)	-4	-2	x	1	4
도수(명)	2	1	3	2	2

필수유형 13 중요 | 평균과 분산을 이용하여 식의 값 구하기

(1) n개의 변량 $x_1, x_2, \cdots, x_n$의 평균이 m, 분산이 V이면

$x_1+x_2+\cdots+x_n=mn$

$(x_1-m)^2+(x_2-m)^2+\cdots+(x_n-m)^2=Vn$

(2) n개의 변량의 편차가 각각 $d_1, d_2, \cdots, d_n$이고 분산이 V이면

$d_1+d_2+\cdots+d_n=0,\ d_1{}^2+d_2{}^2+\cdots+d_n{}^2=Vn$

대표문제

0614 ●●●상중●

5개의 변량 1, 3, x, 6, y의 평균이 3이고 분산이 2.8일 때, x^2+y^2의 값을 구하시오.

0615 •••상중•

3개의 변량 a, b, c의 평균이 4이고 분산이 3일 때, $a^2+b^2+c^2$의 값을 구하시오.

0616 •••상중•

3개의 변량 a, b, c의 평균이 5이고 표준편차가 $\sqrt{6}$일 때, 변량 a, b, c, 4, 5, 6의 분산을 구하시오.

0617 •••상중•

5개의 변량의 편차는 각각 -4, a, 3, b, 0이고 표준편차가 $\sqrt{6}$일 때, ab의 값을 구하시오.

0618 ••••상   〔 잘 틀리는 문제 〕

4개의 변량 a, b, 6, 8의 평균이 7이고 표준편차가 $\sqrt{5}$일 때, 변량 a^2, b^2의 평균을 구하시오.

필수유형 **14** 〔 변화된 변량의 평균과 표준편차 〕

a, b, c의 평균이 m, 표준편차가 s일 때 (단, p, q는 상수)
(1) pa, pb, pc의 평균은 pm, 표준편차는 $|p|s$
(2) $a+q$, $b+q$, $c+q$의 평균은 $m+q$, 표준편차는 s
(3) $pa+q$, $pb+q$, $pc+q$의 평균은 $pm+q$, 표준편차는 $|p|s$

0619 ••중••

3개의 변량 a, b, c의 평균이 4이고 표준편차가 3일 때, 변량 $3a-1$, $3b-1$, $3c-1$의 평균과 표준편차의 합을 구하시오.

0620 ••중••

5개의 변량 a, b, c, d, e의 평균이 7이고 분산이 5일 때, 다음 변량들의 평균과 분산을 각각 구하시오.

$$4a, \quad 4b, \quad 4c, \quad 4d, \quad 4e$$

0621 •••상중•

4개의 변량 a, b, c, d의 평균이 20이고 표준편차가 4이다. 변량 $2a+1$, $2b+1$, $2c+1$, $2d+1$의 평균과 표준편차를 각각 m, s라 할 때, $m+s$의 값을 구하시오.

필수유형 15 두 집단 전체의 평균과 표준편차

평균이 같은 두 집단 A, B의 도수와 표준편차가 오른쪽 표와 같을 때, 두 집단 A, B 전체의 표준편차는

집단	A	B
도수	a	b
표준편차	x	y

$$\sqrt{\frac{(편차)^2의\ 총합}{(도수)의\ 총합}} = \sqrt{\frac{ax^2+by^2}{a+b}}$$

대표문제

0622 ••••(상중)•

남학생 10명과 여학생 20명이 국어 시험을 보았다. 남학생과 여학생의 국어 성적의 평균이 같고, 남학생의 표준편차는 $\sqrt{6}$점, 여학생의 표준편차는 3점일 때, 전체 학생 30명의 국어 성적의 표준편차를 구하시오.

0623 ••••(상중)•

오른쪽 표는 남학생 20명과 여학생 15명의 과학 점수의 평균과 표준편차를 조사하여 나타낸 것이다.

	남학생	여학생
평균(점)	70	70
표준편차(점)	7	$\sqrt{7}$

전체 학생 35명의 과학 점수의 표준편차를 구하시오.

0624 ••••(상중)•

다음 표는 어느 반의 남학생과 여학생의 한 달 독서 시간의 평균과 표준편차를 조사하여 나타낸 것이다. 이 반 전체의 독서 시간의 분산을 구하시오.

	학생 수(명)	평균(시간)	표준편차(시간)
남학생	15	24	$2\sqrt{5}$
여학생	15	24	$3\sqrt{3}$

필수유형 16 자료의 해석

(1) 분산과 표준편차가 작을수록 자료는 평균을 중심으로 가까이 모여 있으므로 자료의 분포 상태가 고르다고 할 수 있다.

(2) 분산과 표준편차가 클수록 자료는 평균을 중심으로 멀리 흩어져 있으므로 자료의 분포 상태가 고르지 않다고 할 수 있다.

대표문제

0625 ••(중)••

아래 표는 어느 중학교 3학년 4개 학급에 대하여 1학기 기말고사 영어 성적의 평균과 표준편차를 조사하여 나타낸 것이다. 다음 중 옳은 것을 모두 고르면? (정답 2개)

	1반	2반	3반	4반
평균(점)	59	68	62	61
표준편차(점)	6.1	7.3	6.7	5.2

① 2반에는 30점 미만인 학생이 있다.

② 2반 학생 수가 1반 학생 수보다 많다.

③ 영어 성적이 가장 우수한 반은 2반이다.

④ 95점 이상인 학생이 4반보다 1반에 더 많다.

⑤ 4반 학생들의 영어 성적이 가장 고르게 분포되어 있다.

0626 ••(중)••

아래 표는 다섯 개의 그룹 A~E에 속한 학생들의 수학 성적의 평균과 표준편차를 나타낸 것이다. 다음 중 옳은 것을 모두 고르면? (정답 2개)

그룹	A	B	C	D	E
평균(점)	72	69	74	76	70
표준편차(점)	4.7	8.2	9.1	5.3	6.5

① B 그룹의 학생 수가 D 그룹의 학생 수보다 적다.

② A 그룹 학생들의 성적이 가장 고르게 분포되어 있다.

③ 위 표에서는 어느 그룹의 성적이 더 고른지 알 수 없다.

④ 수학 성적이 90점 이상인 학생 수는 C 그룹보다 D 그룹이 더 많다.

⑤ D 그룹 학생들의 성적이 E 그룹 학생들의 성적보다 대체로 우수하다.

0627 ●●●중●●

오른쪽 그림은 학생 수가 같은 A, B 두 중학교 3학년 학생들의 국어 성적을 조사하여 나타낸 그래프이다. □ 안에 알맞은 것을 써넣으시오.

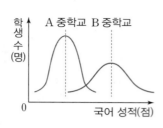

A, B 두 중학교 중에서 국어 성적이 우수한 학교는 □ 중학교이고, 국어 성적이 고르게 분포된 학교는 □ 중학교이다.

0628 ●●●중●●

다음 자료 중에서 표준편차가 가장 큰 것은?

① 1, 5, 1, 5, 1, 5
② 1, 5, 3, 3, 1, 5
③ 4, 2, 4, 2, 4, 2
④ 2, 4, 2, 4, 3, 3
⑤ 2, 4, 2, 4, 1, 5

0629 ●●●중●●

다음 표는 무결이와 정인이가 5회에 걸쳐 시행한 턱걸이 기록을 조사하여 나타낸 것이다. 무결이와 정인이 중 누구의 기록이 더 고르다고 할 수 있는지 구하시오.

(단위 : 회)

	1회	2회	3회	4회	5회
무결	13	11	15	17	19
정인	14	17	15	16	13

0630 ●●●●상중●

아래 그림과 같이 1부터 10까지의 점수가 적힌 과녁이 있다. A, B, C 세 선수가 각각 화살을 7번 쏘았을 때, 과녁을 맞힌 7곳의 점수의 평균이 모두 6점이 되었다. 세 선수 중 점수의 표준편차가 가장 작은 선수는 누구인지 구하시오.

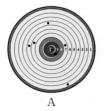 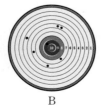 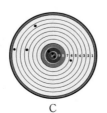

A   B   C

발전유형 **17** 여러 가지 심화 문제

0631 ●●●상중●

학생 6명의 수학 성적의 평균은 80점이고 분산은 25일 때, 학생 6명 중에서 성적이 80점인 학생 한 명을 제외한 나머지 학생 5명의 수학 성적의 분산을 구하시오.

0632 ●●●상중●

다음 보기 중에서 두 자료 A, B에 대한 설명으로 옳은 것을 모두 고른 것은?

• 자료 A : −50부터 −1까지의 정수
• 자료 B : 1부터 50까지의 자연수

── 보기 ──

㉠ 자료 B의 평균은 자료 A의 평균에 51을 더한 것이다.
㉡ 자료 A의 분산이 자료 B의 분산보다 크다.
㉢ 자료 A와 자료 B의 표준편차는 같다.
㉣ 자료 A가 자료 B보다 분포 상태가 고르다.

① ㉠, ㉡
② ㉠, ㉢
③ ㉡, ㉢
④ ㉡, ㉣
⑤ ㉢, ㉣

0633 ●●●●상   잘 틀리는 문제

학생 10명의 몸무게를 측정한 결과 평균이 60 kg, 분산이 8.4였다. 그런데 나중에 조사해 보니 몸무게가 60 kg, 54 kg인 두 학생의 몸무게가 각각 58 kg, 56 kg으로 잘못 기록된 것이 발견되었다. 이 학생 10명의 실제 몸무게의 평균과 분산을 각각 구하시오.

개념 마스터

05 산점도
유형 18~22, 24

산점도 두 변량 x, y를 순서쌍으로 하는 점 (x, y)를 좌표평면 위에 나타낸 그림

⑩ 아래 표는 학생 10명의 수학 성적과 과학 성적을 조사하여 나타낸 것이다. 두 변량에 대한 산점도를 나타내면 다음 그림과 같다.

학생	A	B	C	D	E	F	G	H	I	J
수학(점)	60	80	70	100	90	50	70	80	90	60
과학(점)	50	70	70	100	90	60	60	80	80	80

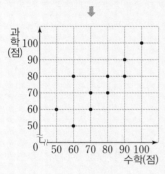

참고 산점도를 통해 두 변량 사이의 관계를 쉽게 파악할 수 있다.

[0634~0637] 아래 표는 어느 농구 경기에서 양팀 선수 10명이 성공시킨 2점슛과 3점슛의 개수를 조사하여 나타낸 것이다. 다음 물음에 답하시오.

선수	A	B	C	D	E	F	G	H	I	J
2점슛(개)	1	2	0	3	4	4	3	6	6	5
3점슛(개)	0	1	1	3	2	4	5	4	3	5

0634 성공시킨 2점슛과 3점슛에 대한 산점도를 그리시오.

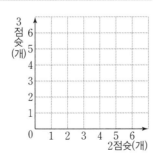

0635 성공시킨 2점슛과 3점슛의 개수가 같은 선수 수를 구하시오.

0636 성공시킨 3점슛의 개수가 4개 이상인 선수 수를 구하시오.

0637 3점슛보다 2점슛을 더 많이 성공시킨 선수 수를 구하시오.

[0638~0640] 아래 그림은 어느 반 학생 20명의 수학 성적과 과학 성적을 조사하여 나타낸 산점도이다. 다음 물음에 답하시오.

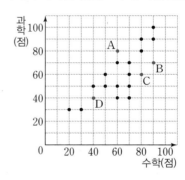

0638 학생 A의 수학 성적과 과학 성적을 말하시오.

0639 수학 성적과 과학 성적이 같은 학생 수를 구하시오.

0640 A, B, C, D 중에서 수학 성적이 가장 높은 학생을 구하시오.

핵심 포인트! · 산점도에서 두 변량을 비교하는 조건이 주어지면 대각선을 긋는다.
· 산점도에서 이상 또는 이하의 조건이 주어지면 가로축 또는 세로축에 평행한 선을 긋는다.

06 상관관계

유형 23, 24

(1) **상관관계** 두 변량 x, y 사이에 한쪽이 증가하면 다른 한쪽도 증가하거나 감소하는 경향이 있을 때, 이 두 변량 x, y 사이에는 상관관계가 있다고 한다.

(2) **상관관계의 종류** 두 변량 x, y에 대하여

① 양의 상관관계 : x의 값이 증가함에 따라 y의 값도 대체로 증가하는 관계

[강한 양의 상관관계]   [약한 양의 상관관계]

예 도시 인구수와 교통량, 여름철 최고 기온과 전기 요금

② 음의 상관관계 : x의 값이 증가함에 따라 y의 값은 대체로 감소하는 관계

[강한 음의 상관관계]   [약한 음의 상관관계]

예 산의 높이와 기온, 공부 시간과 여가 시간

③ 상관관계가 없다. : x의 값이 증가함에 따라 y의 값이 증가하는 경향이 있는지 감소하는 경향이 있는지 분명하지 않을 때, 두 변량 x, y 사이에는 상관관계가 없다고 한다.

예 가방의 무게와 성적, 휴대전화 요금과 손의 크기

참고 양 또는 음의 상관관계가 있는 산점도에서 점들이 한 직선에 가까이 모여 있을수록 상관관계가 강하고, 멀리 흩어져 있을수록 상관관계가 약하다고 한다.

약해진다.   양의 상관관계   강해진다.

[0641~0644] 다음 보기의 산점도에 대하여 물음에 답하시오.

보기

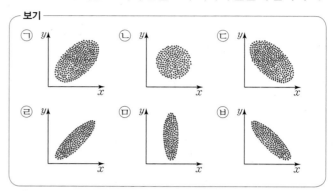

0641 음의 상관관계가 있는 것을 모두 고르시오.

0642 양의 상관관계가 있는 것을 모두 고르시오.

0643 상관관계가 없는 것을 모두 고르시오.

0644 가장 강한 양의 상관관계가 있는 것을 고르시오.

[0645~0649] 다음 두 변량 사이에 양의 상관관계가 있으면 '양', 음의 상관관계가 있으면 '음', 상관관계가 없으면 '없다.'를 써넣으시오.

0645 여름철 기온과 에어컨 사용 시간 ( )

0646 하루 중 낮의 길이와 밤의 길이 ( )

0647 키와 몸무게 ( )

0648 시력과 발의 크기 ( )

0649 지능지수와 식사량 ( )

핵심 포인트 !   · 양의 상관관계는 왼쪽 아래에서부터 오른쪽 위로 향하는 분포를 보이고, 음의 상관관계는 왼쪽 위에서 오른쪽 아래로 향하는 분포를 보인다.

유형 마스터

❺ 통계

 필수유형 18 산점도 해석하기(1)

산점도에서 두 변량을 비교할 때, 오른쪽 그림과 같이 대각선을 긋는다.

① y가 x보다 크다.
② x와 y가 **①**
③ x가 y보다 크다.

답 **①** 같다

필수유형 19 산점도 해석하기(2)

산점도에서 '~ 이상', '~ 이하'의 자료를 찾을 때, 다음 그림과 같이 가로선 또는 세로선을 긋는다.

대표문제

0650 ●●중●●

오른쪽 그림은 어느 반 학생 15명의 1차, 2차에 걸친 영어 시험 성적을 조사하여 나타낸 산점도이다. 2차 성적이 1차 성적보다 높은 학생 수를 구하시오.

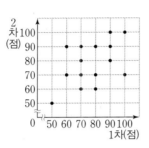

[0651~0652] 오른쪽 그림은 민호네 반 학생 20명의 수학 성적과 과학 성적을 조사하여 나타낸 산점도이다. 다음 물음에 답하시오.

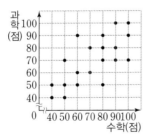

0651 ●중하●●●

수학 성적과 과학 성적이 같은 학생은 전체의 몇 %인지 구하시오.

0652 ●중하●●●

수학 성적이 과학 성적보다 높은 학생 수를 구하시오.

대표문제

0653 ●●중●●

오른쪽 그림은 예은이네 반 학생 16명의 영어 성적과 국어 성적을 조사하여 나타낸 산점도이다. 영어 성적과 국어 성적이 모두 80점 이상인 학생은 전체의 몇 %인지 구하시오.

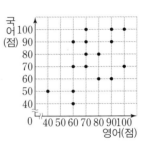

0654 ●●중●● 서술형

오른쪽 그림은 유영이네 반 학생 20명의 1회, 2회에 걸친 수학 시험 성적을 조사하여 나타낸 산점도이다. 수학 시험 성적이 1회, 2회 모두 5점 미만인 학생 수를 구하시오.

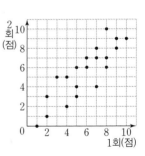

0655 ●●중●● 잘 틀리는 문제

오른쪽 그림은 어느 반 학생 16명의 국어 성적과 수학 성적을 조사하여 나타낸 산점도이다. 국어 성적과 수학 성적 중 적어도 한 과목의 성적이 90점 이상인 학생 수를 구하시오.

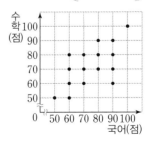

필수유형 **20** 산점도 해석하기(3)

평균이 주어질 때, 두 변량의 합을 구한 후 산점도에서 그 합이 되는 점을 이어 선을 긋고 문제에 맞는 영역을 찾는다.

예 두 과목의 평균이 70점 이상이다.
➡ 두 과목의 총점이 140점 이상인 부분에 속하는 점을 찾는다.

대표문제

0656 ••중••

오른쪽 그림은 남수네 반 학생 16명의 국어 성적과 수학 성적을 조사하여 나타낸 산점도이다. 국어 성적과 수학 성적의 평균이 80점 이상인 학생은 전체의 몇 %인지 구하시오.

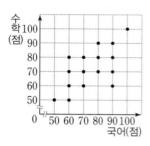

0657 ••중••

다음 그림은 성민이네 반 학생 20명의 미술 실기 점수와 이론 점수를 조사하여 나타낸 산점도이다. 미술 실기 점수와 이론 점수의 합이 50점 이하인 학생 수를 구하시오.

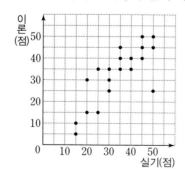

0658 ••중•• 서술형

오른쪽 그림은 은하네 반 학생 20명의 국어 성적과 사회 성적을 조사하여 나타낸 산점도이다. 두 과목의 평균이 65점 미만인 학생은 전체의 몇 %인지 구하시오.

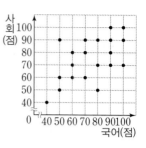

필수유형 **21** 산점도 해석하기(4)

두 변량의 차가 a일 때, 오른쪽 그림과 같이 산점도 위에 두 직선
$$x-y=a, y-x=a$$
를 그린다.

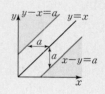

대표문제

0659 ••중••

오른쪽 그림은 지혁이네 반 학생 16명의 국어 성적과 수학 성적을 조사하여 나타낸 산점도이다. 국어 성적과 수학 성적의 차가 10점인 학생 수를 구하시오.

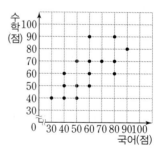

0660 ••중••

오른쪽 그림은 혜영이네 반 학생 25명이 1학기와 2학기에 읽은 책의 수를 조사하여 나타낸 산점도이다. 1학기에 읽은 책과 2학기에 읽은 책의 권 수 차이가 3권 이상인 학생은 전체의 몇 %인지 구하시오.

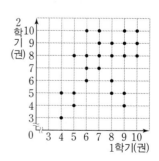

0661 •••상중●

오른쪽 그림은 학생 25명의 영어 듣기 성적과 독해 성적을 조사하여 나타낸 산점도이다. 이 산점도에서 다음 조건을 모두 만족시키는 학생 수를 구하시오.

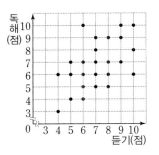

─ 조건 ─
(개) 영어 듣기 성적과 독해 성적의 차가 2점 이상이다.
(내) 영어 듣기 성적과 독해 성적의 총점이 15점 이상이다.

필수유형22 산점도 해석하기(5) – 종합

0662 ••●중●●

오른쪽 그림은 학생 20명의 1학기 중간고사 성적과 기말고사 성적을 조사하여 나타낸 산점도이다. 다음 중 옳지 <u>않은</u> 것은?

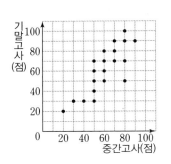

① 기말고사 성적이 중간고사 성적보다 높은 학생은 8명이다.
② 중간고사 성적과 기말고사 성적이 같은 학생은 6명이다.
③ 중간고사 성적이 80점 이상인 학생들의 기말고사 성적의 평균은 80점이다.
④ 중간고사 성적과 기말고사 성적의 평균이 70점 이상인 학생은 전체의 35 %이다.
⑤ 중간고사 성적과 기말고사 성적의 차가 20점 이상인 학생은 전체의 30 %이다.

0663 ••●중●●

아래 그림은 어느 반 학생 15명의 1차, 2차에 걸친 수학 시험 성적을 조사하여 나타낸 산점도이다. 다음 중 옳은 것은?

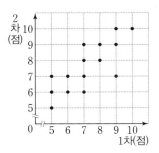

① 1차와 2차 점수의 합계가 12점 이하인 학생은 3명이다.
② 1차와 2차 점수가 같은 학생은 5명이다.
③ 1차보다 2차에서 높은 점수를 얻은 학생은 2명이다.
④ 1차와 2차 점수 중 적어도 하나가 9점 이상인 학생은 6명이다.
⑤ 2차 점수가 9점인 학생들의 1차 점수의 평균은 7점이다.

0664 ••●중●●

아래 그림은 영웅이네 반 학생 20명의 수학 성적과 국어 성적을 조사하여 나타낸 산점도이다. 다음 중 옳은 것은?

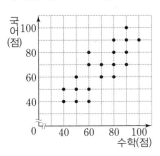

① 수학 성적과 국어 성적이 모두 60점 미만인 학생은 7명이다.
② 수학 성적과 국어 성적이 같은 학생은 6명이다.
③ 수학 성적이 90점인 학생들의 국어 성적의 평균은 85점이다.
④ 수학 성적과 국어 성적 중 적어도 하나가 80점 이상인 학생은 전체의 40 %이다.
⑤ 수학보다 국어를 잘하는 학생이 국어보다 수학을 잘하는 학생보다 많다.

필수유형**23** 상관관계

(1) 상관관계 : 두 변량 x, y 사이에 한쪽이 증가하면 다른 한쪽
도 증가하거나 감소하는 경향이 있을 때, 이 두 변량 x, y 사
이에는 ❶ ▢ 가 있다고 한다.
(2) 상관관계의 종류 : 두 변량 x, y에 대하여
　① 양의 상관관계 : x의 값이 증가함에 따라 y의 값도 대체
　　로 ❷ ▢ 하는 관계
　② 음의 상관관계 : x의 값이 증가함에 따라 y의 값은 대체
　　로 감소하는 관계
　③ 상관관계가 ❸ ▢ . : x의 값이 증가함에 따라 y의 값이
　　증가하는 경향이 있는지 감소하는 경향이 있는지 분명하
　　지 않은 경우

🔑 ❶ 상관관계 ❷ 증가 ❸ 없다

대표문제

0665 ●●중●●
다음 중 두 변량 사이의 상관관계가 나머지 넷과 다른 하
나는?

① 지면으로부터의 높이와 산소량
② 컴퓨터 게임 시간과 성적
③ 물건의 가격과 소비량
④ 운행 중인 차량의 수와 평균 속력
⑤ 흡연량과 폐암 발병률

0666 ●●중●●
다음 중 두 변량 사이에 오른쪽 그
림과 같은 상관관계가 있다고 할
수 있는 것은?

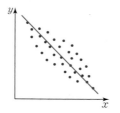

① 몸무게와 수학 성적
② 수면 시간과 식사량
③ 자동차 수와 공기 오염도
④ 지면으로부터의 높이와 기온
⑤ 여름철 기온과 전력 소비량

0667 하●●●●●
다음 산점도 중에서 상관관계가 없는 것은?

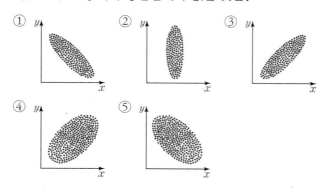

0668 ●●중●●
다음 중 상관관계에 대한 설명으로 옳지 <u>않은</u> 것은?

① 한 변량이 증가함에 따라 다른 변량도 증가할 때, 두 변
　량 사이에는 양의 상관관계가 있다.
② 산점도에서 점들이 원 모양으로 분포되어 있는 경우에
　는 두 변량 사이에 상관관계가 없다.
③ 한 변량이 감소함에 따라 다른 변량은 증가할 때, 두 변
　량 사이에는 음의 상관관계가 있다.
④ 산점도에서 두 변량 사이의 상관관계가 약할수록 점들
　은 좌표축에 평행하지 않은 직선 주위에 가까이 모이는
　경향이 있다.
⑤ 산점도에서 점들이 y축에 가까이 모여 있는 경우에는
　두 변량 사이에 상관관계가 없다.

0669 ●●중●●
다음 보기 중 두 변량 사이의 상관관계
가 오른쪽 그림과 같은 산점도에서 나
타나는 상관관계와 유사한 것을 모두
고른 것은?

┌─ 보기 ─────────────────────
│ ㉠ 앉은키와 키　　　　　　 ㉡ 가방 크기와 성적
│ ㉢ 머리의 둘레와 지능지수　 ㉣ 키와 몸무게
│ ㉤ 석유의 생산량과 가격
└────────────────────────

① ㉠, ㉡　　　　② ㉠, ㉤　　　　③ ㉡, ㉢
④ ㉢, ㉤　　　　⑤ ㉣, ㉤

필수유형 24 산점도 해석하기(6)

오른쪽 산점도에서

① A는 x의 값에 비하여 y의 값이 크다.

② B는 x의 값에 비하여 y의 값이 작다.

참고 대각선을 기준으로 위쪽에 위치하면 x의 값에 비하여 y의 값이 크고, 아래쪽에 위치하면 x의 값에 비하여 y의 값이 작다.

대표문제

0670 ●●중●●

오른쪽 그림은 잔디네 학교 학생들의 키와 몸무게를 조사하여 나타낸 산점도이다. 5명의 학생 A, B, C, D, E에 대한 다음 설명 중 옳은 것은?

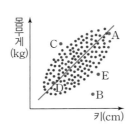

① 키가 가장 작은 학생은 B이다.

② 키가 가장 큰 학생은 A이다.

③ B는 E보다 키가 크다.

④ 몸무게가 가장 가벼운 학생은 D이다.

⑤ 키에 비하여 몸무게가 무거운 학생은 B이다.

0671 ●●중●●

오른쪽 그림은 어느 중학교 학생들의 과학 성적과 수학 성적을 조사하여 나타낸 산점도이다. 다음 중 옳은 것은?

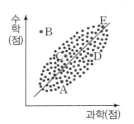

① C는 D보다 과학 성적이 높다.

② A는 수학 성적과 과학 성적이 모두 높은 편이다.

③ B는 과학 성적에 비하여 수학 성적이 낮은 편이다.

④ E는 수학 성적과 과학 성적이 모두 높은 편이다.

⑤ 수학 성적과 과학 성적 사이에는 음의 상관관계가 있다.

0672 ●중하●●●

오른쪽 그림은 어느 회사 직원들의 수입액과 저축액을 조사하여 나타낸 산점도이다. 5명의 직원 A, B, C, D, E 중에서 수입에 비하여 저축을 가장 많이 하는 사람은 누구인가?

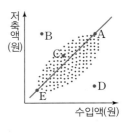

① A   ② B   ③ C

④ D   ⑤ E

0673 ●●중●●

오른쪽 그림은 중학교 3학년 학생 30명의 수학 성적과 영어 성적을 조사하여 나타낸 산점도이다. 다음 중 옳지 않은 것은?

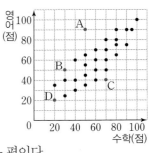

① 수학 성적이 높은 학생은 대체로 영어 성적도 높은 편이다.

② 수학 성적과 영어 성적 사이에는 양의 상관관계가 있다.

③ C는 영어 성적에 비하여 수학 성적이 높다.

④ 수학 성적이 영어 성적보다 높은 학생은 10명이다.

⑤ A, B, C, D 중에서 두 과목의 성적 차가 가장 작은 학생은 D이다.

0674 ●●중●●

오른쪽 그림은 학생 20명의 앉은키와 키를 조사하여 나타낸 산점도이다. 다음 중 옳지 않은 것은?

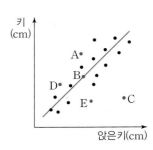

① 키가 큰 사람은 대체로 앉은키도 큰 편이다.

② 앉은키와 키 사이에는 양의 상관관계가 있다.

③ C는 키에 비하여 앉은키가 큰 편이다.

④ A, B, C, D, E 중에서 키에 비하여 앉은키가 작은 학생은 A와 D이다.

⑤ A, B, C, D, E 중에서 키에 비하여 앉은키가 가장 큰 학생은 E이다.

0675 하••••

다음 중 보기에서 대푯값을 모두 고른 것은?

┌─ 보기 ──────────────────────────┐
│ 편차, 평균, 중앙값, 분산, 최빈값, 표준편차 │
└──────────────────────────────┘

① 편차, 평균, 중앙값　　② 편차, 평균, 최빈값
③ 편차, 분산, 표준편차　　④ 평균, 중앙값, 분산
⑤ 평균, 중앙값, 최빈값

0676 ••중••

다음은 어느 아파트에 거주하는 10가구의 가족 수를 조사하여 나타낸 것이다. 이 자료의 평균, 중앙값, 최빈값의 대소 관계를 바르게 나타낸 것은?

(단위 : 명)

┌──────────────────────────────┐
│ 2, 3, 1, 5, 6, 4, 3, 4, 5, 4 │
└──────────────────────────────┘

① (평균)=(최빈값)<(중앙값)
② (평균)=(최빈값)=(중앙값)
③ (평균)>(중앙값)>(최빈값)
④ (평균)>(중앙값)=(최빈값)
⑤ (평균)<(중앙값)=(최빈값)

0677 ••중••

3개의 변량 a, b, c의 평균이 9일 때, 5개의 변량 8, a, b, c, 13의 평균을 구하시오.

0678 하••••

오른쪽 표는 어느 중학교 학생 50명의 취미 활동을 조사하여 나타낸 것이다. 이 자료의 최빈값을 구하시오.

취미 활동	학생 수(명)
독서	5
게임	11
영화 감상	8
춤	3
음악 감상	16
스포츠	7
합계	50

0679 ••중•• 서술형

다음은 민우네 반 학생 25명의 1분 동안의 줄넘기 기록을 조사하여 나타낸 줄기와 잎 그림이다. 이 자료의 중앙값과 최빈값을 각각 구하시오.

(3|6은 36회)

줄기	잎
3	6　7　7　9
4	4　4　6　8
5	0　3　3　3　4　6　9
6	1　2　2　5　7
7	0　1　1　2　2

0680 •중하•••

다음은 학생 5명의 한 달 동안의 독서량을 조사하여 나타낸 것이다. 이 자료의 중앙값이 6권일 때, x의 값이 될 수 없는 것은?

(단위 : 권)

┌──────────────────────────────┐
│ 3, 6, 10, 2, x │
└──────────────────────────────┘

① 5　　　　② 7　　　　③ 9
④ 11　　　⑤ 13

0681 ●●●중●●

다음은 5개의 변량을 작은 값에서부터 크기순으로 나열한 것이다. 이 자료의 평균과 중앙값이 같을 때, x의 값은?

$$5, \ 8, \ 10, \ 13, \ x$$

① 13　　　　② 14　　　　③ 15

④ 16　　　　⑤ 17

0682 ●●●●상중●

다음 7개의 변량의 평균과 최빈값이 모두 1일 때, a, b의 값을 각각 구하시오. (단, $a>b$)

$$6, \ -2, \ a, \ -7, \ 1, \ b, \ -3$$

0683 ●●●중●●

아래 표는 학생 4명의 미술 점수의 편차를 조사하여 나타낸 것이다. 다음 중 옳지 <u>않은</u> 것은?

학생	A	B	C	D
편차(점)	3	-2	x	-1

① A의 점수가 가장 높다.
② B는 평균보다 낮은 점수를 받았다.
③ A는 D보다 점수가 4점 높다.
④ C는 평균 점수를 받았다.
⑤ 점수가 낮은 학생부터 차례로 나열하면 B, C, D, A이다.

0684 ●●●중●●

다음은 학생 5명의 몸무게에 대한 편차를 나타낸 것이다. 평균이 58 kg일 때, 두 학생 A, D의 몸무게의 합은?

학생	A	B	C	D	E
편차(kg)	6	-3	2	-4	-1

① 112 kg　　② 114 kg　　③ 116 kg

④ 118 kg　　⑤ 120 kg

0685 ●●중하●●●

다음 중 옳지 <u>않은</u> 것은?

① 편차의 총합은 항상 0이다.
② 평균보다 큰 변량의 편차는 음수이다.
③ 편차의 절댓값이 클수록 평균에서 멀리 떨어져 있다.
④ 표준편차는 $\sqrt{(분산)}$이다.
⑤ 표준편차가 작을수록 자료는 고르게 분포되어 있다.

0686 ●●●중●●　서술형

다음은 소나무 묘목 다섯 그루의 키를 조사하여 나타낸 것이다. 이 소나무 묘목들의 키의 표준편차를 구하시오.

(단위 : cm)

$$21, \ 17, \ 24, \ 18, \ 20$$

0687 ●●●상중●

다음 자료의 평균이 6이고 최빈값이 7일 때, 표준편차를 구하시오. (단, x, y는 자연수이고 $x<y$이다.)

$$5, \ 4, \ 9, \ 2, \ x, \ y, \ 7, \ 8$$

0688 ••••(상중)•
5개의 변량의 편차가 각각 -4, -3, a, b, 5이고 분산이 12일 때, ab의 값을 구하시오.

0689 •••(상중)• 창의력
한 변의 길이가 각각 a, b, c, d인 4개의 정사각형이 있다. 네 수 a, b, c, d의 평균이 5이고 분산이 3일 때, 4개의 정사각형의 넓이의 합은?

① 100   ② 104   ③ 108
④ 112   ⑤ 116

0690 •••(상중)• 서술형
5개의 변량 a, b, c, d, e의 평균이 m, 표준편차가 s일 때, 변량 $a-5$, $b-5$, $c-5$, $d-5$, $e-5$의 평균과 표준편차를 m, s를 사용하여 각각 나타내시오.

0691 ••••(상) 창의+융합
다음 그림과 같이 지성이와 정환이가 달걀을 각각 3개, 7개 가지고 있다. 이때 지성이와 정환이가 가지고 있는 전체 달걀 10개의 무게의 분산을 구하시오.

지성
무게의 평균 : 58 g, 표준편차 : 2 g

정환
무게의 평균 : 58 g, 표준편차 : 4 g

0692 ••(중)••
다음 표는 어느 중학교 3학년 A, B, C반 학생들의 1학기 기말고사 수학 성적의 평균과 표준편차를 조사하여 나타낸 것이다. 성적이 가장 우수한 반과 성적이 가장 고른 반을 차례로 고른 것은?

	평균(점)	표준편차(점)
A반	75	7.5
B반	67	9.8
C반	71	5.3

① A반, B반   ② A반, C반   ③ B반, A반
④ B반, B반   ⑤ C반, B반

0693 ••(중)•• 서술형
다음 표는 각각 5명으로 이루어진 A, B 두 모둠의 쪽지 시험 성적을 조사하여 나타낸 것이다. A, B 두 모둠 중 어느 모둠의 성적이 더 고른지 말하고, 그 이유를 설명하시오.

(단위 : 점)

A 모둠	5	6	6	9	9
B 모둠	4	4	4	6	7

0694 ●●중●●

오른쪽 그림은 어느 반 학생 15명의 국어 성적과 영어 성적을 조사하여 나타낸 산점도이다. 다음 중 옳지 <u>않은</u> 것을 모두 고르면? (정답 2개)

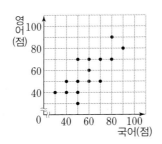

① 국어 성적과 영어 성적이 같은 학생은 4명이다.
② 국어 성적과 영어 성적 사이에는 음의 상관관계가 있다.
③ 영어 성적이 국어 성적보다 높은 학생은 5명이다.
④ 국어 성적과 영어 성적이 모두 50점 이하인 학생은 2명이다.
⑤ 국어 성적이 50점인 학생들의 영어 성적의 평균은 47.5점이다.

0695 ●●중●●

오른쪽 그림은 어느 반 학생 12명의 1, 2차에 걸친 수학 수행평가 점수를 조사하여 나타낸 산점도이다. 1차에 비해 2차 점수가 2점 이상 향상된 학생은 모두 몇 명인지 구하시오.

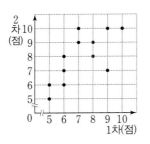

0696 ●●●상중●

오른쪽 그림은 연아네 반 학생 20명의 과학 성적과 수학 성적을 조사하여 나타낸 산점도이다. 두 과목 성적의 합으로 등수를 매길 때, 상위 30 % 이내에 들려면 두 과목 성적의 평균은 몇 점 이상이어야 하는지 구하시오.

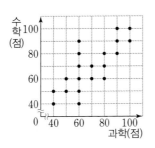

0697 ●중하●●●

다음 중 시·도별 인구수 x명과 하루 음식물 쓰레기 발생량 y t 사이의 관계를 나타낸 산점도로 가장 알맞은 것은?

① 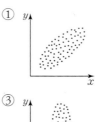　②

③ 　④

⑤

0698 ●●중●●

오른쪽 그림은 학생 33명의 100 m 달리기와 멀리뛰기 기록을 조사하여 나타낸 산점도이다. 다음 중 옳지 <u>않은</u> 것은?

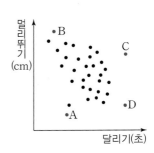

① 멀리뛰기를 잘하는 학생은 대체적으로 달리기를 잘한다.
② A는 달리기와 멀리뛰기 모두 못하는 편이다.
③ B는 달리기와 멀리뛰기 모두 잘하는 편이다.
④ C는 달리기는 못하지만 멀리뛰기는 잘하는 편이다.
⑤ D는 달리기와 멀리뛰기 모두 못하는 편이다.

삼각비표

각도	사인 (sin)	코사인 (cos)	탄젠트 (tan)	각도	사인 (sin)	코사인 (cos)	탄젠트 (tan)
0°	0.0000	1.0000	0.0000	45°	0.7071	0.7071	1.0000
1°	0.0175	0.9998	0.0175	46°	0.7193	0.6947	1.0355
2°	0.0349	0.9994	0.0349	47°	0.7314	0.6820	1.0724
3°	0.0523	0.9986	0.0524	48°	0.7431	0.6691	1.1106
4°	0.0698	0.9976	0.0699	49°	0.7547	0.6561	1.1504
5°	0.0872	0.9962	0.0875	50°	0.7660	0.6428	1.1918
6°	0.1045	0.9945	0.1051	51°	0.7771	0.6293	1.2349
7°	0.1219	0.9925	0.1228	52°	0.7880	0.6157	1.2799
8°	0.1392	0.9903	0.1405	53°	0.7986	0.6018	1.3270
9°	0.1564	0.9877	0.1584	54°	0.8090	0.5878	1.3764
10°	0.1736	0.9848	0.1763	55°	0.8192	0.5736	1.4281
11°	0.1908	0.9816	0.1944	56°	0.8290	0.5592	1.4826
12°	0.2079	0.9781	0.2126	57°	0.8387	0.5446	1.5399
13°	0.2250	0.9744	0.2309	58°	0.8480	0.5299	1.6003
14°	0.2419	0.9703	0.2493	59°	0.8572	0.5150	1.6643
15°	0.2588	0.9659	0.2679	60°	0.8660	0.5000	1.7321
16°	0.2756	0.9613	0.2867	61°	0.8746	0.4848	1.8040
17°	0.2924	0.9563	0.3057	62°	0.8829	0.4695	1.8807
18°	0.3090	0.9511	0.3249	63°	0.8910	0.4540	1.9626
19°	0.3256	0.9455	0.3443	64°	0.8988	0.4384	2.0503
20°	0.3420	0.9397	0.3640	65°	0.9063	0.4226	2.1445
21°	0.3584	0.9336	0.3839	66°	0.9135	0.4067	2.2460
22°	0.3746	0.9272	0.4040	67°	0.9205	0.3907	2.3559
23°	0.3907	0.9205	0.4245	68°	0.9272	0.3746	2.4751
24°	0.4067	0.9135	0.4452	69°	0.9336	0.3584	2.6051
25°	0.4226	0.9063	0.4663	70°	0.9397	0.3420	2.7475
26°	0.4384	0.8988	0.4877	71°	0.9455	0.3256	2.9042
27°	0.4540	0.8910	0.5095	72°	0.9511	0.3090	3.0777
28°	0.4695	0.8829	0.5317	73°	0.9563	0.2924	3.2709
29°	0.4848	0.8746	0.5543	74°	0.9613	0.2756	3.4874
30°	0.5000	0.8660	0.5774	75°	0.9659	0.2588	3.7321
31°	0.5150	0.8572	0.6009	76°	0.9703	0.2419	4.0108
32°	0.5299	0.8480	0.6249	77°	0.9744	0.2250	4.3315
33°	0.5446	0.8387	0.6494	78°	0.9781	0.2079	4.7046
34°	0.5592	0.8290	0.6745	79°	0.9816	0.1908	5.1446
35°	0.5736	0.8192	0.7002	80°	0.9848	0.1736	5.6713
36°	0.5878	0.8090	0.7265	81°	0.9877	0.1564	6.3138
37°	0.6018	0.7986	0.7536	82°	0.9903	0.1392	7.1154
38°	0.6157	0.7880	0.7813	83°	0.9925	0.1219	8.1443
39°	0.6293	0.7771	0.8098	84°	0.9945	0.1045	9.5144
40°	0.6428	0.7660	0.8391	85°	0.9962	0.0872	11.4301
41°	0.6561	0.7547	0.8693	86°	0.9976	0.0698	14.3007
42°	0.6691	0.7431	0.9004	87°	0.9986	0.0523	19.0811
43°	0.6820	0.7314	0.9325	88°	0.9994	0.0349	28.6363
44°	0.6947	0.7193	0.9657	89°	0.9998	0.0175	57.2900
45°	0.7071	0.7071	1.0000	90°	1.0000	0.0000	

MEMO

MEMO

답답했던 수학의 해법을 찾다!

해결의 법칙
시리즈

단계별 맞춤 학습

개념과 유형의 단계별 교재로
쉽지만 필수적인 기초 개념부터
다양한 문제 유형까지 맞춤 학습 가능!

혼자서도 OK!

다양하고 쉬운 예시와 개념 동영상,
QR 나만의 오답노트로
스마트한 자기주도학습!

중학 수학의 완성

"해법수학"의 천재교육이 만들어 다르다!
전국 내신 기출 분석과 친절한 해설로
중학생 수학 고민 해결!

중학 수학의 왕도가 되어줄게! (중학 1~3학년 / 학기별)

피곤한 눈을 맑고 개운하게!
눈 스트레칭

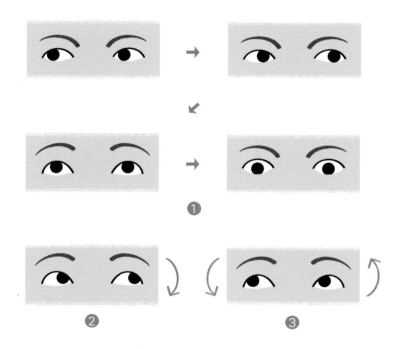

눈이 피곤하면 집중력도 떨어지고, 심한 경우 두통이 생기기도 합니다.
꾸준한 눈 스트레칭으로 눈의 피로를 꼭 풀어 주세요. 눈 스트레칭을 할 때 목은
고정하고 눈동자만 움직여야 효과가 좋아진다는 것! 잊지 마세요.

❶ 눈동자를 다음과 같은 순서로 움직여 보세요. 한 방향당 10초간 머물러야 합니다.

　왼쪽 ➡ 오른쪽 ➡ 위쪽 ➡ 아래쪽

❷ 눈동자를 시계 방향으로 한 바퀴 돌려 주세요.

❸ 눈동자를 시계 반대 방향으로 한 바퀴 돌려 주세요.

　※ 스트레칭 후에도 눈에 피곤함이 남아 있다면, 2~3회 반복해 주세요.

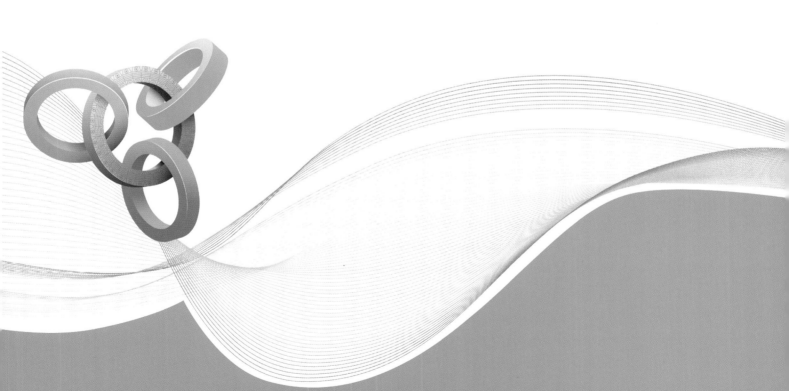

유형 **해결**의
법칙

중학 수학 **3-2**

정답과 해설

천재교육

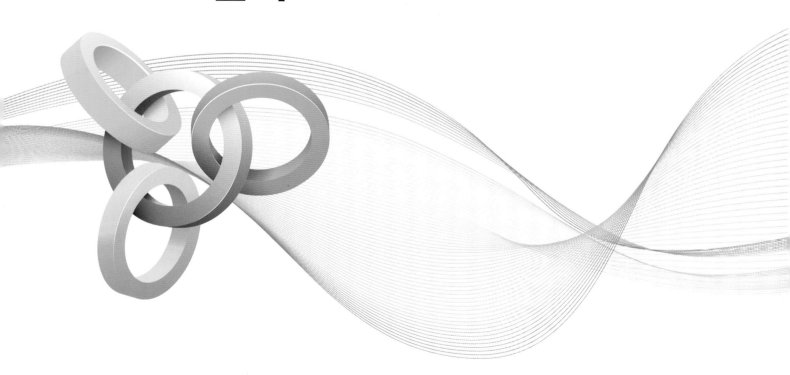

유형 **해결**의
법칙

① 삼각비

0001 $\dfrac{3}{5}$ 0002 $\dfrac{4}{5}$ 0003 $\dfrac{3}{4}$ 0004 $\dfrac{4}{5}$

0005 $\dfrac{3}{5}$ 0006 $\dfrac{4}{3}$ 0007 15   0008 $\dfrac{8}{17}$

0009 $\dfrac{15}{17}$ 0010 $\dfrac{8}{15}$ 0011 $\overline{AB}$, $\overline{DE}$, $\overline{AF}$

0012 $\overline{AB}$, $\overline{AD}$, $\overline{AF}$ 0013 $\overline{AC}$, $\overline{AE}$, $\overline{FG}$

0014 $\overline{AC}$, $\overline{BD}$, $\overline{BC}$ 0015 $\overline{AC}$, $\overline{AD}$, $\overline{BC}$

0016 $\overline{BC}$, $\overline{AD}$, $\overline{BD}$

0017 ④   0018 ⑤   0019 (1) 12   (2) $\dfrac{17}{13}$

0020 $\dfrac{1}{5}$ 0021 $\dfrac{\sqrt{21}}{2}$ 0022 $\sqrt{2}$ 0023 $3\sqrt{5}$ cm

0024 96   0025 $\dfrac{12}{13}$ 0026 ⑤   0027 $\dfrac{\sqrt{2}}{2}$

0028 $10\sqrt{5}$ 0029 5   0030 $\dfrac{3\sqrt{5}}{5}$ 0031 ④

0032 $\dfrac{2\sqrt{6}}{5}$ 0033 $\dfrac{1}{3}$ 0034 1   0035 $\dfrac{7}{5}$

0036 $\dfrac{7}{5}$ 0037 $\dfrac{2\sqrt{5}}{5}$ 0038 $\dfrac{5\sqrt{13}}{13}$ 0039 $\dfrac{15}{8}$

0040 ⑤   0041 $\dfrac{\sqrt{5}}{5}$ 0042 $\dfrac{1}{5}$ 0043 $\dfrac{7}{5}$

0044 $\dfrac{2\sqrt{5}}{5}$ 0045 $\dfrac{3\sqrt{13}}{13}$ 0046 $\dfrac{5}{13}$ 0047 $\dfrac{\sqrt{3}}{3}$

0048 $\dfrac{7}{9}$ 0049 $\dfrac{1}{3}$ 0050 $\dfrac{12}{13}$ 0051 $\dfrac{3+\sqrt{5}}{2}$

0052 $\dfrac{8(\sqrt{6}-\sqrt{3})}{3}$ cm   0053 $\dfrac{\sqrt{3}}{5}$

0054 $x=6\sqrt{2}$, $y=6\sqrt{2}$ 0055 $x=5$, $y=5\sqrt{2}$

0056 $x=2$, $y=2$ 0057 $x=3$, $y=3\sqrt{2}$

0058 $x=6$, $y=3\sqrt{3}$ 0059 $x=3\sqrt{3}$, $y=6\sqrt{3}$

0060 $x=6\sqrt{3}$, $y=18$ 0061 $x=4$, $y=2$

0062 45   0063 30   0064 60   0065 20

0066 25   0067 45   0068 $\dfrac{2-\sqrt{2}}{2}$ 0069 $\dfrac{\sqrt{6}}{2}$

0070 $\dfrac{5}{4}$ 0071 1   0072 $\sqrt{3}$ 0073 $\overline{BC}$

0074 $\overline{AB}$ 0075 $\overline{DE}$ 0076 $\overline{AB}$ 0077 $\overline{BC}$

0078 $\dfrac{1}{\overline{DE}}$ 0079 $\overline{AB}$ 0080 $\overline{BC}$ 0081 -1

0082 0   0083 0.3420   0084 0.3420   0085 57.2900

0086 0.9848   0087 10°   0088 89°   0089 20°

0090 70°

0091 ㉠, ㉡, ㉢, ㉣   0092 ③   0093 $\sqrt{3}+3$

0094 $-2\sqrt{3}-2$ 0095 45°   0096 5

0097 $\dfrac{1+\sqrt{3}}{2}$ 0098 $\sqrt{3}$ 0099 $3+2\sqrt{3}$

0100 60°, $\dfrac{1}{2}$ 0101 2   0102 60°   0103 $\dfrac{1}{3}$

0104 $\dfrac{5}{4}$ 0105 $\sqrt{6}$ 0106 $3(\sqrt{3}+2)$ 0107 9

0108 $4(1+\sqrt{3})$ 0109 4   0110 $2\sqrt{3}$ 0111 $\dfrac{15}{4}$

0112 60°   0113 $\dfrac{3}{4}$ 0114 $y=x+1$

0115 $y=\sqrt{3}x+6$, $6\sqrt{3}$ 0116 ⑤   0117 ③

0118 1.78   0119 ⑤   0120 $\dfrac{\sqrt{6}}{2}$ 0121 ④

0122 ③   0123 ③   0124 ③   0125 2

0126 $-\sin x$ 0127 $\dfrac{1}{2}$ 0128 43   0129 ②, ④

0130 9.397 cm   0131 (1) 23.836 (2) 139.28

0132 $25(\sqrt{3}-1)$ 0133 $8\sqrt{3}$ 0134 $\dfrac{\sqrt{2}+\sqrt{6}}{4}$

0135 $2-\sqrt{3}$ 0136 $2+\sqrt{3}$ 0137 $\sqrt{2}-1$ 0138 $32(\pi-2)$

0139 둘레의 길이 : $4+\dfrac{4\sqrt{3}}{3}$, 넓이 : $\dfrac{4\sqrt{3}}{3}$ 0140 $\dfrac{\sqrt{10}}{4}$

0141 ④   **0142** ②   **0143** $\dfrac{8\sqrt{2}}{63}$ **0144** ④

0145 ①   **0146** $\dfrac{6}{5}$ **0147** $\dfrac{17}{13}$ **0148** $\dfrac{\sqrt{2}}{2}$

0149 $\dfrac{2\sqrt{2}}{3}$ **0150** 2   **0151** ①   **0152** $\dfrac{\sqrt{2}-4}{2}$

0153 $5\sqrt{7}$ cm   **0154** ②   **0155** ③   **0156** ③

0157 ③, ⑤   **0158** ②   **0159** 2   **0160** $13°$

❷ 삼각비의 활용

0161 $c \sin A$ **0162** $\dfrac{b}{c}, c \cos A$

0163 $\dfrac{a}{b}, b \tan A$ **0164** $c \sin B$

0165 $\dfrac{a}{c}, c \cos B$ **0166** $\dfrac{b}{a}, a \tan B$

0167 $6, 3, 6, 3\sqrt{3}$ **0168** $7, 7\sqrt{2}, 7, 7$

0169 $x = \dfrac{8}{\cos 37°}, y = 8 \tan 37°$

0170 $x = \dfrac{4}{\sin 23°}, y = \dfrac{4}{\tan 23°}$

0171 $x = 8.2, y = 5.7$ **0172** $x = 3.85, y = 3.2$

0173 2   **0174** $2\sqrt{3}$ **0175** 4   **0176** $2\sqrt{7}$

0177 $5\sqrt{3}$ **0178** $5\sqrt{6}$ **0179** $\overline{BH} = h \tan 55°$

0180 $\overline{CH} = h \tan 20°$ **0181** $h = \dfrac{8}{\tan 55° + \tan 20°}$

0182 $\overline{BH} = h \tan 40°$ **0183** $\overline{CH} = h \tan 20°$

0184 $h = \dfrac{10}{\tan 40° - \tan 20°}$

0185 ③, ④   **0186** 16.4   **0187** 8.04 cm   **0188** 10 cm

0189 $18\sqrt{2}\pi$ cm³   **0190** $(56\sqrt{3} + 120)$ cm²

0191 10.1 m   **0192** 9.4 m   **0193** 114.4   **0194** 14.088 m

0195 $4(\sqrt{3}-1)$ m   **0196** $10(\sqrt{3}+1)$ m

0197 50 m   **0198** $15(2-\sqrt{3})$ cm   **0199** 초속 20 m

0200 $\sqrt{37}$ **0201** $4\sqrt{7}$ cm   **0202** $2\sqrt{19}$ **0203** $4\sqrt{3}$

0204 $2\sqrt{2}$ **0205** $6\sqrt{6}$ m   **0206** $25(\sqrt{2}+\sqrt{6})$ m

0207 $10(3-\sqrt{3})$ **0208** ④

0209 $100(\sqrt{3}-1)$ m   **0210** $\dfrac{3+\sqrt{3}}{2}$

0211 $50(\sqrt{3}+1)$ m   **0212** ③   **0213** $5\sqrt{3}$

0214 27

0215 5   **0216** $15\sqrt{2}$ **0217** $6\sqrt{3}$ **0218** $\dfrac{27\sqrt{2}}{2}$

0219 $\dfrac{45\sqrt{3}}{2}$ **0220** 8   **0221** $6\sqrt{3}$ **0222** $21\sqrt{2}$

0223 $40\sqrt{2}$ **0224** $14\sqrt{3}$ **0225** $30\sqrt{2}$ **0226** $48\sqrt{3}$

0227 $24\sqrt{3}$ cm² **0228** $4\sqrt{5}$ **0229** 9 cm²   **0230** $\dfrac{\sqrt{14}}{7}$

0231 $30\sqrt{2}$ **0232** $\dfrac{40\sqrt{3}}{9}$ **0233** 6 cm²   **0234** $40\sqrt{3}$ cm²

0235 $3\sqrt{2}$ cm   **0236** $16\pi-12\sqrt{3}$ **0237** $14\sqrt{3}$ cm²

0238 $80\sqrt{3}$ cm²   **0239** $24\sqrt{3}$ **0240** $54\sqrt{3}$

0241 4 cm   **0242** $24\sqrt{3}$ cm² **0243** 4   **0244** 40 cm

0245 $4\sqrt{5}$ **0246** $27\sqrt{3}$ cm² **0247** $40\sqrt{2}$ cm²

0248 $\dfrac{45\sqrt{3}}{4}$ cm²   **0249** $\dfrac{3\sqrt{10}}{10}$

0250 $\dfrac{25}{\sin a}$ cm²

0251 ⑤   **0252** (1) $2\sqrt{3}$ cm   (2) 2 cm   (3) $4\sqrt{3}$ cm²

0253 8.502 m   **0254** $3(1+\sqrt{3})$ m   **0255** ④

0256 $5\sqrt{6}$ m

0257 (1) $\overline{\mathrm{OP}}=12$ km, $\overline{\mathrm{OQ}}=16$ km

     (2) $\overline{\mathrm{PH}}=6\sqrt{3}$ km, $\overline{\mathrm{HQ}}=10$ km

     (3) $4\sqrt{13}$ km

0258 $100(\sqrt{3}+1)$ km   **0259** 60°

0260 $4\sqrt{19}$ cm   **0261** $10\sqrt{3}$ cm² **0262** $\dfrac{12\sqrt{2}}{5}$ cm **0263** $2\sqrt{3}$

0264 $8\sqrt{3}$ **0265** $128\sqrt{2}$ cm²   **0266** $3\sqrt{3}$ cm²

0267 $24\sqrt{3}$ cm² **0268** ①

❸ 원과 직선

0269 7   **0270** 12   **0271** $\sqrt{34}$ **0272** $2\sqrt{5}$

0273 6   **0274** 8   **0275** 6   **0276** 5

0277 ④   **0278** (1) 120   (2) 10   **0279** 144°

0280 20 cm   **0281** 10 cm   **0282** 4 cm   **0283** $6\sqrt{3}$ cm

0284 13 cm   **0285** 3 cm   **0286** 5   **0287** $8\sqrt{3}$ cm

0288 $\dfrac{17}{3}$ **0289** $5\sqrt{3}$ **0290** $\dfrac{13}{2}$ **0291** 6 cm

0292 6 cm   **0293** 32 cm²   **0294** 20 cm   **0295** $10\sqrt{3}$ cm

0296 6   **0297** 120°   **0298** $\sqrt{41}$ cm   **0299** $\sqrt{11}$ cm

0300 9   **0301** 16 cm   **0302** 65°   **0303** 70°

0304 $12\sqrt{3}$ cm **0305** (1) 60°   (2) $30\sqrt{3}$ cm   **0306** ③

0307 65°   **0308** 12 cm   **0309** 4   **0310** 6

0311 8   **0312** 9

STEP 2 유형 마스터 55쪽~63쪽

0313 3 cm **0314** $4\sqrt{3}$ cm **0315** 2 cm **0316** 6 cm
0317 $4\sqrt{7}$ cm **0318** 36π cm² **0319** 45° **0320** 21°
0321 (1) 100° (2) 26π cm² **0322** 48° **0323** 24 cm
0324 60° **0325** $2\sqrt{21}$ cm **0326** 15 cm **0327** ①
0328 6 cm **0329** ⑤ **0330** $\dfrac{48}{5}$ cm **0331** 5 cm
0332 20 cm **0333** 24 cm **0334** ④
0335 $\overline{BF}=3$ cm, $\overline{CD}=5$ cm **0336** 8 cm **0337** 78 cm²
0338 $4\sqrt{10}$ cm **0339** 12π cm² **0340** ② **0341** $\dfrac{25}{2}$ cm
0342 20 cm² **0343** 7 cm **0344** 9 cm **0345** 5 cm
0346 4 cm **0347** 2 cm **0348** 12 **0349** 2
0350 36 **0351** 2 **0352** $(\sqrt{3}-1)$ cm
0353 96 cm² **0354** (1) 24 cm (2) 24 cm² **0355** 11 cm
0356 30 cm **0357** 22 **0358** 8 cm **0359** 110 cm²
0360 (1) 11 cm (2) $2\sqrt{6}$ cm (3) $(44\sqrt{6}-24\pi)$ cm² **0361** 5
0362 9 cm **0363** (1) $\dfrac{5}{2}$ cm (2) $\dfrac{75}{2}$ cm² **0364** $16\sqrt{3}$ cm²
0365 4 cm **0366** 4

STEP 3 내신 마스터 64쪽~67쪽

0367 ④ **0368** ⑤ **0369** 2 cm **0370** 48π cm²
0371 ④ **0372** $24\sqrt{3}$ cm **0373** 68° **0374** $\dfrac{8\sqrt{3}}{3}$ cm
0375 ③ **0376** 100π cm² **0377** 9π **0378** 56°
0379 ② **0380** $\dfrac{4}{3}\pi$ cm² **0381** 3 cm **0382** 6
0383 (1) $4\sqrt{3}$ cm (2) $\overline{PA}=12$ cm, $\overline{PB}=12$ cm (3) 24 cm
0384 ⑤ **0385** 5 cm **0386** 16
0387 (1) 3 (2) 54 **0388** 11 **0389** ④
0390 $\dfrac{27}{2}$ cm²

④ 원주각

STEP 1 개념 마스터 70쪽~71쪽

0391 50° **0392** 48° **0393** 110° **0394** 240°
0395 40° **0396** 30° **0397** 56° **0398** 35°
0399 30° **0400** 75° **0401** 20 **0402** 4
0403 15 **0404** 60 **0405** 60° **0406** 35°
0407 30° **0408** × **0409** ○ **0410** ×
0411 ○

STEP 2 유형 마스터 72쪽~78쪽

0412 $\angle x=70°$, $\angle y=110°$ **0413** 150° **0414** 120°
0415 40° **0416** 16 cm² **0417** 15 m **0418** 40°
0419 70° **0420** 64° **0421** 40° **0422** 58°
0423 30° **0424** 30° **0425** 62° **0426** 11°
0427 20° **0428** 53° **0429** 36° **0430** 70°
0431 105° **0432** 4° **0433** 70° **0434** 72°
0435 $\sqrt{13}$ **0436** $12\sqrt{2}$ **0437** $2(\sqrt{2}+\sqrt{6})$
0438 130° **0439** 75° **0440** 79° **0441** 35°
0442 26° **0443** 30° **0444** 44° **0445** 20°
0446 48° **0447** 6 cm **0448** 105°
0449 $\angle A=60°$, $\angle B=45°$, $\angle C=75°$ **0450** 27°
0451 75° **0452** 96° **0453** $\dfrac{8}{3}\pi$ cm
0454 (1) $\angle ABC=15°$, $\angle DCB=25°$ (2) 18
0455 ④ **0456** 43° **0457** $\angle x=45°$, $\angle y=45°$

0458 $\angle x=95°$, $\angle y=60°$ 0459 $\angle x=70°$, $\angle y=110°$
0460 $\angle x=105°$, $\angle y=100°$ 0461 $\angle x=70°$, $\angle y=70°$
0462 $60°$ 0463 $54°$ 0464 $80°$ 0465 $60°$

0522 ⑤   0523 ②   0524 $61°$ 0525 $600\sqrt{2}$ m
0526 $37°$ 0527 $48°$ 0528 ⑤   0529 ③
0530 $63°$ 0531 $65°$ 0532 ①   0533 $215°$
0534 $256°$ 0535 ④   0536 ⑤   0537 $21°$
0538 $4\sqrt{3}\pi$ 0539 $90°$ 0540 $106°$

0466 $45°$ 0467 $108°$ 0468 $\angle x=64°$, $\angle y=52°$
0469 $118°$ 0470 $125°$ 0471 $30°$ 0472 $211°$
0473 $204°$ 0474 $70°$ 0475 $45°$ 0476 $100°$
0477 $250°$ 0478 $85°$ 0479 $61°$ 0480 $55°$
0481 $102°$ 0482 $120°$ 0483 $116°$ 0484 $125°$
0485 $262°$ 0486 $85°$ 0487 $87°$ 0488 ④
0489 ⑤   0490 $115°$ 0491 ③, ⑤   0492 $41°$
0493 6개   0494 $75°$ 0495 $40°$ 0496 $50°$
0497 $45°$ 0498 $48°$ 0499 $45°$ 0500 18 cm
0501 $46°$ 0502 $30°$ 0503 $20°$ 0504 $60°$
0505 $62°$ 0506 $27\sqrt{3}$ 0507 $\angle x=35°$, $\angle y=105°$
0508 $120°$ 0509 $40°$ 0510 $81°$ 0511 $85°$
0512 $110°$ 0513 $55°$ 0514 $\angle x=44°$, $\angle y=68°$
0515 $46°$ 0516 $50°$ 0517 $60°$ 0518 ③
0519 $20°$ 0520 $65°$ 0521 $43°$

❺ 통계

STEP 1 개념 마스터   94쪽~95쪽

0541 52	**0542** 24	**0543** 9.1	**0544** 36.5명
0545 10	**0546** 6	**0547** 11.5	**0548** 6
0549 83	**0550** 1	**0551** 국화	**0552** 탄산음료
0553 3.5시간	**0554** 3시간	**0555** 3시간	**0556** 3.2회
0557 3회	**0558** 4회		

STEP 2 유형 마스터   96쪽~99쪽

0559 9	**0560** 165 cm	**0561** 7	**0562** 38
0563 15.5세	**0564** 2800만 원	**0565** 최빈값, 축구	
0566 $a<b<c$	**0567** 11.5	**0568** 1.5	**0569** $c<b<a$
0570 평균 : 18.2개, 중앙값 : 18개, 최빈값 : 18개, 19개			
0571 14	**0572** 10	**0573** 3	**0574** 79점
0575 4	**0576** 85	**0577** 18살	**0578** 6
0579 14	**0580** $cm+d$	**0581** 5.5	**0582** 83점
0583 26	**0584** 4개	**0585** 40	

STEP 1 개념 마스터   100쪽

0586 10분	**0587** −5분, 0분, 3분, 5분, −3분	**0588** −3	
0589 3	**0590** −2	**0591** ㉡−㉠−㉢−㉣−㉤	
0592 3	**0593** 0	**0594** 10	**0595** 2
0596 $\sqrt{2}$			

STEP 2 유형 마스터   101쪽~106쪽

0597 5	**0598** ③	**0599** 5	**0600** 72명
0601 150	**0602** ③		
0603 평균 : 7점, 표준편차 : $\sqrt{4.6}$점			**0604** $\dfrac{7}{2}$
0605 2	**0606** ⑤	**0607** 2시간	**0608** $\dfrac{88}{7}$
0609 $2\sqrt{2}$ cm	**0610** 분산 : 12, 표준편차 : $2\sqrt{3}$		**0611** 92
0612 (1) 2 (2) 4 (3) 2		**0613** $\sqrt{7}$점	**0614** 13
0615 57	**0616** $\dfrac{10}{3}$	**0617** −2	**0618** 58
0619 20	**0620** 평균 : 28, 분산 : 80		**0621** 49
0622 $2\sqrt{2}$점	**0623** $\sqrt{31}$점	**0624** 23.5	**0625** ③, ⑤
0626 ②, ⑤	**0627** B, A	**0628** ①	**0629** 정인
0630 B	**0631** 30	**0632** ②	
0633 평균 : 60 kg, 분산 : 10			

STEP 1 개념 마스터   107쪽~108쪽

0634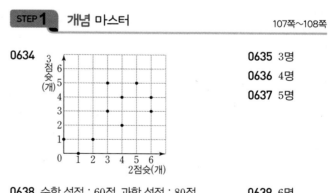

0635 3명
0636 4명
0637 5명

0638 수학 성적 : 60점, 과학 성적 : 80점			**0639** 6명
0640 B	**0641** ㉢, ㉤	**0642** ㉠, ㉣	**0643** ㉡, ㉤
0644 ㉣	**0645** 양	**0646** 음	**0647** 양
0648 없다.	**0649** 없다.		

0650 6명	**0651** 25 %	**0652** 9명	**0653** 25%
0654 4명	**0655** 6명	**0656** 37.5 %	**0657** 5명
0658 20 %	**0659** 8명	**0660** 24 %	**0661** 5명
0662 ④	**0663** ④	**0664** ③	**0665** ⑤
0666 ④	**0667** ②	**0668** ④	**0669** ③
0670 ②	**0671** ④	**0672** ②	**0673** ④
0674 ⑤			

0675 ⑤   **0676** ⑤   **0677** 9.6   **0678** 음악 감상

0679 중앙값 : 54회, 최빈값 : 53회   **0680** ①

0681 ②   **0682** $a=11, b=1$ **0683** ⑤

0684 ④   **0685** ②   **0686** $\sqrt{6}$ cm   **0687** $\dfrac{3\sqrt{2}}{2}$

0688 -3 **0689** ④   **0690** 평균 : $m-5$, 표준편차 : s

0691 12.4   **0692** ②

0693 B 모둠, B 모둠의 분산이 A 모둠의 분산보다 작으므로 B 모둠의
성적이 A 모둠의 성적보다 더 고르다.

0694 ②, ④   **0695** 3명   **0696** 80점 이상   **0697** ①

0698 ②

유형 해결의 법칙

정답과 해설

1 삼각비   10

2 삼각비의 활용   25

3 원과 직선   35

4 원주각   49

5 통계   62

1 삼각비

STEP 1 개념 마스터   p.8

0001 $\sin B = \dfrac{\overline{AC}}{\overline{AB}} = \dfrac{6}{10} = \dfrac{3}{5}$ 답 $\dfrac{3}{5}$

0002 $\cos B = \dfrac{\overline{BC}}{\overline{AB}} = \dfrac{8}{10} = \dfrac{4}{5}$ 답 $\dfrac{4}{5}$

0003 $\tan B = \dfrac{\overline{AC}}{\overline{BC}} = \dfrac{6}{8} = \dfrac{3}{4}$ 답 $\dfrac{3}{4}$

0004 $\sin A = \dfrac{\overline{BC}}{\overline{AB}} = \dfrac{8}{10} = \dfrac{4}{5}$ 답 $\dfrac{4}{5}$

0005 $\cos A = \dfrac{\overline{AC}}{\overline{AB}} = \dfrac{6}{10} = \dfrac{3}{5}$ 답 $\dfrac{3}{5}$

0006 $\tan A = \dfrac{\overline{BC}}{\overline{AC}} = \dfrac{8}{6} = \dfrac{4}{3}$ 답 $\dfrac{4}{3}$

0007 $\overline{AC} = \sqrt{17^2 - 8^2}$
$= \sqrt{225} = 15$ 답 15

0008 $\sin A = \dfrac{\overline{BC}}{\overline{AB}} = \dfrac{8}{17}$ 답 $\dfrac{8}{17}$

0009 $\cos A = \dfrac{\overline{AC}}{\overline{AB}} = \dfrac{15}{17}$ 답 $\dfrac{15}{17}$

0010 $\tan A = \dfrac{\overline{BC}}{\overline{AC}} = \dfrac{8}{15}$ 답 $\dfrac{8}{15}$

0011 답 $\overline{AB}, \overline{DE}, \overline{AF}$

0012 답 $\overline{AB}, \overline{AD}, \overline{AF}$

0013 답 $\overline{AC}, \overline{AE}, \overline{FG}$

0014 답 $\overline{AC}, \overline{BD}, \overline{BC}$

0015 답 $\overline{AC}, \overline{AD}, \overline{BC}$

0016 답 $\overline{BC}, \overline{AD}, \overline{BD}$

STEP 2 유형 마스터   p.9 ~ p.14

0017 전략 기준각에 따라 밑변의 길이, 높이가 달라진다.
$\overline{AC} = \sqrt{9^2 - 6^2} = \sqrt{45} = 3\sqrt{5}$ 이므로

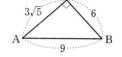

① $\sin A = \dfrac{6}{9} = \dfrac{2}{3}$

② $\cos A = \dfrac{3\sqrt{5}}{9} = \dfrac{\sqrt{5}}{3}$

③ $\tan A = \dfrac{6}{3\sqrt{5}} = \dfrac{2\sqrt{5}}{5}$

④ $\sin B = \dfrac{3\sqrt{5}}{9} = \dfrac{\sqrt{5}}{3}$

⑤ $\cos B = \dfrac{6}{9} = \dfrac{2}{3}$

따라서 옳은 것은 ④이다.   답 ④

0018 ① $\sin A = \dfrac{a}{c}$, $\cos A = \dfrac{b}{c}$ 이므로 $\sin A \neq \cos A$

② $\sin B = \dfrac{b}{c}$, $\cos B = \dfrac{a}{c}$ 이므로 $\sin B \neq \cos B$

③ $\tan A = \dfrac{a}{b}$, $\tan B = \dfrac{b}{a}$ 이므로 $\tan A \neq \tan B$

④ $\sin A = \dfrac{a}{c}$, $\tan B = \dfrac{b}{a}$ 이므로 $\sin A \neq \tan B$

⑤ $\cos A = \dfrac{b}{c}$, $\sin B = \dfrac{b}{c}$ 이므로 $\cos A = \sin B$

따라서 옳은 것은 ⑤이다.   답 ⑤

0019 (1) $\overline{AC} = \sqrt{13^2 - 5^2} = \sqrt{144} = 12$

(2) $\sin A = \dfrac{5}{13}$, $\cos A = \dfrac{12}{13}$ 이므로

$\sin A + \cos A = \dfrac{5}{13} + \dfrac{12}{13} = \dfrac{17}{13}$ 답 (1) 12 (2) $\dfrac{17}{13}$

0020 △ABD에서 $\overline{AD} = 4$ 이므로
$\overline{BD} = \sqrt{3^2 + 4^2} = \sqrt{25} = 5$

$\sin x = \dfrac{\overline{AD}}{\overline{BD}} = \dfrac{4}{5}$, $\cos x = \dfrac{\overline{AB}}{\overline{BD}} = \dfrac{3}{5}$

$\therefore \sin x - \cos x = \dfrac{4}{5} - \dfrac{3}{5} = \dfrac{1}{5}$ 답 $\dfrac{1}{5}$

0021 $\overline{AB} = 2k$, $\overline{BC} = 5k \, (k > 0)$ 라 하면
$\overline{AC} = \sqrt{(5k)^2 - (2k)^2} = \sqrt{21}k$ …… ㈎

$\sin B = \dfrac{\overline{AC}}{\overline{BC}} = \dfrac{\sqrt{21}k}{5k} = \dfrac{\sqrt{21}}{5}$

$\sin C = \dfrac{\overline{AB}}{\overline{BC}} = \dfrac{2k}{5k} = \dfrac{2}{5}$ …… ㈏

$\therefore \dfrac{\sin B}{\sin C} = \dfrac{\sqrt{21}}{5} \div \dfrac{2}{5}$

$= \dfrac{\sqrt{21}}{5} \times \dfrac{5}{2} = \dfrac{\sqrt{21}}{2}$ …… ㈐

답 $\dfrac{\sqrt{21}}{2}$

채점 기준	비율
㈎ $\overline{AB}$, $\overline{BC}$, $\overline{CA}$를 k를 사용하여 나타내기	30 %
㈏ $\sin B$, $\sin C$의 값 구하기	40 %
㈐ $\dfrac{\sin B}{\sin C}$의 값 구하기	30 %

0022 $\triangle ABC$에서 $\overline{BC}=\sqrt{3^2-1^2}=\sqrt{8}=2\sqrt{2}$

$\overline{BD}=\dfrac{1}{2}\overline{BC}=\dfrac{1}{2}\times 2\sqrt{2}=\sqrt{2}$

$\therefore \tan x=\dfrac{\overline{BD}}{\overline{AB}}=\dfrac{\sqrt{2}}{1}=\sqrt{2}$ **답** $\sqrt{2}$

0023 전략 $\cos B=\dfrac{\overline{BC}}{\overline{AB}}$이므로 먼저 $\overline{BC}$의 길이와 $\cos B$의 값을 이용하여 $\overline{AB}$의 길이를 구한다.

$\cos B=\dfrac{6}{\overline{AB}}=\dfrac{2}{3}$이므로 $\overline{AB}=9$ (cm)

$\therefore \overline{AC}=\sqrt{9^2-6^2}=\sqrt{45}=3\sqrt{5}$ (cm) **답** $3\sqrt{5}$ cm

0024 $\sin B=\dfrac{\overline{AC}}{20}=\dfrac{3}{5}$이므로 $\overline{AC}=12$

$\therefore \overline{BC}=\sqrt{20^2-12^2}=\sqrt{256}=16$

$\therefore \triangle ABC=\dfrac{1}{2}\times 16\times 12=96$ **답** 96

0025 $\cos B=\dfrac{\overline{BH}}{15}=\dfrac{3}{5}$이므로 $\overline{BH}=9$

$\triangle ABH$에서 $\overline{AH}=\sqrt{15^2-9^2}=\sqrt{144}=12$

$\therefore \sin C=\dfrac{\overline{AH}}{13}=\dfrac{12}{13}$ **답** $\dfrac{12}{13}$

0026 ① $\tan A=\dfrac{\overline{BC}}{3}=\dfrac{1}{3}$이므로 $\overline{BC}=1$

② $\triangle ABC=\dfrac{1}{2}\times 3\times 1=\dfrac{3}{2}$

③ $\overline{AC}=\sqrt{3^2+1^2}=\sqrt{10}$이므로 $\triangle ABC$의 둘레의 길이는 $3+1+\sqrt{10}=4+\sqrt{10}$

④ $\sin A=\dfrac{\overline{BC}}{\overline{AC}}=\dfrac{1}{\sqrt{10}}=\dfrac{\sqrt{10}}{10}$

⑤ $\cos A=\dfrac{\overline{AB}}{\overline{AC}}=\dfrac{3}{\sqrt{10}}=\dfrac{3\sqrt{10}}{10}$

따라서 옳지 않은 것은 ⑤이다. **답** ⑤

0027 $\tan B=\dfrac{3}{\overline{BC}}=\dfrac{1}{2}$이므로 $\overline{BC}=6$

$\therefore \overline{CD}=\dfrac{1}{2}\overline{BC}=\dfrac{1}{2}\times 6=3$

$\triangle ADC$에서 $\overline{AD}=\sqrt{3^2+3^2}=3\sqrt{2}$

$\therefore \sin x=\dfrac{\overline{CD}}{\overline{AD}}=\dfrac{3}{3\sqrt{2}}=\dfrac{\sqrt{2}}{2}$ **답** $\dfrac{\sqrt{2}}{2}$

0028 오른쪽 그림과 같이 꼭짓점 A에서 $\overline{BC}$에 내린 수선의 발을 H라 하면

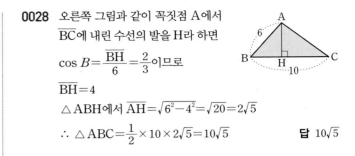

$\cos B=\dfrac{\overline{BH}}{6}=\dfrac{2}{3}$이므로

$\overline{BH}=4$

$\triangle ABH$에서 $\overline{AH}=\sqrt{6^2-4^2}=\sqrt{20}=2\sqrt{5}$

$\therefore \triangle ABC=\dfrac{1}{2}\times 10\times 2\sqrt{5}=10\sqrt{5}$ **답** $10\sqrt{5}$

0029 전략 먼저 $\cos A=\dfrac{2}{3}$를 만족하는 직각삼각형을 그린다.

$\cos A=\dfrac{2}{3}$인 직각삼각형 ABC를 그리면 오른쪽 그림과 같다.

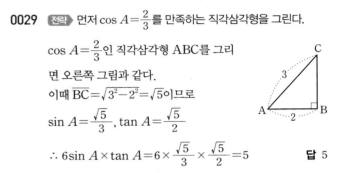

이때 $\overline{BC}=\sqrt{3^2-2^2}=\sqrt{5}$이므로

$\sin A=\dfrac{\sqrt{5}}{3}$, $\tan A=\dfrac{\sqrt{5}}{2}$

$\therefore 6\sin A\times \tan A=6\times \dfrac{\sqrt{5}}{3}\times \dfrac{\sqrt{5}}{2}=5$ **답** 5

0030 $\angle B=90°$이고 $\tan A=\dfrac{1}{2}$인 직각삼각형 ABC를 그리면 오른쪽 그림과 같다. …… ㈎

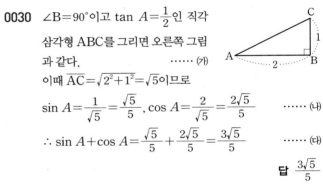

이때 $\overline{AC}=\sqrt{2^2+1^2}=\sqrt{5}$이므로

$\sin A=\dfrac{1}{\sqrt{5}}=\dfrac{\sqrt{5}}{5}$, $\cos A=\dfrac{2}{\sqrt{5}}=\dfrac{2\sqrt{5}}{5}$ …… ㈏

$\therefore \sin A+\cos A=\dfrac{\sqrt{5}}{5}+\dfrac{2\sqrt{5}}{5}=\dfrac{3\sqrt{5}}{5}$ …… ㈐

답 $\dfrac{3\sqrt{5}}{5}$

채점 기준	비율
㈎ $\tan A=\dfrac{1}{2}$을 만족하는 직각삼각형 그리기	30 %
㈏ $\sin A$, $\cos A$의 값 구하기	40 %
㈐ $\sin A+\cos A$의 값 구하기	30 %

0031 $\angle B=90°$이고 $\sin A=\dfrac{3}{4}$인 직각삼각형 ABC를 그리면 오른쪽 그림과 같다.

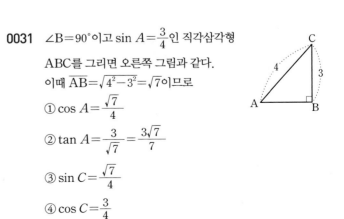

이때 $\overline{AB}=\sqrt{4^2-3^2}=\sqrt{7}$이므로

① $\cos A=\dfrac{\sqrt{7}}{4}$

② $\tan A=\dfrac{3}{\sqrt{7}}=\dfrac{3\sqrt{7}}{7}$

③ $\sin C=\dfrac{\sqrt{7}}{4}$

④ $\cos C=\dfrac{3}{4}$

⑤ $\tan C = \dfrac{\sqrt{7}}{3}$

따라서 옳지 않은 것은 ④이다.　　　　　답 ④

0032 $7\cos A - 5 = 0$에서 $\cos A = \dfrac{5}{7}$

$\cos A = \dfrac{5}{7}$인 직각삼각형 ABC를 그리
면 오른쪽 그림과 같다. 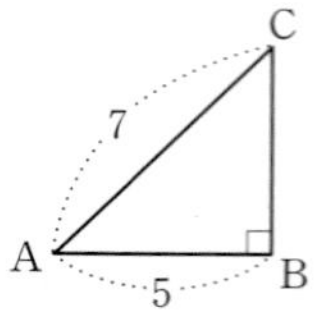
이때 $\overline{BC} = \sqrt{7^2 - 5^2} = \sqrt{24} = 2\sqrt{6}$이므로
$\tan A = \dfrac{2\sqrt{6}}{5}$

답 $\dfrac{2\sqrt{6}}{5}$

0033 $3\sin A - 1 = 0$에서 $\sin A = \dfrac{1}{3}$

$\sin A = \dfrac{1}{3}$인 직각삼각형 ABC를
그리면 오른쪽 그림과 같다. 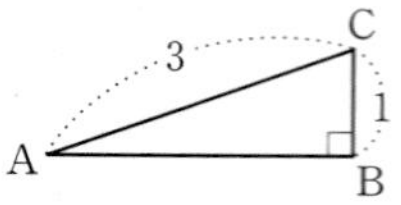
이때 $\overline{AB} = \sqrt{3^2 - 1^2} = \sqrt{8} = 2\sqrt{2}$이므로
$\cos A = \dfrac{2\sqrt{2}}{3}$, $\tan A = \dfrac{1}{2\sqrt{2}} = \dfrac{\sqrt{2}}{4}$
$\therefore \cos A \times \tan A = \dfrac{2\sqrt{2}}{3} \times \dfrac{\sqrt{2}}{4} = \dfrac{1}{3}$　　答 $\dfrac{1}{3}$

0034 $\tan A = \dfrac{3}{4}$인 직각삼각형 ABC를 그

리면 오른쪽 그림과 같다. 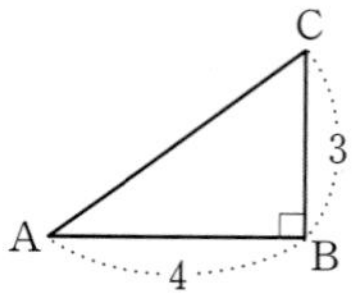
이때 $\overline{AC} = \sqrt{4^2 + 3^2} = \sqrt{25} = 5$이므로
$\sin A = \dfrac{3}{5}$, $\cos A = \dfrac{4}{5}$
$\therefore \sqrt{(2\sin A + \cos A)^2} - \sqrt{(\sin A - 2\cos A)^2}$
$= \sqrt{\left(\dfrac{6}{5} + \dfrac{4}{5}\right)^2} - \sqrt{\left(\dfrac{3}{5} - \dfrac{8}{5}\right)^2}$
$= 2 - 1 = 1$　　답 1

0035 $\sin A = \dfrac{2}{5}$인 직각삼각형 ABC

를 그리면 오른쪽 그림과 같다. 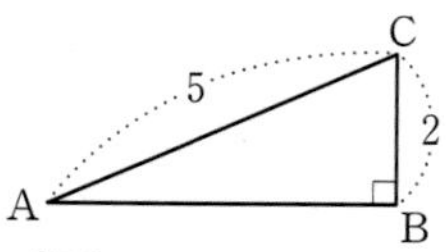
이때 $\overline{AB} = \sqrt{5^2 - 2^2} = \sqrt{21}$이므로
$\cos A = \dfrac{\sqrt{21}}{5}$, $\tan A = \dfrac{2}{\sqrt{21}} = \dfrac{2\sqrt{21}}{21}$
$1 + \cos A \times \tan A = 1 + \dfrac{\sqrt{21}}{5} \times \dfrac{2\sqrt{21}}{21}$
$= 1 + \dfrac{2}{5} = \dfrac{7}{5}$
$\sin^2 A + \cos^2 A = \dfrac{4}{25} + \dfrac{21}{25} = 1$
$\therefore \dfrac{1 + \cos A \times \tan A}{\sin^2 A + \cos^2 A} = \dfrac{7}{5} \div 1 = \dfrac{7}{5}$　　답 $\dfrac{7}{5}$

0036 전략 닮은 직각삼각형에서 ∠A의 대응각에 대한 삼각비의 값
을 구한다.

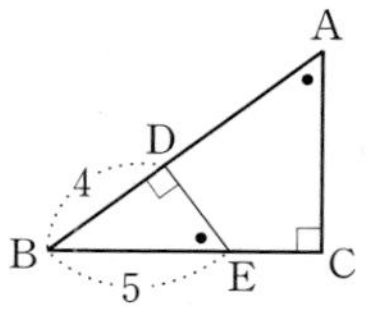

△ABC와 △EBD에서
∠B는 공통,
∠BCA = ∠BDE = 90°이므로
△ABC ∽ △EBD (AA 닮음)
$\therefore$ ∠BAC = ∠BED
이때 $\overline{DE} = \sqrt{5^2 - 4^2} = \sqrt{9} = 3$이므로
$\sin A + \cos A = \sin(\angle BED) + \cos(\angle BED)$
$= \dfrac{4}{5} + \dfrac{3}{5} = \dfrac{7}{5}$　　답 $\dfrac{7}{5}$

0037 △ABC와 △EDC에서 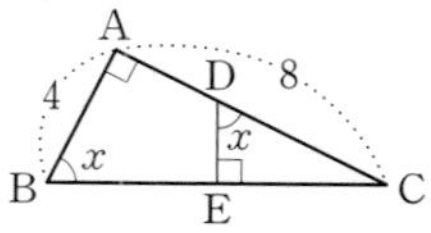
∠C는 공통,
∠CAB = ∠CED = 90°이므로
△ABC ∽ △EDC (AA 닮음)
$\therefore$ ∠ABC = ∠EDC = x
이때 $\overline{BC} = \sqrt{4^2 + 8^2} = \sqrt{80} = 4\sqrt{5}$이므로
$\sin x = \sin B = \dfrac{8}{4\sqrt{5}} = \dfrac{2\sqrt{5}}{5}$　　답 $\dfrac{2\sqrt{5}}{5}$

0038 △ABC와 △AED에서
∠A는 공통, ∠ACB = ∠ADE = 90°이므로
△ABC ∽ △AED (AA 닮음)
$\therefore$ ∠ABC = ∠AED
이때 $\overline{AB} = \sqrt{6^2 + 9^2} = \sqrt{117} = 3\sqrt{13}$이므로
$\sin x = \dfrac{9}{3\sqrt{13}} = \dfrac{3\sqrt{13}}{13}$
$\cos y = \dfrac{6}{3\sqrt{13}} = \dfrac{2\sqrt{13}}{13}$
$\therefore \sin x + \cos y = \dfrac{3\sqrt{13}}{13} + \dfrac{2\sqrt{13}}{13}$
$= \dfrac{5\sqrt{13}}{13}$　　답 $\dfrac{5\sqrt{13}}{13}$

0039 전략 닮은 직각삼각형에서 크기가 같은 각을 찾고 삼각비의 값
을 구한다.

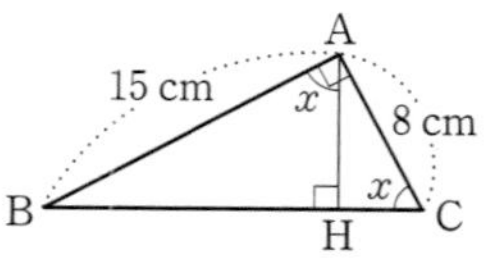

△ABC와 △HBA에서
∠B는 공통,
∠BAC = ∠BHA = 90°이므로
△ABC ∽ △HBA (AA 닮음)
$\therefore$ ∠BCA = ∠BAH = x
이때 $\overline{BC} = \sqrt{15^2 + 8^2} = \sqrt{289} = 17$ (cm)이므로
$\sin x = \sin C = \dfrac{15}{17}$, $\cos x = \cos C = \dfrac{8}{17}$
$\therefore \dfrac{\sin x}{\cos x} = \dfrac{15}{17} \div \dfrac{8}{17} = \dfrac{15}{17} \times \dfrac{17}{8} = \dfrac{15}{8}$　　답 $\dfrac{15}{8}$

0040 △ABC와 △HBA에서
∠B는 공통,
∠BAC=∠BHA=90°이므로
△ABC∽△HBA (AA 닮음)
∴ ∠BCA=∠BAH=x

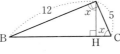

이때 $\overline{BC}=\sqrt{12^2+5^2}=\sqrt{169}=13$이므로

① $\sin B=\dfrac{5}{13}$ ② $\cos B=\dfrac{12}{13}$

③ $\tan B=\dfrac{5}{12}$ ④ $\sin x=\sin C=\dfrac{12}{13}$

⑤ $\cos x=\cos C=\dfrac{5}{13}$

따라서 옳은 것은 ⑤이다. **답** ⑤

0041 △ABC와 △HBA에서
∠B는 공통,
∠BAC=∠BHA=90°이므로
△ABC∽△HBA (AA 닮음)
∴ ∠BCA=∠BAH=x
또, △ABC와 △HAC에서
∠C는 공통, ∠BAC=∠AHC=90°이므로
△ABC∽△HAC (AA 닮음)
∴ ∠ABC=∠HAC=y ······ (가)

이때 $\overline{BC}=\sqrt{2^2+1^2}=\sqrt{5}$이므로 ······ (나)

$\sin x=\sin C=\dfrac{2}{\sqrt{5}}=\dfrac{2\sqrt{5}}{5}$

$\sin y=\sin B=\dfrac{1}{\sqrt{5}}=\dfrac{\sqrt{5}}{5}$

∴ $\sin x-\sin y=\dfrac{2\sqrt{5}}{5}-\dfrac{\sqrt{5}}{5}=\dfrac{\sqrt{5}}{5}$ ······ (다)

답 $\dfrac{\sqrt{5}}{5}$

채점 기준	비율
(가) ∠BCA=x, ∠ABC=y임을 알기	40 %
(나) $\overline{BC}$의 길이 구하기	20 %
(다) $\sin x-\sin y$의 값 구하기	40 %

0042 △ABD와 △HAD에서
∠D는 공통,
∠BAD=∠AHD=90°이므로
△ABD∽△HAD (AA 닮음)
∴ ∠ABD=∠HAD=x

이때 $\overline{BD}=\sqrt{12^2+9^2}=\sqrt{225}=15$ (cm)이므로

$\sin x=\dfrac{12}{15}=\dfrac{4}{5}$, $\cos x=\dfrac{9}{15}=\dfrac{3}{5}$

∴ $\sin x-\cos x=\dfrac{4}{5}-\dfrac{3}{5}=\dfrac{1}{5}$ **답** $\dfrac{1}{5}$

0043 전략 먼저 그래프가 x축, y축과 만나는 점의 좌표를 구한다.

$3x-4y+12=0$의 그래프가 x축, y축과 만나는 점을 각각 A, B라 하자.

$3x-4y+12=0$에 $y=0$을 대입하면

$3x+12=0$ ∴ $x=-4$

∴ A$(-4, 0)$

$3x-4y+12=0$에 $x=0$을 대입하면

$-4y+12=0$ ∴ $y=3$

∴ B$(0, 3)$

△AOB에서

$\overline{AB}=\sqrt{4^2+3^2}=\sqrt{25}=5$

이때 $\sin \alpha=\dfrac{3}{5}$, $\cos \alpha=\dfrac{4}{5}$이므로

$\sin \alpha+\cos \alpha=\dfrac{3}{5}+\dfrac{4}{5}=\dfrac{7}{5}$ **답** $\dfrac{7}{5}$

0044 $y=\dfrac{1}{2}x+2$의 그래프가 x축, y축과 만나는 점을 각각 A, B라 하자.

$y=\dfrac{1}{2}x+2$에 $y=0$을 대입하면

$0=\dfrac{1}{2}x+2$ ∴ $x=-4$

∴ A$(-4, 0)$

$y=\dfrac{1}{2}x+2$에 $x=0$을 대입하면 $y=2$

∴ B$(0, 2)$

△AOB에서

$\overline{AB}=\sqrt{4^2+2^2}=\sqrt{20}=2\sqrt{5}$

∴ $\cos \alpha=\dfrac{4}{2\sqrt{5}}=\dfrac{2\sqrt{5}}{5}$ **답** $\dfrac{2\sqrt{5}}{5}$

0045 $3x+2y-12=0$의 그래프가 x축, y축과 만나는 점을 각각 A, B라 하자.

$3x+2y-12=0$에 $y=0$을 대입하면

$3x-12=0$ ∴ $x=4$

∴ A$(4, 0)$

$3x+2y-12=0$에 $x=0$을 대입하면

$2y-12=0$ ∴ $y=6$

∴ B$(0, 6)$

△BOA에서

$\overline{AB}=\sqrt{4^2+6^2}=\sqrt{52}=2\sqrt{13}$

이때 $\cos \alpha=\dfrac{4}{2\sqrt{13}}=\dfrac{2\sqrt{13}}{13}$, $\tan \alpha=\dfrac{6}{4}=\dfrac{3}{2}$이므로

$\cos \alpha \times \tan \alpha=\dfrac{2\sqrt{13}}{13}\times\dfrac{3}{2}=\dfrac{3\sqrt{13}}{13}$ **답** $\dfrac{3\sqrt{13}}{13}$

0046 일차함수 $y=\dfrac{3}{2}x+3$의 그래프는 오른

쪽 그림과 같고 그래프가 x축, y축과

만나는 점을 각각 A, B라 하자.

$y=\dfrac{3}{2}x+3$에 $y=0$을 대입하면

$0=\dfrac{3}{2}x+3$ ∴ $x=-2$

∴ A$(-2, 0)$

$y=\dfrac{3}{2}x+3$에 $x=0$을 대입하면 $y=3$

∴ B$(0, 3)$

$\triangle$AOB에서

$\overline{AB}=\sqrt{2^2+3^2}=\sqrt{13}$

이때 $\sin\alpha=\dfrac{3}{\sqrt{13}}$, $\cos\alpha=\dfrac{2}{\sqrt{13}}$이므로

$\sin^2\alpha-\cos^2\alpha=\left(\dfrac{3}{\sqrt{13}}\right)^2-\left(\dfrac{2}{\sqrt{13}}\right)^2=\dfrac{9}{13}-\dfrac{4}{13}=\dfrac{5}{13}$

답 $\dfrac{5}{13}$

0047 전략 직각삼각형 BFH에서 각 변의 길이를 구한다.

$\triangle$BFH에서 $\angle$BFH$=90°$이므로

$\overline{FH}=\sqrt{4^2+4^2}=\sqrt{32}=4\sqrt{2}$

$\overline{BH}=\sqrt{(4\sqrt{2})^2+4^2}=\sqrt{48}=4\sqrt{3}$

$\tan x=\dfrac{4}{4\sqrt{2}}=\dfrac{\sqrt{2}}{2}$, $\cos x=\dfrac{4\sqrt{2}}{4\sqrt{3}}=\dfrac{\sqrt{6}}{3}$

∴ $\tan x\times\cos x=\dfrac{\sqrt{2}}{2}\times\dfrac{\sqrt{6}}{3}=\dfrac{2\sqrt{3}}{6}=\dfrac{\sqrt{3}}{3}$

답 $\dfrac{\sqrt{3}}{3}$

0048 $\overline{BD}=\sqrt{8^2+8^2}=\sqrt{128}=8\sqrt{2}$ (cm)이므로

$\overline{OD}=\dfrac{1}{2}\overline{BD}=\dfrac{1}{2}\times8\sqrt{2}=4\sqrt{2}$ (cm)

$\triangle$VOD에서 $\overline{VO}=\sqrt{9^2-(4\sqrt{2})^2}=\sqrt{49}=7$ (cm)

∴ $\sin x=\dfrac{\overline{VO}}{\overline{VD}}=\dfrac{7}{9}$

답 $\dfrac{7}{9}$

0049 오른쪽 그림과 같이 꼭짓점 A에

서 $\triangle$BCD에 내린 수선의 발을 H

라 하면 점 H는 $\triangle$BCD의 무게

중심이므로

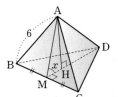

$\overline{DM}=\sqrt{6^2-3^2}=\sqrt{27}=3\sqrt{3}$

∴ $\overline{MH}=\dfrac{1}{3}\overline{DM}=\dfrac{1}{3}\times3\sqrt{3}=\sqrt{3}$

$\overline{AM}=\overline{DM}=3\sqrt{3}$이므로

$\cos x=\dfrac{\overline{MH}}{\overline{AM}}=\dfrac{\sqrt{3}}{3\sqrt{3}}=\dfrac{1}{3}$

답 $\dfrac{1}{3}$

0050 전략 먼저 세 변의 길이가 a, b, c인 직각삼각형을 그린다.

오른쪽 그림에서

$\sin x=\dfrac{a}{b}$, $\cos x=\dfrac{c}{b}$이므로

$\sin x:\cos x=\dfrac{a}{b}:\dfrac{c}{b}=a:c=5:12$

이때 $a=5k$, $c=12k(k>0)$라 하면

$b=\sqrt{(12k)^2+(5k)^2}=\sqrt{169k^2}=13k$

∴ $\cos x=\dfrac{c}{b}=\dfrac{12k}{13k}=\dfrac{12}{13}$

답 $\dfrac{12}{13}$

0051 $\angle$APQ$=\angle$CPQ (접은 각),

$\angle$APQ$=\angle$CQP (엇각)이므로

$\angle$CPQ$=\angle$CQP

∴ $\overline{CQ}=\overline{CP}=\overline{AP}=3$

이때 $\triangle$CQR는 직각삼각형이고

$\overline{CR}=\overline{AB}=2$이므로

$\overline{QR}=\sqrt{3^2-2^2}=\sqrt{5}$ ∴ $\overline{BQ}=\overline{QR}=\sqrt{5}$

위 그림과 같이 점 Q에서 $\overline{AP}$에 내린 수선의 발을 H라 하면

$\triangle$PHQ에서 $\overline{PH}=3-\sqrt{5}$, $\overline{HQ}=2$이므로

$\tan x=\dfrac{\overline{HQ}}{\overline{PH}}=\dfrac{2}{3-\sqrt{5}}$

$=\dfrac{2(3+\sqrt{5})}{(3-\sqrt{5})(3+\sqrt{5})}=\dfrac{3+\sqrt{5}}{2}$

답 $\dfrac{3+\sqrt{5}}{2}$

0052 $\tan C=\dfrac{6}{\overline{BC}}=\dfrac{3}{4}$이므로 $\overline{BC}=8$ (cm)

한편 $\triangle$ABC$=\dfrac{1}{2}\times8\times6=24$ (cm²)이므로

□ABED$=8$ cm², □DEGF$=8$ cm², $\triangle$FGC$=8$ cm²

이다.

$\triangle$ABC$\backsim\triangle$DEC$\backsim\triangle$FGC (AA 닮음)이므로

$\overline{GC}=4a$ cm $(a>0)$라 하면 $\overline{FG}=3a$ cm

$\dfrac{1}{2}\times4a\times3a=8$에서 $6a^2=8$, $a^2=\dfrac{4}{3}$

∴ $a=\dfrac{2\sqrt{3}}{3}$ $(∵ a>0)$

$\overline{EC}=4b$ cm $(b>0)$라 하면 $\overline{DE}=3b$ cm

$\dfrac{1}{2}\times4b\times3b-8=8$에서 $6b^2=16$, $b^2=\dfrac{8}{3}$

∴ $b=\dfrac{2\sqrt{6}}{3}$ $(∵ b>0)$

∴ $\overline{EG}=\overline{EC}-\overline{GC}=4\times\dfrac{2\sqrt{6}}{3}-4\times\dfrac{2\sqrt{3}}{3}$

$=\dfrac{8(\sqrt{6}-\sqrt{3})}{3}$ (cm)

답 $\dfrac{8(\sqrt{6}-\sqrt{3})}{3}$ cm

0053 $\sin x = \dfrac{\overline{BC}}{\overline{AB}} = \dfrac{2}{\overline{AB}} = \dfrac{1}{2}$ $\quad \therefore \overline{AB} = 4$

$\triangle ABC$에서 $\overline{AC} = \sqrt{4^2 - 2^2} = \sqrt{12} = 2\sqrt{3}$

$\angle ABC = \angle DBE$이고 $\angle DEB = 90°$이므로

$\angle BDE = x$

따라서 $\sin x = \dfrac{\overline{BE}}{2} = \dfrac{1}{2}$에서 $\overline{BE} = 1$

$\triangle BDE$에서 $\overline{DE} = \sqrt{2^2 - 1^2} = \sqrt{3}$

$\therefore \tan y = \dfrac{\overline{DE}}{\overline{AE}} = \dfrac{\sqrt{3}}{4+1} = \dfrac{\sqrt{3}}{5}$ **답** $\dfrac{\sqrt{3}}{5}$

0054 $\sin 45° = \dfrac{x}{12}$에서 $\dfrac{\sqrt{2}}{2} = \dfrac{x}{12}$ $\quad \therefore x = 6\sqrt{2}$

$\cos 45° = \dfrac{y}{12}$에서 $\dfrac{\sqrt{2}}{2} = \dfrac{y}{12}$ $\quad \therefore y = 6\sqrt{2}$

답 $x = 6\sqrt{2},\ y = 6\sqrt{2}$

0055 $\tan 45° = \dfrac{x}{5}$에서 $1 = \dfrac{x}{5}$ $\quad \therefore x = 5$

$\cos 45° = \dfrac{5}{y}$에서 $\dfrac{\sqrt{2}}{2} = \dfrac{5}{y}$ $\quad \therefore y = 5\sqrt{2}$

답 $x = 5,\ y = 5\sqrt{2}$

0056 $\cos 45° = \dfrac{x}{2\sqrt{2}}$에서 $\dfrac{\sqrt{2}}{2} = \dfrac{x}{2\sqrt{2}}$ $\quad \therefore x = 2$

$\sin 45° = \dfrac{y}{2\sqrt{2}}$에서 $\dfrac{\sqrt{2}}{2} = \dfrac{y}{2\sqrt{2}}$ $\quad \therefore y = 2$

답 $x = 2,\ y = 2$

0057 $\angle DBC = 45°$이므로

$\tan 45° = \dfrac{3}{x}$에서 $1 = \dfrac{3}{x}$ $\quad \therefore x = 3$

$\sin 45° = \dfrac{3}{y}$에서 $\dfrac{\sqrt{2}}{2} = \dfrac{3}{y}$ $\quad \therefore y = 3\sqrt{2}$

답 $x = 3,\ y = 3\sqrt{2}$

0058 $\cos 60° = \dfrac{3}{x}$에서 $\dfrac{1}{2} = \dfrac{3}{x}$ $\quad \therefore x = 6$

$\tan 60° = \dfrac{y}{3}$에서 $\sqrt{3} = \dfrac{y}{3}$ $\quad \therefore y = 3\sqrt{3}$

답 $x = 6,\ y = 3\sqrt{3}$

0059 $\tan 30° = \dfrac{x}{9}$에서 $\dfrac{\sqrt{3}}{3} = \dfrac{x}{9}$ $\quad \therefore x = 3\sqrt{3}$

$\cos 30° = \dfrac{9}{y}$에서 $\dfrac{\sqrt{3}}{2} = \dfrac{9}{y}$ $\quad \therefore y = 6\sqrt{3}$

답 $x = 3\sqrt{3},\ y = 6\sqrt{3}$

0060 $\sin 30° = \dfrac{x}{12\sqrt{3}}$에서 $\dfrac{1}{2} = \dfrac{x}{12\sqrt{3}}$ $\quad \therefore x = 6\sqrt{3}$

$\cos 30° = \dfrac{y}{12\sqrt{3}}$에서 $\dfrac{\sqrt{3}}{2} = \dfrac{y}{12\sqrt{3}}$ $\quad \therefore y = 18$

답 $x = 6\sqrt{3},\ y = 18$

0061 $\angle ABD = 60°$이므로

$\sin 60° = \dfrac{2\sqrt{3}}{x}$에서 $\dfrac{\sqrt{3}}{2} = \dfrac{2\sqrt{3}}{x}$ $\quad \therefore x = 4$

$\tan 60° = \dfrac{2\sqrt{3}}{y}$에서 $\sqrt{3} = \dfrac{2\sqrt{3}}{y}$ $\quad \therefore y = 2$

답 $x = 4,\ y = 2$

0062 **답** 45

0063 **답** 30

0064 **답** 60

0065 $10° + x° = 30°$에서 $x = 20$ **답** 20

0066 $20° + x° = 45°$에서 $x = 25$ **답** 25

0067 $90° - x° = 45°$에서 $x = 45$ **답** 45

0068 (주어진 식) $= \dfrac{1}{2} + \dfrac{1}{2} - \dfrac{\sqrt{2}}{2} = \dfrac{2-\sqrt{2}}{2}$ **답** $\dfrac{2-\sqrt{2}}{2}$

0069 (주어진 식) $= \dfrac{\sqrt{2}}{2} \times \sqrt{3} = \dfrac{\sqrt{6}}{2}$ **답** $\dfrac{\sqrt{6}}{2}$

0070 (주어진 식) $= \dfrac{\sqrt{3}}{2} \times \left(\dfrac{\sqrt{3}}{3} + \dfrac{\sqrt{3}}{2} \right)$

$= \dfrac{\sqrt{3}}{2} \times \dfrac{5\sqrt{3}}{6} = \dfrac{5}{4}$ **답** $\dfrac{5}{4}$

0071 (주어진 식) $= \dfrac{\sqrt{3}}{2} \times \dfrac{\sqrt{3}}{3} + \dfrac{\sqrt{3}}{2} \times \dfrac{\sqrt{3}}{3}$

$= \dfrac{1}{2} + \dfrac{1}{2} = 1$ **답** 1

0072 (주어진 식) $= 2 \times \dfrac{\sqrt{3}}{2} - \sqrt{3} \times 1 + \sqrt{3}$

$= \sqrt{3} - \sqrt{3} + \sqrt{3} = \sqrt{3}$ **답** $\sqrt{3}$

0073 $\sin x = \dfrac{\overline{BC}}{\overline{AC}} = \dfrac{\overline{BC}}{1} = \overline{BC}$ **답** $\overline{BC}$

0074 $\cos x = \dfrac{\overline{AB}}{\overline{AC}} = \dfrac{\overline{AB}}{1} = \overline{AB}$ **답** $\overline{AB}$

0075 $\tan x = \dfrac{\overline{DE}}{\overline{AD}} = \dfrac{\overline{DE}}{1} = \overline{DE}$ **답** $\overline{DE}$

0076 $\sin y = \dfrac{\overline{AB}}{\overline{AC}} = \dfrac{\overline{AB}}{1} = \overline{AB}$ **답** $\overline{AB}$

0077 $\cos y = \dfrac{\overline{BC}}{\overline{AC}} = \dfrac{\overline{BC}}{1} = \overline{BC}$ **답** $\overline{BC}$

0078 $\tan y = \tan z = \dfrac{\overline{AD}}{\overline{DE}} = \dfrac{1}{\overline{DE}}$ **답** $\dfrac{1}{\overline{DE}}$

0079 $\sin z = \sin y = \dfrac{\overline{AB}}{\overline{AC}} = \dfrac{\overline{AB}}{1} = \overline{AB}$ **답** $\overline{AB}$

0080 $\cos z = \cos y = \dfrac{\overline{BC}}{\overline{AC}} = \dfrac{\overline{BC}}{1} = \overline{BC}$ **답** $\overline{BC}$

0081 (주어진 식)$=0 \times 0 - 1 = -1$ **답** -1

0082 (주어진 식)$=1 \times 0 + 0 = 0$ **답** 0

0083 **답** 0.3420

0084 **답** 0.3420

0085 **답** 57.2900

0086 **답** 0.9848

0087 **답** $10°$

0088 **답** $89°$

0089 **답** $20°$

0090 **답** $70°$

STEP 2 유형 마스터 p.17 ~ p.24

0091 전략 특수한 각에 대한 삼각비의 값을 주어진 식에 대입하여 등식이 성립하는지 확인한다.

㉠ $\sin 30° + \cos 60° = \dfrac{1}{2} + \dfrac{1}{2} = 1$

㉡ $\cos 45° = \dfrac{\sqrt{2}}{2}$, $\sin 45° = \dfrac{\sqrt{2}}{2}$이므로

$\cos 45° = \sin 45°$

㉢ $\sin 30° = \dfrac{1}{2}$, $\cos 30° = \dfrac{\sqrt{3}}{2}$, $\tan 30° = \dfrac{\sqrt{3}}{3}$이므로

$\dfrac{1}{2} = \dfrac{\sqrt{3}}{2} \times \dfrac{\sqrt{3}}{3}$

㉣ $\sin 30° = \dfrac{1}{2}$, $\sin 45° = \dfrac{\sqrt{2}}{2}$, $\sin 60° = \dfrac{\sqrt{3}}{2}$이므로

$\dfrac{1}{2} + \dfrac{\sqrt{2}}{2} \neq \dfrac{\sqrt{3}}{2}$

㉤ $\tan 30° = \dfrac{\sqrt{3}}{3}$, $\cos 30° = \dfrac{\sqrt{3}}{2}$이므로

$1 - \dfrac{\sqrt{3}}{3} \neq \dfrac{\sqrt{3}}{2}$

㉥ $\tan 30° = \dfrac{\sqrt{3}}{3}$, $\dfrac{1}{\tan 60°} = \dfrac{1}{\sqrt{3}} = \dfrac{\sqrt{3}}{3}$이므로

$\tan 30° = \dfrac{1}{\tan 60°}$

따라서 옳은 것은 ㉠, ㉡, ㉢, ㉥이다. **답** ㉠, ㉡, ㉢, ㉥

0092 ① (주어진 식)$= \dfrac{1}{2} - \dfrac{\sqrt{3}}{3} \times \sqrt{3} + \dfrac{1}{2} = \dfrac{1}{2} - 1 + \dfrac{1}{2} = 0$

② (주어진 식)$= \sqrt{3} \times \dfrac{\sqrt{3}}{3} - \sqrt{2} \times 1 \times \dfrac{\sqrt{2}}{2} = 1 - 1 = 0$

③ (주어진 식)$= \dfrac{1}{2} + \dfrac{1}{2} - 2 \times \dfrac{\sqrt{2}}{2} \times \dfrac{\sqrt{2}}{2} = \dfrac{1}{2} + \dfrac{1}{2} - 1 = 0$

④ (주어진 식)$= \dfrac{\sqrt{3}}{2} - \dfrac{\sqrt{3}}{2} \times \dfrac{\sqrt{3}}{3} + \dfrac{1}{2}$

$= \dfrac{\sqrt{3}}{2} - \dfrac{1}{2} + \dfrac{1}{2} = \dfrac{\sqrt{3}}{2}$

⑤ (주어진 식)$= \left\{ \left(\dfrac{\sqrt{2}}{2}\right)^2 + \left(\dfrac{\sqrt{2}}{2}\right)^2 \right\} \times \left\{ \left(\dfrac{\sqrt{2}}{2}\right)^2 - \left(\dfrac{\sqrt{2}}{2}\right)^2 \right\}$

$= 1 \times 0 = 0$

따라서 옳지 않은 것은 ③이다. **답** ③

0093 (주어진 식)$= \left(\dfrac{1}{2} + \dfrac{\sqrt{3}}{2}\right) \times \left(\dfrac{1}{\frac{\sqrt{3}}{3}} + \dfrac{\frac{\sqrt{3}}{2}}{\frac{1}{2}}\right) \times 1$ ...... ㈎

$= \dfrac{1 + \sqrt{3}}{2} \times (\sqrt{3} + \sqrt{3}) \times 1 = \dfrac{1 + \sqrt{3}}{2} \times 2\sqrt{3}$

$= \sqrt{3}(1 + \sqrt{3}) = \sqrt{3} + 3$ ...... ㈏

답 $\sqrt{3} + 3$

채점 기준	비율
㈎ 주어진 식에 삼각비의 값 대입하기	40 %
㈏ 주어진 식의 값 구하기	60 %

0094 $\dfrac{1}{\sin B - \tan A} + \dfrac{1}{\tan A - \cos B}$

$= \dfrac{1}{\sin 60° - \tan 45°} + \dfrac{1}{\tan 45° - \cos 60°}$

$= \dfrac{1}{\dfrac{\sqrt{3}}{2} - 1} + \dfrac{1}{1 - \dfrac{1}{2}}$

$= \dfrac{2}{\sqrt{3} - 2} + 2$

$= \dfrac{2(\sqrt{3} + 2)}{(\sqrt{3} - 2)(\sqrt{3} + 2)} + 2$

$= -2(\sqrt{3} + 2) + 2 = -2\sqrt{3} - 2$ **답** $-2\sqrt{3} - 2$

0095 (좌변)$=\dfrac{\sqrt{2}}{2}\times\dfrac{\sqrt{2}}{2}+\dfrac{\sqrt{3}}{3}\times\dfrac{\sqrt{3}}{2}$

$\qquad\quad\ =\dfrac{1}{2}+\dfrac{1}{2}=1$

이때 $\tan A=1$을 만족하는 A의 값은 $45°$이다.　　**답** $45°$

0096 $\sin 30°=\dfrac{1}{2}$이므로 $2x^2+ax-3=0$에 $x=\dfrac{1}{2}$을 대입하면

$2\times\dfrac{1}{4}+\dfrac{1}{2}a-3=0,\ \dfrac{1}{2}a=\dfrac{5}{2}$

$\therefore a=5$　　　　　　　　　　　　　　　**답** 5

0097 전략 $\tan 45°=1$임을 이용하여 x의 값을 구한다.

$\tan(x+15°)=1$에서 $x+15°=45°$이므로 $x=30°$

$\therefore \sin x+\cos x=\sin 30°+\cos 30°$

$\qquad\qquad\qquad\quad =\dfrac{1}{2}+\dfrac{\sqrt{3}}{2}$

$\qquad\qquad\qquad\quad =\dfrac{1+\sqrt{3}}{2}$　　　**답** $\dfrac{1+\sqrt{3}}{2}$

0098 $\cos(2x+40°)=\dfrac{1}{2}$에서

$2x+40°=60°$이므로 $x=10°$

$\therefore \tan 6x=\tan 60°=\sqrt{3}$　　　　　**답** $\sqrt{3}$

0099 $\sin(2x-15°)=\dfrac{\sqrt{2}}{2}$에서

$2x-15°=45°$이므로

$2x=60°\quad \therefore x=30°$

$\therefore \dfrac{6\sin x+2\cos x}{3\tan x-2\sin x}=\dfrac{6\sin 30°+2\cos 30°}{3\tan 30°-2\sin 30°}$

$\qquad\qquad\qquad\qquad\ =\dfrac{6\times\dfrac{1}{2}+2\times\dfrac{\sqrt{3}}{2}}{3\times\dfrac{\sqrt{3}}{3}-2\times\dfrac{1}{2}}$

$\qquad\qquad\qquad\qquad\ =\dfrac{3+\sqrt{3}}{\sqrt{3}-1}=\dfrac{(3+\sqrt{3})(\sqrt{3}+1)}{(\sqrt{3}-1)(\sqrt{3}+1)}$

$\qquad\qquad\qquad\qquad\ =\dfrac{6+4\sqrt{3}}{2}=3+2\sqrt{3}$

답 $3+2\sqrt{3}$

0100 $\tan A=\dfrac{3}{\sqrt{3}}=\sqrt{3}$에서 $A=60°$

$\therefore \sin\dfrac{A}{2}=\sin\dfrac{60°}{2}=\sin 30°=\dfrac{1}{2}$　　**답** $60°,\ \dfrac{1}{2}$

0101 $\cos 45°=\sin 45°=\dfrac{\sqrt{2}}{2}$이므로 $x=45°$

$\therefore \tan x+2\sin(x-15°)=\tan 45°+2\sin 30°$

$\qquad\qquad\qquad\qquad\qquad =1+2\times\dfrac{1}{2}$

$\qquad\qquad\qquad\qquad\qquad =2$　　　**답** 2

0102 $4x^2-4x+1=0$에서 $(2x-1)^2=0$

$\therefore x=\dfrac{1}{2}$　　　　　　　　$\cdots\cdots$ ㉮

즉 $\cos A=\dfrac{1}{2}$이므로 $\angle A=60°$　　　$\cdots\cdots$ ㉯

답 $60°$

채점 기준	비율
㉮ $4x^2-4x+1=0$의 해 구하기	60 %
㉯ $\angle A$의 크기 구하기	40 %

0103 $\sin A=\dfrac{1}{2}$에서 $A=30°$

$\therefore \tan^2 A-\sqrt{3}\tan A+1=\tan^2 30°-\sqrt{3}\tan 30°+1$

$\qquad\qquad\qquad\qquad\quad =\left(\dfrac{\sqrt{3}}{3}\right)^2-\sqrt{3}\times\dfrac{\sqrt{3}}{3}+1$

$\qquad\qquad\qquad\qquad\quad =\dfrac{1}{3}-1+1=\dfrac{1}{3}$　　**답** $\dfrac{1}{3}$

0104 $\tan A=\sqrt{3}$에서 $A=60°$

$\therefore \sin^2 A+\sqrt{3}\sin A-1=\left(\dfrac{\sqrt{3}}{2}\right)^2+\sqrt{3}\times\dfrac{\sqrt{3}}{2}-1$

$\qquad\qquad\qquad\qquad\quad =\dfrac{3}{4}+\dfrac{3}{2}-1=\dfrac{5}{4}$　　**답** $\dfrac{5}{4}$

0105 전략 $\triangle ABC$와 $\triangle DBC$의 공통변인 $\overline{BC}$의 길이를 특수한 각에 대한 삼각비의 값, 즉 $\tan 60°=\sqrt{3}$임을 이용하여 구한다.

$\triangle ABC$에서

$\tan 60°=\dfrac{\overline{BC}}{1}=\sqrt{3}\quad \therefore \overline{BC}=\sqrt{3}$

$\triangle DBC$에서

$\sin 45°=\dfrac{\sqrt{3}}{\overline{BD}}=\dfrac{\sqrt{2}}{2}\qquad \therefore \overline{BD}=\sqrt{6}$　　**답** $\sqrt{6}$

0106 $\cos 60°=\dfrac{3}{y}=\dfrac{1}{2}$이므로 $y=6$

$\tan 60°=\dfrac{x}{3}=\sqrt{3}$이므로 $x=3\sqrt{3}$

$\therefore x+y=3\sqrt{3}+6=3(\sqrt{3}+2)$　　　**답** $3(\sqrt{3}+2)$

0107 $\triangle ABC$에서

$\cos 60°=\dfrac{6}{\overline{AB}}=\dfrac{1}{2}\qquad \therefore \overline{AB}=12$

$\triangle BCH$에서

$\cos 60°=\dfrac{\overline{BH}}{6}=\dfrac{1}{2}\qquad \therefore \overline{BH}=3$

$\therefore \overline{AH}=\overline{AB}-\overline{BH}=12-3=9$　　**답** 9

0108 $\triangle AHD$에서

$\cos 30°=\dfrac{6}{y}=\dfrac{\sqrt{3}}{2}\qquad \therefore y=4\sqrt{3}$

△ABD에서

$\tan 30° = \dfrac{x}{4\sqrt{3}} = \dfrac{\sqrt{3}}{3}$　　$\therefore x = 4$

$\therefore x + y = 4 + 4\sqrt{3} = 4(1 + \sqrt{3})$　　**답** $4(1+\sqrt{3})$

0109 △ABC에서

$\sin 30° = \dfrac{\overline{AC}}{8} = \dfrac{1}{2}$　　$\therefore \overline{AC} = 4$　　……㉮

△ADC에서

$\tan 45° = \dfrac{4}{\overline{CD}} = 1$　　$\therefore \overline{CD} = 4$　　……㉯

답 4

채점 기준	비율
㉮ $\overline{AC}$의 길이 구하기	50 %
㉯ $\overline{CD}$의 길이 구하기	50 %

0110 △ABC에서

$\sin 30° = \dfrac{\overline{AC}}{6} = \dfrac{1}{2}$　　$\therefore \overline{AC} = 3$

$\cos 30° = \dfrac{\overline{BC}}{6} = \dfrac{\sqrt{3}}{2}$　　$\therefore \overline{BC} = 3\sqrt{3}$

이때 ∠BAC＝60°이므로

$\angle DAC = \dfrac{1}{2}\angle BAC = \dfrac{1}{2} \times 60° = 30°$

△ADC에서

$\tan 30° = \dfrac{\overline{CD}}{3} = \dfrac{\sqrt{3}}{3}$　　$\therefore \overline{CD} = \sqrt{3}$

$\therefore \overline{BD} = \overline{BC} - \overline{CD} = 3\sqrt{3} - \sqrt{3} = 2\sqrt{3}$　　**답** $2\sqrt{3}$

0111 △ABC에서

$\sin 30° = \dfrac{\overline{BC}}{10} = \dfrac{1}{2}$　　$\therefore \overline{BC} = 5$

△BCD에서 ∠C＝60°이므로

$\sin 60° = \dfrac{\overline{BD}}{5} = \dfrac{\sqrt{3}}{2}$　　$\therefore \overline{BD} = \dfrac{5\sqrt{3}}{2}$

△DEB에서 ∠DBE＝60°이므로

$\sin 60° = \dfrac{\overline{DE}}{\dfrac{5\sqrt{3}}{2}} = \dfrac{\sqrt{3}}{2}$

$\therefore \overline{DE} = \dfrac{\sqrt{3}}{2} \times \dfrac{5\sqrt{3}}{2} = \dfrac{15}{4}$　　**답** $\dfrac{15}{4}$

0112 전략 직선의 방정식을 $y = ax + b$의 꼴로 바꾸고 $\tan \alpha = $(기울기)임을 이용한다.

$\sqrt{3}x - y + 3 = 0$에서 $y = \sqrt{3}x + 3$

이때 $\tan \alpha = $(기울기)이므로

$\tan \alpha = \sqrt{3}$　　$\therefore \alpha = 60°$　　**답** 60°

0113 $3x - 4y + 12 = 0$에서 $y = \dfrac{3}{4}x + 3$

이때 $\tan \alpha = $(기울기)이므로 $\tan \alpha = \dfrac{3}{4}$　　**답** $\dfrac{3}{4}$

0114 $\tan 45° = 1$이므로 직선의 기울기는 1이다.

x절편이 -1이므로 $y = x + b$에 $x = -1$, $y = 0$을 대입하면

$0 = -1 + b$　　$\therefore b = 1$

따라서 구하는 직선의 방정식은 $y = x + 1$　　**답** $y = x + 1$

0115 $\tan 60° = \sqrt{3}$이고 y절편이 6이므로

직선의 방정식은

$y = \sqrt{3}x + 6$　　……㉮

그래프가 x축, y축과 만나는 점을 각

각 A, B라 하면

$\tan 60° = \dfrac{6}{\overline{OA}} = \sqrt{3}$이므로

$\overline{OA} = 2\sqrt{3}$　　……㉯

$\therefore \triangle AOB = \dfrac{1}{2} \times 2\sqrt{3} \times 6 = 6\sqrt{3}$　　……㉰

답 $y = \sqrt{3}x + 6, 6\sqrt{3}$

채점 기준	비율
㉮ 직선의 방정식 구하기	50 %
㉯ $\overline{OA}$의 길이 구하기	30 %
㉰ △AOB의 넓이 구하기	20 %

0116 전략 ∠y＝∠z임을 이용한다.

③ $\sin y = \dfrac{\overline{OB}}{\overline{OA}} = \dfrac{\overline{OB}}{1} = \overline{OB}$

④ ∠y＝∠z이므로

$\cos z = \cos y = \dfrac{\overline{AB}}{\overline{OA}} = \dfrac{\overline{AB}}{1} = \overline{AB}$

⑤ $\tan z = \dfrac{\overline{OD}}{\overline{CD}} = \dfrac{1}{\overline{CD}}$

따라서 옳지 않은 것은 ⑤이다.　　**답** ⑤

0117 △COD에서 $\tan x = \dfrac{\overline{CD}}{\overline{OD}} = \dfrac{\overline{CD}}{1} = \overline{CD}$　　**답** ③

0118 $\cos 48° + \tan 48° = 0.67 + 1.11 = 1.78$　　**답** 1.78

0119 ① $\sin 90° + \cos 0° = 1 + 1 = 2$

② $\sin 0° + \sin 90° = 0 + 1 = 1$

③ $\cos 0° + \tan 0° = 1 + 0 = 1$

④ $\sin 90° + 2\cos 0° = 1 + 2 \times 1 = 3$

⑤ $2\cos 90° + \tan 0° = 2 \times 0 + 0 = 0$

따라서 옳지 않은 것은 ⑤이다.　　**답** ⑤

0120 (주어진 식)$=\dfrac{\sqrt{2}}{2}\times1\times\sqrt{3}-\dfrac{\sqrt{3}}{2}\times1\times0$

$\qquad\qquad=\dfrac{\sqrt{6}}{2}-0=\dfrac{\sqrt{6}}{2}$ 　　　　　　　　답 $\dfrac{\sqrt{6}}{2}$

0121 ① (좌변)$=1-1=0$

② (좌변)$=\dfrac{1}{2}+\dfrac{1}{2}=1$

③ (좌변)$=\dfrac{1}{2}-\dfrac{\sqrt{2}}{2}=\dfrac{1-\sqrt{2}}{2}$

④ (좌변)$=1\times1+0\times0=1$

⑤ (좌변)$=\dfrac{\sqrt{2}}{2}\times\dfrac{\sqrt{2}}{2}+\sqrt{3}\times\dfrac{\sqrt{3}}{3}=\dfrac{1}{2}+1=\dfrac{3}{2}$

따라서 옳지 않은 것은 ④이다. 　　　　　　　답 ④

0122 〔전략〕 x의 값이 $90°$에 가까워질 때, $\sin x$는 1, $\cos x$는 0에 가까워지고 $\tan x$는 무한히 커짐을 이용한다.

$0°\leq x\leq90°$인 범위에서 x의 값이 증가하면

$\sin x$의 값은 0에서 1까지 증가하므로

$\sin 90°>\sin 70°$, 즉 ㉠$>$㉢

$\cos x$의 값은 1에서 0까지 감소하므로

$\cos 90°<\cos 70°$, 즉 ㉡$<$㉣

$\tan x$의 값은 0에서 무한히 증가하므로

$\tan 45°=1<\tan 50°$, 즉 ㉠$<$㉤

이때 $45°<x<90°$인 범위에서 $\sin x>\cos x$이므로

$\sin 70°>\cos 70°$, 즉 ㉢$>$㉣

$\therefore$ ㉡$<$㉣$<$㉢$<$㉠$<$㉤ 　　　　　답 ③

0123 $0°\leq A\leq90°$일 때

① A의 값이 커지면 $\sin A$의 값은 커진다.

② A의 값이 커지면 $\cos A$의 값은 작아진다.

④ $\cos A$의 최댓값은 1이다.

⑤ $\tan A$의 최댓값은 알 수 없다. 　　　　답 ③

0124 $A=\sin 61°>\sin 60°=\dfrac{\sqrt{3}}{2}$

$\qquad B=\cos 35°<\cos 30°=\dfrac{\sqrt{3}}{2}$

$\qquad C=\tan 46°>\tan 45°=1$

따라서 $\cos 35°<\sin 61°<\tan 46°$이므로

$B<A<C$ 　　　　　　　　　　　답 ③

0125 〔전략〕 $0°<x<90°$일 때, $0<\sin x<1$임을 이용하여 $\sin x+1$, $\sin x-1$의 부호를 알아본다.

$0°<x<90°$일 때, $0<\sin x<1$이므로

$\sin x+1>0$, $\sin x-1<0$

$\therefore$ $\sqrt{(\sin x+1)^2}+\sqrt{(\sin x-1)^2}$

$\qquad=(\sin x+1)-(\sin x-1)=2$ 　　　답 2

0126 $45°<x<90°$일 때, $\tan x>1$이므로

$1-\tan x<0$, $\tan x>0$

$\dfrac{\sqrt{2}}{2}<\sin x<1$이므로 $1-\sin x>0$ 　　……㈎

$\therefore$ $\sqrt{(1-\tan x)^2}-\sqrt{\tan^2 x}+\sqrt{(1-\sin x)^2}$

$\qquad=-(1-\tan x)-\tan x+(1-\sin x)$ 　……㈏

$\qquad=-1+\tan x-\tan x+1-\sin x$

$\qquad=-\sin x$ 　　　　　　　　　　　……㈐

답 $-\sin x$

채점 기준	비율
㈎ $1-\tan x$, $\tan x$, $1-\sin x$의 부호 알기	50 %
㈏ 제곱근의 성질을 이용하여 근호 벗기기	30 %
㈐ 식 간단히 하기	20 %

0127 $45°<A<90°$일 때, $\sin A>\cos A>0$이므로

$\sin A+\cos A>0$, $\cos A-\sin A<0$

$\therefore$ $\sqrt{(\sin A+\cos A)^2}+\sqrt{(\cos A-\sin A)^2}$

$\qquad=(\sin A+\cos A)-(\cos A-\sin A)$

$\qquad=2\sin A$

즉 $2\sin A=\sqrt{3}$에서 $\sin A=\dfrac{\sqrt{3}}{2}$

따라서 $A=60°$이므로 $\cos A=\cos 60°=\dfrac{1}{2}$ 　　답 $\dfrac{1}{2}$

0128 〔전략〕 $\sin$, $\cos$의 세로줄에서 주어진 삼각비의 값의 가로줄의 각도를 읽는다.

$\sin 23°=0.3907$이므로 $x=23$

$\cos 20°=0.9397$이므로 $y=20$

$\therefore x+y=23+20=43$ 　　　　　답 43

0129 ② $\cos 41°=0.7547$

④ $\cos 40°+\tan 41°=0.7660+0.8693=1.6353$

⑤ $\sin 38°=0.6157$, $\tan 39°=0.8098$이므로 그 차는

$0.8098-0.6157=0.1941$ 　　　　답 ②, ④

0130 〔전략〕 $\cos C=\dfrac{\overline{AC}}{\overline{BC}}$이므로 $\overline{BC}$의 길이와 $\cos C$의 값을 이용하여 $\overline{AC}$의 길이를 구한다.

$\cos 20°=\dfrac{\overline{AC}}{10}$

$\therefore \overline{AC}=10\cos 20°=10\times0.9397=9.397$ (cm)

답 9.397 cm

0131 (1) $\angle A=180°-(40°+90°)=50°$

$\tan 50°=\dfrac{\overline{BC}}{20}$

$\therefore \overline{BC}=20\tan 50°=20\times1.1918=23.836$

(2) $\angle A = 180° - (90° + 35°) = 55°$

$\cos 55° = \dfrac{\overline{AB}}{100}$ 이므로

$\overline{AB} = 100 \cos 55° = 100 \times 0.5736 = 57.36$

$\sin 55° = \dfrac{\overline{BC}}{100}$ 이므로

$\overline{BC} = 100 \sin 55° = 100 \times 0.8192 = 81.92$

$\therefore \overline{AB} + \overline{BC} = 57.36 + 81.92 = 139.28$

답 (1) 23.836 (2) 139.28

0132 전략 점 E에서 $\overline{BC}$에 내린 수선의 발을 H라 하고 $\overline{BC} = \overline{BH} + \overline{CH}$임을 이용하여 $\overline{EH}$의 길이를 구한다.

오른쪽 그림과 같이 점 E에서 $\overline{BC}$에 내린 수선의 발을 H라 하고 $\overline{EH} = x$라 하면

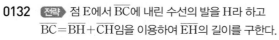

△EBH에서

$\tan 45° = \dfrac{x}{\overline{BH}} = 1$

$\therefore \overline{BH} = x$

△EHC에서

$\tan 30° = \dfrac{x}{\overline{CH}} = \dfrac{\sqrt{3}}{3}$ $\therefore \overline{CH} = \sqrt{3}x$

$\overline{BC} = \overline{BH} + \overline{CH}$이므로 $10 = x + \sqrt{3}x$

$\therefore x = \dfrac{10}{1+\sqrt{3}} = \dfrac{10(1-\sqrt{3})}{(1+\sqrt{3})(1-\sqrt{3})} = 5(\sqrt{3}-1)$

$\therefore \triangle EBC = \dfrac{1}{2} \times 10 \times 5(\sqrt{3}-1)$

$= 25(\sqrt{3}-1)$ **답** $25(\sqrt{3}-1)$

0133 오른쪽 그림과 같이 두 꼭짓점 A, D에서 $\overline{BC}$에 내린 수선의 발을 각각 H, H′이라 하면

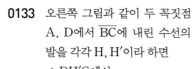

△DH′C에서

$\sin 60° = \dfrac{\overline{DH'}}{4} = \dfrac{\sqrt{3}}{2}$

$\therefore \overline{DH'} = 2\sqrt{3}$

$\cos 60° = \dfrac{\overline{CH'}}{4} = \dfrac{1}{2}$ $\therefore \overline{CH'} = 2$

이때 □ABCD는 등변사다리꼴이므로 $\overline{BH} = \overline{CH'} = 2$

$\therefore \overline{AD} = \overline{HH'} = 6 - (2+2) = 2$

$\therefore \square ABCD = \dfrac{1}{2} \times (2+6) \times 2\sqrt{3} = 8\sqrt{3}$ **답** $8\sqrt{3}$

0134 오른쪽 그림과 같이 꼭짓점 A에서 $\overline{BC}$에 내린 수선의 발을 M이라 하면 △ABM에서

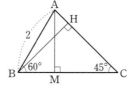

$\cos 60° = \dfrac{\overline{BM}}{2} = \dfrac{1}{2}$

$\therefore \overline{BM} = 1$

$\sin 60° = \dfrac{\overline{AM}}{2} = \dfrac{\sqrt{3}}{2}$ $\therefore \overline{AM} = \sqrt{3}$

△AMC에서

$\tan 45° = \dfrac{\sqrt{3}}{\overline{CM}} = 1$ $\therefore \overline{CM} = \sqrt{3}$

꼭짓점 B에서 $\overline{AC}$에 내린 수선의 발을 H라 하면

△BCH에서

$\sin 45° = \dfrac{\overline{BH}}{\overline{BC}} = \dfrac{\overline{BH}}{1+\sqrt{3}} = \dfrac{\sqrt{2}}{2}$ $\therefore \overline{BH} = \dfrac{\sqrt{2}+\sqrt{6}}{2}$

$\therefore \sin A = \dfrac{\overline{BH}}{\overline{AB}} = \dfrac{\frac{\sqrt{2}+\sqrt{6}}{2}}{2} = \dfrac{\sqrt{2}+\sqrt{6}}{4}$

답 $\dfrac{\sqrt{2}+\sqrt{6}}{4}$

0135 전략 △ABD에서 $\overline{AD}$의 길이를 구하고 △ADC에서 $\overline{CD}$, $\overline{AC}$의 길이를 구한다.

△ABD에서 $\angle BAD = 30° - 15° = 15°$

$\therefore \overline{AD} = \overline{BD} = 4$

△ADC에서

$\cos 30° = \dfrac{\overline{CD}}{4} = \dfrac{\sqrt{3}}{2}$ $\therefore \overline{CD} = 2\sqrt{3}$

$\sin 30° = \dfrac{\overline{AC}}{4} = \dfrac{1}{2}$ $\therefore \overline{AC} = 2$

$\therefore \tan 15° = \dfrac{\overline{AC}}{\overline{BC}} = \dfrac{2}{4+2\sqrt{3}}$

$= \dfrac{1}{2+\sqrt{3}} = \dfrac{2-\sqrt{3}}{(2+\sqrt{3})(2-\sqrt{3})}$

$= 2-\sqrt{3}$ **답** $2-\sqrt{3}$

0136 △DAB에서

$\cos 60° = \dfrac{1}{\overline{AD}} = \dfrac{1}{2}$ $\therefore \overline{AD} = 2$ (cm)

$\tan 60° = \dfrac{\overline{BD}}{1} = \sqrt{3}$ $\therefore \overline{BD} = \sqrt{3}$ (cm)

△DCA가 이등변삼각형이므로 $\overline{CD} = \overline{AD} = 2$ cm이고 $\angle ADB = 30°$이므로 $\angle DAC = \angle DCA = 15°$

따라서 $\angle CAB = 75°$이므로

$\tan 75° = \dfrac{\overline{BC}}{\overline{AB}} = \dfrac{2+\sqrt{3}}{1} = 2+\sqrt{3}$ **답** $2+\sqrt{3}$

0137 $\overline{CD} = a$라 하면 △ADC에서

$\tan 45° = \dfrac{\overline{AC}}{a} = 1$ $\therefore \overline{AC} = a$

$\cos 45° = \dfrac{a}{\overline{AD}} = \dfrac{\sqrt{2}}{2}$ $\therefore \overline{AD} = \sqrt{2}a$

이때 $\overline{BD} = \overline{AD} = \sqrt{2}a$이므로 $\angle DAB = \angle DBA = 22.5°$

$$\therefore \tan 22.5° = \frac{\overline{AC}}{\overline{BC}} = \frac{a}{\sqrt{2}a+a}$$

$$= \frac{1}{\sqrt{2}+1} = \frac{\sqrt{2}-1}{(\sqrt{2}+1)(\sqrt{2}-1)}$$

$$= \sqrt{2}-1 \qquad \text{답} \ \sqrt{2}-1$$

0138 <u>전략</u> 색칠한 부분의 넓이는 부채꼴의 넓이에서 삼각형의 넓이를 빼서 구한다.

$$\overparen{AB} = 2\pi \times \overline{OA} \times \frac{45}{360} = 4\pi$$

$$\frac{\overline{OA}}{4}\pi = 4\pi \qquad \therefore \overline{OA} = 16$$

△AOH에서

$$\sin 45° = \frac{\overline{AH}}{16} = \frac{\sqrt{2}}{2} \qquad \therefore \overline{AH} = 8\sqrt{2}$$

$$\cos 45° = \frac{\overline{OH}}{16} = \frac{\sqrt{2}}{2} \qquad \therefore \overline{OH} = 8\sqrt{2}$$

∴ (색칠한 부분의 넓이)

= (부채꼴 AOB의 넓이) − △AOH

$$= \pi \times 16^2 \times \frac{45}{360} - \frac{1}{2} \times 8\sqrt{2} \times 8\sqrt{2}$$

$$= 32\pi - 64 = 32(\pi-2) \qquad \text{답} \ 32(\pi-2)$$

0139 오른쪽 그림과 같이 $\overline{AE}$를 그으면 △ADE와 △AB′E에서 $\overline{AE}$는 공통, $\overline{AD}=\overline{AB'}$, $\angle ADE = \angle AB'E = 90°$이므로 △ADE ≡ △AB′E

(RHS 합동)

······ ㈎

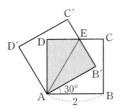

$$\therefore \angle EAD = \angle EAB' = \frac{1}{2}\angle DAB' = \frac{1}{2} \times 60° = 30°$$

이때 △AED에서

$$\tan 30° = \frac{\overline{DE}}{2} = \frac{\sqrt{3}}{3} \qquad \therefore \overline{DE} = \frac{2\sqrt{3}}{3}$$

$$\therefore \overline{B'E} = \overline{DE} = \frac{2\sqrt{3}}{3} \qquad \cdots\cdots \ ㈏$$

따라서 □AB′ED에 대하여

$$(둘레의 \ 길이) = 2+2+\frac{2\sqrt{3}}{3}+\frac{2\sqrt{3}}{3} = 4+\frac{4\sqrt{3}}{3}$$

$$(넓이) = 2 \times \left(\frac{1}{2} \times 2 \times \frac{2\sqrt{3}}{3}\right) = \frac{4\sqrt{3}}{3} \qquad \cdots\cdots \ ㈐$$

답 둘레의 길이 : $4+\dfrac{4\sqrt{3}}{3}$, 넓이 : $\dfrac{4\sqrt{3}}{3}$

채점 기준	비율
㈎ △ADE와 △AB′E가 합동임을 보이기	30 %
㈏ $\overline{DE}$, $\overline{B'E}$의 길이 구하기	30 %
㈐ □AB′ED의 둘레의 길이와 넓이 구하기	40 %

0140 △CFG에서

$$\cos 60° = \frac{6}{\overline{CF}} = \frac{1}{2} \qquad \therefore \overline{CF} = 12$$

$$\tan 60° = \frac{\overline{CG}}{6} = \sqrt{3} \qquad \therefore \overline{CG} = 6\sqrt{3}$$

△AEF에서

$$\tan 45° = \frac{6\sqrt{3}}{\overline{EF}} = 1 \qquad \therefore \overline{EF} = 6\sqrt{3}$$

$$\sin 45° = \frac{6\sqrt{3}}{\overline{AF}} = \frac{\sqrt{2}}{2} \qquad \therefore \overline{AF} = 6\sqrt{6}$$

오른쪽 그림과 같이 $\angle ACF$의 이등분선이 $\overline{AF}$와 만나는 점을 M이라 하면 △CAF는 $\overline{CA}=\overline{CF}$인 이등변삼각형이므로

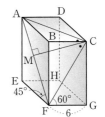

$$\overline{MF} = \frac{1}{2}\overline{AF} = \frac{1}{2} \times 6\sqrt{6} = 3\sqrt{6}$$

△CMF에서

$$\overline{CM} = \sqrt{12^2 - (3\sqrt{6})^2} = \sqrt{90} = 3\sqrt{10}$$

$$\therefore \cos\frac{x}{2} = \cos(\angle MCF) = \frac{\overline{CM}}{\overline{CF}} = \frac{3\sqrt{10}}{12} = \frac{\sqrt{10}}{4}$$

답 $\dfrac{\sqrt{10}}{4}$

STEP 3 내신 마스터   p.25 ~ p.27

0141 <u>전략</u> $\overline{AB}$의 길이를 구한 후 각각의 삼각비의 값을 구한다.

$$\overline{AB} = \sqrt{(\sqrt{10})^2 - 1^2} = \sqrt{9} = 3$$

$$④ \ \cos C = \frac{1}{\sqrt{10}} = \frac{\sqrt{10}}{10} \qquad \text{답} \ ④$$

0142 <u>전략</u> $\sin B = \dfrac{\overline{AC}}{\overline{AB}}$임을 이용하여 $\overline{AC}$의 길이를 구한다.

$\sin B = \dfrac{\overline{AC}}{8} = \dfrac{3}{4}$이므로 $\overline{AC} = 6 \ (cm)$

$$\therefore \overline{BC} = \sqrt{8^2 - 6^2} = \sqrt{28} = 2\sqrt{7} \ (cm) \qquad \text{답} \ ②$$

0143 <u>전략</u> 주어진 삼각비의 값을 갖는 직각삼각형을 그린다.

$\cos A = \dfrac{7}{9}$인 직각삼각형 ABC를 그리면 오른쪽 그림과 같다. ······ ㈎

이때 $\overline{BC} = \sqrt{9^2 - 7^2} = \sqrt{32} = 4\sqrt{2}$이므로

······ ㈏

$$\tan A - \sin A = \frac{4\sqrt{2}}{7} - \frac{4\sqrt{2}}{9}$$

$$= \frac{36\sqrt{2}}{63} - \frac{28\sqrt{2}}{63} = \frac{8\sqrt{2}}{63} \qquad \cdots\cdots \ ㈐$$

답 $\dfrac{8\sqrt{2}}{63}$

채점 기준	비율
㈎ 직각삼각형 ABC 그리기	30 %
㈏ $\overline{BC}$의 길이 구하기	20 %
㈐ $\tan A - \sin A$의 값 구하기	50 %

채점 기준	비율
㈎ $\angle ACB = x$, $\angle ABC = y$임을 보이기	40 %
㈏ $\overline{BC}$의 길이 구하기	20 %
㈐ $\sin x + \cos y$의 값 구하기	40 %

0144 전략 주어진 삼각비의 값을 갖는 직각삼각형을 그린다.

$\tan A = 2$인 직각삼각형 ABC를 그리면
오른쪽 그림과 같다.

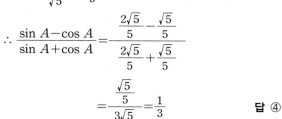

이때 $\overline{AC} = \sqrt{1^2 + 2^2} = \sqrt{5}$이므로

$\sin A = \dfrac{2}{\sqrt{5}} = \dfrac{2\sqrt{5}}{5}$,

$\cos A = \dfrac{1}{\sqrt{5}} = \dfrac{\sqrt{5}}{5}$

$\therefore \dfrac{\sin A - \cos A}{\sin A + \cos A} = \dfrac{\dfrac{2\sqrt{5}}{5} - \dfrac{\sqrt{5}}{5}}{\dfrac{2\sqrt{5}}{5} + \dfrac{\sqrt{5}}{5}}$

$= \dfrac{\dfrac{\sqrt{5}}{5}}{\dfrac{3\sqrt{5}}{5}} = \dfrac{1}{3}$ **답 ④**

0145 전략 △BED와 닮음인 삼각형을 찾아 x와 크기가 같은 각을 찾는다.

△BED와 △BAC에서

∠B는 공통,

∠BED = ∠BAC = 90°이므로

△BED ∽ △BAC (AA 닮음)

$\therefore \angle ACB = \angle EDB = x$

△ABC에서 $\overline{BC} = \sqrt{12^2 + 5^2} = \sqrt{169} = 13$

$\therefore \cos x = \cos C = \dfrac{5}{13}$ **답 ①**

0146 전략 닮음인 삼각형을 찾아 x, y와 크기가 같은 각을 각각 찾는다.

△ABC ∽ △HBA
(AA 닮음)이므로

∠ACB = ∠HAB = x

△ABC ∽ △HAC (AA 닮음)
이므로

∠ABC = ∠HAC = y ····· ㈎

이때 $\overline{BC} = \sqrt{6^2 + 8^2} = \sqrt{100} = 10$ (cm)이므로 ····· ㈏

$\sin x = \sin C = \dfrac{6}{10} = \dfrac{3}{5}$

$\cos y = \cos B = \dfrac{6}{10} = \dfrac{3}{5}$

$\therefore \sin x + \cos y = \dfrac{3}{5} + \dfrac{3}{5} = \dfrac{6}{5}$ ····· ㈐

답 $\dfrac{6}{5}$

Lecture

∠A = 90°인 직각삼각형 ABC에서
$\overline{AH} \perp \overline{BC}$일 때,

△ABC ∽ △HBA ∽ △HAC
(AA 닮음)

0147 전략 먼저 그래프가 x축, y축과 만나는 점의 좌표를 구한다.

$12x - 5y + 60 = 0$의 그래프가 x축, y축과 만나는 점을 각각 A, B라 하자.

$12x - 5y + 60 = 0$에 $y = 0$을 대입하면

$12x + 60 = 0$ $\therefore x = -5$

$\therefore A(-5, 0)$

$12x - 5y + 60 = 0$에 $x = 0$을 대입하면

$-5y + 60 = 0$ $\therefore y = 12$

$\therefore B(0, 12)$ ····· ㈎

△AOB에서

$\overline{AB} = \sqrt{5^2 + 12^2} = \sqrt{169} = 13$ ····· ㈏

$\therefore \sin \alpha + \cos \alpha = \dfrac{12}{13} + \dfrac{5}{13} = \dfrac{17}{13}$ ····· ㈐

답 $\dfrac{17}{13}$

채점 기준	비율
㈎ 그래프가 x축, y축과 만나는 점의 좌표 구하기	30 %
㈏ $\overline{AB}$의 길이 구하기	30 %
㈐ $\sin \alpha + \cos \alpha$의 값 구하기	40 %

0148 전략 $\overline{FH} = \sqrt{\overline{FG}^2 + \overline{GH}^2}$, $\overline{DF} = \sqrt{\overline{FH}^2 + \overline{DH}^2}$임을 이용하여 $\overline{FH}$, $\overline{DF}$의 길이를 각각 구한다.

$\overline{FH} = \sqrt{4^2 + 3^2} = \sqrt{25} = 5$ (cm)

$\overline{DF} = \sqrt{5^2 + 5^2} = \sqrt{50} = 5\sqrt{2}$ (cm)

$\therefore \cos x = \dfrac{\overline{FH}}{\overline{DF}} = \dfrac{5}{5\sqrt{2}} = \dfrac{\sqrt{2}}{2}$ **답 $\dfrac{\sqrt{2}}{2}$**

0149 전략 꼭짓점 A에서 $\overline{BC}$에 내린 수선의 발을 E라 할 때, △ABE에서 $\overline{BE}$, $\overline{AE}$의 길이를 각각 구하여 $\sin B$의 값을 구한다.

오른쪽 그림과 같이 두 꼭짓점 A, D에서 $\overline{BC}$에 내린 수선의 발을 각각 E, F라 하면

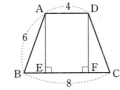

$\overline{EF}=\overline{AD}=4$

$\triangle ABE\equiv\triangle DCF$ (RHA 합동)

이므로

$\overline{BE}=\overline{CF}=\dfrac{1}{2}\times(8-4)=2$

따라서 $\triangle ABE$에서

$\overline{AE}=\sqrt{6^2-2^2}=\sqrt{32}=4\sqrt{2}$

$\therefore \sin B=\dfrac{\overline{AE}}{\overline{AB}}=\dfrac{4\sqrt{2}}{6}=\dfrac{2\sqrt{2}}{3}$ 답 $\dfrac{2\sqrt{2}}{3}$

0150 전략 특수한 각에 대한 삼각비의 값을 주어진 식에 대입한다.

$\sqrt{2}\sin 45°+\tan 60°\times\cos 30°-\tan 45°\times\sin 30°$

$=\sqrt{2}\times\dfrac{\sqrt{2}}{2}+\sqrt{3}\times\dfrac{\sqrt{3}}{2}-1\times\dfrac{1}{2}$

$=1+\dfrac{3}{2}-\dfrac{1}{2}=2$ 답 2

0151 전략 $\triangle ABC$에서 $\angle A+\angle B+\angle C=180°$이므로

$\angle A:\angle B:\angle C=a:b:c$이면 $\angle A=180°\times\dfrac{a}{a+b+c}$이다.

$\angle A:\angle B:\angle C=1:2:3$이므로

$\angle A=180°\times\dfrac{1}{1+2+3}=30°$

$\angle B=180°\times\dfrac{2}{1+2+3}=60°$

$\therefore \sin B+\tan A=\sin 60°+\tan 30°$

$=\dfrac{\sqrt{3}}{2}+\dfrac{\sqrt{3}}{3}=\dfrac{5\sqrt{3}}{6}$ 답 ①

0152 전략 $0°<A<90°$일 때, $\sin A=\dfrac{\sqrt{3}}{2}$이면 $A=60°$이다.

$\sin(x+15°)=\dfrac{\sqrt{3}}{2}$에서 $x+15°=60°$이므로

$x=45°$ ······ (가)

$\therefore \cos x-2\tan x=\cos 45°-2\tan 45°$

$=\dfrac{\sqrt{2}}{2}-2\times 1$

$=\dfrac{\sqrt{2}-4}{2}$ ······ (나)

답 $\dfrac{\sqrt{2}-4}{2}$

채점 기준	비율
(가) x의 값 구하기	50 %
(나) $\cos x-2\tan x$의 값 구하기	50 %

0153 전략 $\triangle ABC$에서 $\sin 30°=\dfrac{1}{2}$, $\cos 30°=\dfrac{\sqrt{3}}{2}$임을 이용한다.

$\triangle ABC$에서

$\sin 30°=\dfrac{\overline{AC}}{20}=\dfrac{1}{2}$ $\therefore \overline{AC}=10$ (cm)

$\cos 30°=\dfrac{\overline{BC}}{20}=\dfrac{\sqrt{3}}{2}$ $\therefore \overline{BC}=10\sqrt{3}$ (cm)

$\triangle ADC$에서

$\overline{DC}=\dfrac{1}{2}\overline{BC}=\dfrac{1}{2}\times 10\sqrt{3}=5\sqrt{3}$ (cm)

$\therefore \overline{AD}=\sqrt{(5\sqrt{3})^2+10^2}$

$=\sqrt{175}=5\sqrt{7}$ (cm) 답 $5\sqrt{7}$ cm

0154 전략 직선 $y=ax+b$가 x축의 양의 방향과 이루는 각의 크기가 a일 때, $\tan a=a$이다.

$\tan 60°=\sqrt{3}$이고 직선이 오른쪽 아래로 향하므로 주어진 직선의 기울기는 $-\sqrt{3}$이다.

x절편이 3이므로 $y=-\sqrt{3}x+b$에 $x=3, y=0$을 대입하면

$0=-3\sqrt{3}+b$ $\therefore b=3\sqrt{3}$

따라서 구하는 직선의 방정식은

$y=-\sqrt{3}x+3\sqrt{3}$, 즉 $\sqrt{3}x+y-3\sqrt{3}=0$ 답 ②

> **Lecture**
>
> 기울기가 a이고 y절편이 b인 직선의 방정식은 $y=ax+b$이다.

0155 전략 $\triangle AOH$에서 $\overline{OA}=1$임을 이용하여 주어진 선분을 삼각비의 값으로 나타낸다.

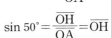

①,③ $\sin 40°=\dfrac{\overline{AH}}{\overline{OA}}=\overline{AH}$,

$\cos 50°=\dfrac{\overline{AH}}{\overline{OA}}=\overline{AH}$

②,④ $\cos 40°=\dfrac{\overline{OH}}{\overline{OA}}=\overline{OH}$,

$\sin 50°=\dfrac{\overline{OH}}{\overline{OA}}=\overline{OH}$

⑤ $\overline{BH}=\overline{OB}-\overline{OH}=1-\cos 40°=1-\sin 50°$ 답 ③

0156 전략 사분원에서 삼각비의 값을 나타낼 때는 분모 또는 분자를 1로 만드는 삼각형을 찾는다.

$\tan 36°+\cos 36°=\dfrac{\overline{CD}}{\overline{OC}}+\dfrac{\overline{OA}}{\overline{OB}}$

$=0.73+0.81=1.54$ 답 ③

0157 전략 특수한 각에 대한 삼각비의 값을 이용하여 주어진 식의 삼각비의 값을 구한다.

① $\sin 30°+\tan 0°=\dfrac{1}{2}+0=\dfrac{1}{2}$

② $\sin 60° + \cos 30° = \dfrac{\sqrt{3}}{2} + \dfrac{\sqrt{3}}{2} = \sqrt{3}$

③ $\tan 45° \div \cos 45° = 1 \div \dfrac{\sqrt{2}}{2} = \sqrt{2}$

④ $\sin 60° \times \sin 0° + \cos 30° \times \cos 0°$
$= \dfrac{\sqrt{3}}{2} \times 0 + \dfrac{\sqrt{3}}{2} \times 1 = \dfrac{\sqrt{3}}{2}$

⑤ $\sin 90° \times \cos 60° - \cos 90° \times \tan 60°$
$= 1 \times \dfrac{1}{2} - 0 \times \sqrt{3} = \dfrac{1}{2}$

따라서 옳은 것은 ③, ⑤이다. **답** ③, ⑤

0158 전략 $\angle x$의 크기가 90°에 가까워질수록 $\sin x$는 1, $\cos x$는 0에 각각 가까워지고 $\tan x$는 무한히 커진다.

㉠ $\sin 10° < \sin 30° = \dfrac{1}{2}$

㉡ $\cos 60° = \dfrac{1}{2}$

㉢ $\tan 45° = 1$

㉣ $\sin 30° < \sin 70° < \sin 90°$, 즉 $\dfrac{1}{2} < \sin 70° < 1$

㉤ $\tan 60° = \sqrt{3}$

$\therefore$ ㉠$<$㉡$<$㉣$<$㉢$<$㉤ **답** ②

0159 전략 $0° < A < 90°$일 때, $0 < \cos A < 1$이므로 $\cos A - 1, 1 + \cos A$의 값의 부호를 알 수 있다.

$0° < A < 90°$일 때, $0 < \cos A < 1$이므로
$\cos A - 1 < 0, 1 + \cos A > 0$
$\therefore \sqrt{(\cos A - 1)^2} + \sqrt{(1 + \cos A)^2}$
$= -(\cos A - 1) + (1 + \cos A)$
$= -\cos A + 1 + 1 + \cos A$
$= 2$ **답** 2

0160 전략 비탈길의 경사각을 x라 하면 $\sin x = \dfrac{45}{200}$이다.

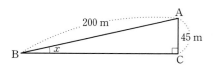

위의 그림에서 $\angle ABC = x$라 하면
$\sin x = \dfrac{\overline{AC}}{\overline{AB}} = \dfrac{45}{200} = 0.225$
주어진 삼각비의 표에서 $\sin 13° = 0.2250$이므로
$x = 13°$
따라서 비탈길의 경사각은 13°이다. **답** 13°

2 삼각비의 활용

STEP 1 개념 마스터　　　p.30 ~ p.32

0161 답 $c \sin A$

0162 답 $\dfrac{b}{c}, c \cos A$

0163 답 $\dfrac{a}{b}, b \tan A$

0164 답 $c \sin B$

0165 답 $\dfrac{a}{c}, c \cos B$

0166 답 $\dfrac{b}{a}, a \tan B$

0167 $\cos 60° = \dfrac{x}{6}$이므로

$x = 6 \cos 60° = 6 \times \dfrac{1}{2} = 3$

$\sin 60° = \dfrac{y}{6}$이므로

$y = 6 \sin 60° = 6 \times \dfrac{\sqrt{3}}{2} = 3\sqrt{3}$　　　답 $6, 3, 6, 3\sqrt{3}$

0168 $\sin 45° = \dfrac{7}{x}$이므로

$x = \dfrac{7}{\sin 45°} = 7 \div \dfrac{\sqrt{2}}{2} = 7 \times \dfrac{2}{\sqrt{2}} = 7\sqrt{2}$

$\tan 45° = \dfrac{7}{y}$이므로

$y = \dfrac{7}{\tan 45°} = \dfrac{7}{1} = 7$　　　답 $7, 7\sqrt{2}, 7, 7$

0169 $\cos 37° = \dfrac{8}{x}$이므로 $x = \dfrac{8}{\cos 37°}$

$\tan 37° = \dfrac{y}{8}$이므로 $y = 8 \tan 37°$

답 $x = \dfrac{8}{\cos 37°}, y = 8 \tan 37°$

0170 $\sin 23° = \dfrac{4}{x}$이므로 $x = \dfrac{4}{\sin 23°}$

$\tan 23° = \dfrac{4}{y}$이므로 $y = \dfrac{4}{\tan 23°}$

답 $x = \dfrac{4}{\sin 23°}, y = \dfrac{4}{\tan 23°}$

0171 $x = 10 \cos 35° = 10 \times 0.82 = 8.2$

$y = 10 \sin 35° = 10 \times 0.57 = 5.7$　　　답 $x = 8.2, y = 5.7$

0172 $x = 5 \cos 40° = 5 \times 0.77 = 3.85$

$y = 5 \sin 40° = 5 \times 0.64 = 3.2$　　　답 $x = 3.85, y = 3.2$

0173 $\overline{CH} = 4 \cos 60° = 4 \times \dfrac{1}{2} = 2$　　　답 2

0174 $\overline{AH} = 4 \sin 60° = 4 \times \dfrac{\sqrt{3}}{2} = 2\sqrt{3}$　　　답 $2\sqrt{3}$

0175 $\overline{BH} = \overline{BC} - \overline{CH} = 6 - 2 = 4$　　　답 4

0176 $\triangle ABH$에서 $\overline{AB} = \sqrt{4^2 + (2\sqrt{3})^2} = \sqrt{28} = 2\sqrt{7}$　　　답 $2\sqrt{7}$

0177 $\overline{CH} = 10 \sin 60° = 10 \times \dfrac{\sqrt{3}}{2} = 5\sqrt{3}$　　　답 $5\sqrt{3}$

0178 $\angle A = 180° - (60° + 75°) = 45°$이므로

$\overline{AC} = \dfrac{\overline{CH}}{\sin 45°} = 5\sqrt{3} \div \dfrac{\sqrt{2}}{2} = 5\sqrt{6}$　　　답 $5\sqrt{6}$

0179 $\angle BAH = 55°$이므로

$\overline{BH} = h \tan 55°$　　　답 $\overline{BH} = h \tan 55°$

0180 $\angle CAH = 20°$이므로

$\overline{CH} = h \tan 20°$　　　답 $\overline{CH} = h \tan 20°$

0181 $\overline{BC} = \overline{BH} + \overline{CH}$에서

$8 = h \tan 55° + h \tan 20°$

$= h(\tan 55° + \tan 20°)$

$\therefore h = \dfrac{8}{\tan 55° + \tan 20°}$　　　답 $h = \dfrac{8}{\tan 55° + \tan 20°}$

0182 $\angle BAH = 40°$이므로

$\overline{BH} = h \tan 40°$　　　답 $\overline{BH} = h \tan 40°$

0183 $\angle CAH = 20°$이므로

$\overline{CH} = h \tan 20°$　　　답 $\overline{CH} = h \tan 20°$

0184 $\overline{BC} = \overline{BH} - \overline{CH}$에서

$10 = h \tan 40° - h \tan 20°$

$= h(\tan 40° - \tan 20°)$

$\therefore h = \dfrac{10}{\tan 40° - \tan 20°}$　　　답 $h = \dfrac{10}{\tan 40° - \tan 20°}$

0185 [전략] 한 변의 길이 10과 한 예각의 크기 $50°$(또는 $40°$)에 대한 삼각비를 이용하여 $\overline{AB}$의 길이를 구한다.

$\sin 50° = \dfrac{10}{\overline{AB}}$에서 $\overline{AB} = \dfrac{10}{\sin 50°}$

$\cos 40° = \dfrac{10}{\overline{AB}}$에서 $\overline{AB} = \dfrac{10}{\cos 40°}$

따라서 $\overline{AB}$의 길이를 나타내는 것은 ③, ④이다.   **답** ③, ④

0186 $\overline{BC} = 8 \tan 64° = 8 \times 2.05 = 16.4$ **답** 16.4

0187 $\overline{AC} = 12 \sin 42° = 12 \times 0.67 = 8.04$ (cm)   **답** 8.04 cm

0188 [전략] $\triangle DFH$는 $\angle DHF = 90°$, $\angle DFH = 60°$, $\overline{FH} = 5$ cm인 직각삼각형이다.

$\overline{FH} = \sqrt{4^2 + 3^2} = \sqrt{25} = 5$ (cm)

$\cos 60° = \dfrac{5}{\overline{DF}}$에서

$\overline{DF} = \dfrac{5}{\cos 60°} = 5 \div \dfrac{1}{2}$

$\quad\quad = 5 \times 2 = 10$ (cm)   **답** 10 cm

0189 $\overline{AO} = 6 \sin 45° = 6 \times \dfrac{\sqrt{2}}{2} = 3\sqrt{2}$ (cm)   ……㈎

$\overline{BO} = 6 \cos 45° = 6 \times \dfrac{\sqrt{2}}{2} = 3\sqrt{2}$ (cm)   ……㈏

따라서 원뿔의 부피는

$\dfrac{1}{3} \times \pi \times (3\sqrt{2})^2 \times 3\sqrt{2} = 18\sqrt{2}\pi$ (cm³)   ……㈐

답 $18\sqrt{2}\pi$ cm³

채점 기준	비율
㈎ $\overline{AO}$의 길이 구하기	30 %
㈏ $\overline{BO}$의 길이 구하기	30 %
㈐ 원뿔의 부피 구하기	40 %

0190 $\overline{AC} = 8 \sin 30° = 8 \times \dfrac{1}{2} = 4$ (cm)

$\overline{BC} = 8 \cos 30° = 8 \times \dfrac{\sqrt{3}}{2} = 4\sqrt{3}$ (cm)

따라서 삼각기둥의 겉넓이는

$2 \times \left(\dfrac{1}{2} \times 4\sqrt{3} \times 4 \right) + (8 + 4\sqrt{3} + 4) \times 10$

$= 16\sqrt{3} + 120 + 40\sqrt{3}$

$= 56\sqrt{3} + 120$ (cm²)   **답** $(56\sqrt{3} + 120)$ cm²

0191 [전략] 나무의 높이는 $\overline{CH} = \overline{BC} + \overline{BH}$임을 이용한다.

$\overline{BC} = 10 \tan 40° = 10 \times 0.84 = 8.4$ (m)

$\therefore$ (나무의 높이) $= \overline{BC} + \overline{BH}$

$\quad\quad = 8.4 + 1.7 = 10.1$ (m)   **답** 10.1 m

0192 (탑의 높이) $= 20 \tan 25° = 20 \times 0.47 = 9.4$ (m)

답 9.4 m

0193 $x = 80 \tan(90° - 35°) = 80 \tan 55°$

$\quad = 80 \times 1.43 = 114.4$ **답** 114.4

0194 $\overline{AB} = 10 \cos 50° = 10 \times 0.6428 = 6.428$ (m)

$\overline{BC} = 10 \sin 50° = 10 \times 0.7660 = 7.660$ (m)

$\therefore$ (나무의 높이) $= \overline{AB} + \overline{BC}$

$\quad\quad = 6.428 + 7.660 = 14.088$ (m)

답 14.088 m

0195 $\triangle ADB$에서

$\overline{BD} = 4 \tan 60° = 4 \times \sqrt{3} = 4\sqrt{3}$ (m)

$\triangle ADC$에서

$\overline{CD} = 4 \tan 45° = 4 \times 1 = 4$ (m)

$\therefore$ (나무의 높이) $= \overline{BD} - \overline{CD}$

$\quad\quad = 4\sqrt{3} - 4 = 4(\sqrt{3} - 1)$ (m)

답 $4(\sqrt{3} - 1)$ m

0196 $\overline{DC} = \overline{AB} = 10\sqrt{3}$ m

$\triangle BCD$에서

$\overline{BC} = 10\sqrt{3} \tan 45° = 10\sqrt{3}$ (m)

$\triangle DCE$에서

$\overline{EC} = 10\sqrt{3} \tan 30° = 10\sqrt{3} \times \dfrac{\sqrt{3}}{3} = 10$ (m)

$\therefore$ (은행의 높이) $= \overline{BC} + \overline{EC}$

$\quad\quad = 10\sqrt{3} + 10 = 10(\sqrt{3} + 1)$ (m)

답 $10(\sqrt{3} + 1)$ m

0197 $\triangle ABH$에서

$\overline{AH} = 100 \sin 30° = 100 \times \dfrac{1}{2} = 50$ (m)

$\triangle AHC$에서

$\overline{CH} = 50 \tan 45° = 50 \times 1 = 50$ (m)   **답** 50 m

0198 오른쪽 그림과 같이 점 B에서 $\overline{OA}$에 내린 수선의 발을 H라 하면

$\overline{OH} = 30 \cos 30°$

$\quad = 30 \times \dfrac{\sqrt{3}}{2}$

$\quad = 15\sqrt{3}$ (cm)

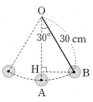

0239 오른쪽 그림과 같이 정육각형은 6개의 합동인 정삼각형으로 나누어지므로 (정육각형의 넓이)

$$= 6 \times \left(\frac{1}{2} \times 4 \times 4 \times \sin 60° \right)$$
$$= 6 \times \left(\frac{1}{2} \times 4 \times 4 \times \frac{\sqrt{3}}{2} \right)$$
$$= 24\sqrt{3}$$

답 $24\sqrt{3}$

0240 오른쪽 그림과 같이 정육각형은 6개의 합동인 정삼각형으로 나누어지므로 (정육각형의 넓이)

$$= 6 \times \left(\frac{1}{2} \times 6 \times 6 \times \sin 60° \right)$$
$$= 6 \times \left(\frac{1}{2} \times 6 \times 6 \times \frac{\sqrt{3}}{2} \right)$$
$$= 54\sqrt{3}$$

답 $54\sqrt{3}$

0241 오른쪽 그림과 같이 정팔각형은 8개의 합동인 이등변삼각형으로 나누어지므로 원의 반지름의 길이를 x cm라 하면 (정팔각형의 넓이)

$$= 8 \times \left(\frac{1}{2} \times x \times x \times \sin 45° \right) = 32\sqrt{2}$$
$$8 \times \left(\frac{1}{2} \times x \times x \times \frac{\sqrt{2}}{2} \right) = 32\sqrt{2}$$
$$2\sqrt{2} x^2 = 32\sqrt{2}, \ x^2 = 16 \qquad \therefore x = 4 \ (\because x > 0)$$

따라서 원의 반지름의 길이는 4 cm이다.   **답** 4 cm

0242 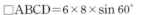전략 □ABCD $= \overline{AB} \times \overline{BC} \times \sin B$임을 이용한다.

$\square ABCD = 6 \times 8 \times \sin 60°$
$$= 6 \times 8 \times \frac{\sqrt{3}}{2} = 24\sqrt{3} \ (\text{cm}^2)$$

답 $24\sqrt{3}$ cm²

0243 $\square ABCD = 5\sqrt{3} \times \overline{AB} \times \sin(180° - 120°) = 30$에서

$$5\sqrt{3} \times \overline{AB} \times \frac{\sqrt{3}}{2} = 30, \ \frac{15}{2}\overline{AB} = 30$$
$$\therefore \overline{AB} = 4$$

답 4

0244 $\square ABCD = \overline{AB} \times \overline{BC} \times \sin 45° = 50\sqrt{2}$에서

$\overline{AB} = \overline{BC}$이므로

$$\overline{AB}^2 \times \frac{\sqrt{2}}{2} = 50\sqrt{2}, \ \overline{AB}^2 = 100$$
$$\therefore \overline{AB} = 10 \ (\text{cm}) \ (\because \overline{AB} > 0)$$

따라서 마름모 ABCD의 둘레의 길이는

$4 \times 10 = 40 \ (\text{cm})$ **답** 40 cm

0245 전략 등변사다리꼴의 두 대각선의 길이는 같음을 이용한다.

등변사다리꼴의 두 대각선의 길이는 같으므로 $\overline{AC} = \overline{BD}$

$\square ABCD = \frac{1}{2} \times \overline{AC}^2 \times \sin(180° - 135°) = 20\sqrt{2}$에서

$$\frac{1}{2} \times \overline{AC}^2 \times \frac{\sqrt{2}}{2} = 20\sqrt{2}$$
$$\overline{AC}^2 = 80 \qquad \therefore \overline{AC} = 4\sqrt{5} \ (\because \overline{AC} > 0)$$

답 $4\sqrt{5}$

0246 $\triangle BCO$에서 $\angle BOC = 180° - (40° + 80°) = 60°$

$$\therefore \square ABCD = \frac{1}{2} \times 9 \times 12 \times \sin 60°$$
$$= \frac{1}{2} \times 9 \times 12 \times \frac{\sqrt{3}}{2}$$
$$= 27\sqrt{3} \ (\text{cm}^2)$$

답 $27\sqrt{3}$ cm²

0247 $\triangle ABC$에서

$\overline{AC} = \sqrt{6^2 + 8^2} = \sqrt{100} = 10 \ (\text{cm})$ ······ ㈎

$$\therefore \square ABCD = \frac{1}{2} \times 10 \times 16 \times \sin 45°$$ ······ ㈏
$$= \frac{1}{2} \times 10 \times 16 \times \frac{\sqrt{2}}{2}$$
$$= 40\sqrt{2} \ (\text{cm}^2)$$ ······ ㈐

답 $40\sqrt{2}$ cm²

채점 기준	비율
㈎ $\overline{AC}$의 길이 구하기	30 %
㈏ □ABCD의 넓이 구하는 식 세우기	40 %
㈐ □ABCD의 넓이 구하기	30 %

0248 전략 $\triangle AMN = \square ABCD - (\triangle ABM + \triangle AND + \triangle NMC)$임을 이용한다.

오른쪽 그림과 같이 $\overline{AC}$를 그으면

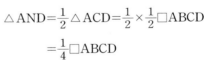

$$\triangle ABM = \frac{1}{2} \triangle ABC$$
$$= \frac{1}{2} \times \frac{1}{2} \square ABCD$$
$$= \frac{1}{4} \square ABCD$$

$$\triangle AND = \frac{1}{2} \triangle ACD = \frac{1}{2} \times \frac{1}{2} \square ABCD$$
$$= \frac{1}{4} \square ABCD$$

$\overline{DM}$을 그으면

$$\triangle NMC = \frac{1}{2} \triangle DMC = \frac{1}{2} \times \frac{1}{4} \square ABCD$$
$$= \frac{1}{8} \square ABCD$$

$$\therefore \triangle AMN$$
$$= \square ABCD - (\triangle ABM + \triangle AND + \triangle NMC)$$
$$= \square ABCD$$
$$- \left(\frac{1}{4}\square ABCD + \frac{1}{4}\square ABCD + \frac{1}{8}\square ABCD \right)$$
$$= \frac{3}{8}\square ABCD = \frac{3}{8} \times 10 \times 6 \times \sin 60°$$
$$= \frac{3}{8} \times 10 \times 6 \times \frac{\sqrt{3}}{2} = \frac{45\sqrt{3}}{4} \ (\text{cm}^2) \quad \text{답} \ \frac{45\sqrt{3}}{4} \ \text{cm}^2$$

0249 △ABD는 직각이등변삼각형이므로 ∠DAB=45°이고
$$\overline{AB} = 2\sqrt{2}\cos 45° = 2\sqrt{2} \times \frac{\sqrt{2}}{2} = 2$$
$$\therefore \overline{AB} = \overline{BD} = \overline{DC} = 2$$
이때 ∠ADC=135°이므로
$$\triangle ADC = \frac{1}{2} \times 2\sqrt{2} \times 2 \times \sin(180° - 135°)$$
$$= \frac{1}{2} \times 2\sqrt{2} \times 2 \times \frac{\sqrt{2}}{2} = 2$$

오른쪽 그림과 같이 점 D에서 $\overline{AC}$에
내린 수선의 발을 H라 하면 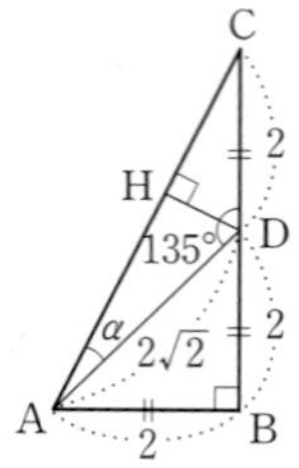
$$\triangle ADC = \frac{1}{2} \times \overline{AC} \times \overline{DH} = 2$$
이때 $\overline{AC} = \sqrt{2^2 + 4^2} = \sqrt{20} = 2\sqrt{5}$이므
로
$$\frac{1}{2} \times 2\sqrt{5} \times \overline{DH} = 2$$
$$\therefore \overline{DH} = \frac{2\sqrt{5}}{5}$$
△ADH에서
$$\overline{AH} = \sqrt{(2\sqrt{2})^2 - \left(\frac{2\sqrt{5}}{5}\right)^2} = \sqrt{\frac{36}{5}} = \frac{6\sqrt{5}}{5}$$
$$\therefore \cos a = \frac{\overline{AH}}{\overline{AD}} = \frac{6\sqrt{5}}{5} \div 2\sqrt{2}$$
$$= \frac{6\sqrt{5}}{5} \times \frac{1}{2\sqrt{2}} = \frac{3\sqrt{10}}{10} \qquad \text{답} \ \frac{3\sqrt{10}}{10}$$

0250 오른쪽 그림에서 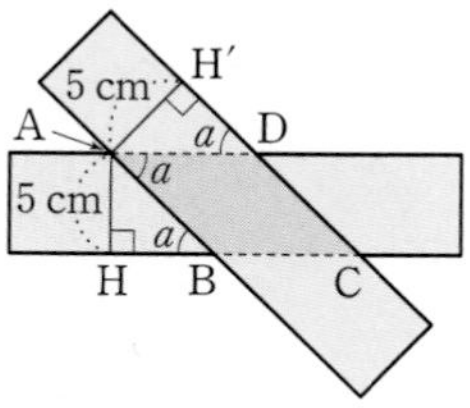
$\overline{AD}/\!/\overline{BC}$, $\overline{AB}/\!/\overline{DC}$이므로
□ABCD는 평행사변형이고
$$\angle ABH = \angle DAB$$
$$= \angle ADH' = a$$
△AHB에서 $\overline{AB} = \dfrac{5}{\sin a}$ (cm)
△ADH'에서 $\overline{AD} = \dfrac{5}{\sin a}$ (cm)
$$\therefore \square ABCD = \overline{AB} \times \overline{AD} \times \sin a$$
$$= \frac{5}{\sin a} \times \frac{5}{\sin a} \times \sin a$$
$$= \frac{25}{\sin a} \ (\text{cm}^2) \qquad \text{답} \ \frac{25}{\sin a} \ \text{cm}^2$$

0251 전략 $\cos 58° = \dfrac{\overline{BC}}{\overline{AB}}$이다.
$$\cos 58° = \frac{9}{\overline{AB}}$$이므로 $\overline{AB} = \frac{9}{\cos 58°}$ 답 ⑤

0252 전략 ∠APB=90°임을 이용하여 $\overline{AP}$의 길이를 구한다.
(1) $\overline{AP} = \overline{AB}\cos 30° = 8 \times \dfrac{\sqrt{3}}{2} = 4\sqrt{3}$ (cm)
$$\therefore \overline{PR} = \overline{AP}\sin 30° = 4\sqrt{3} \times \frac{1}{2} = 2\sqrt{3} \ (\text{cm})$$
(2) $\overline{AR} = \overline{AP}\cos 30° = 4\sqrt{3} \times \dfrac{\sqrt{3}}{2} = 6$ (cm)
$$\therefore \overline{RB} = \overline{AB} - \overline{AR} = 8 - 6 = 2 \ (\text{cm})$$
(3) $\square PRBQ = \overline{PR} \times \overline{RB} = 2\sqrt{3} \times 2 = 4\sqrt{3}$ (cm²)
    답 (1) $2\sqrt{3}$ cm   (2) 2 cm   (3) $4\sqrt{3}$ cm²

0253 전략 사람의 눈높이가 1.5 m이므로 나무의 높이는
$(\overline{BC} + 1.5)$ m이다.
$$\overline{BC} = 10\tan 35° = 10 \times 0.7002 = 7.002 \ (\text{m})$$
$$\therefore (\text{나무의 높이}) = 7.002 + 1.5 = 8.502 \ (\text{m}) \quad \text{답} \ 8.502 \ \text{m}$$

0254 전략 $\overline{AB} = \overline{AD} + \overline{BD}$이므로 △CAD, △BCD에서 삼각비
를 이용하여 $\overline{AD}$, $\overline{BD}$의 길이를 각각 구한다.
△CAD에서 ∠CAD=60°이므로
$$\overline{AD} = 6\cos 60° = 6 \times \frac{1}{2} = 3 \ (\text{m})$$
$$\overline{CD} = 6\sin 60° = 6 \times \frac{\sqrt{3}}{2} = 3\sqrt{3} \ (\text{m}) \qquad \cdots\cdots \text{㉮}$$
△BCD에서
$$\overline{BD} = 3\sqrt{3}\tan 45° = 3\sqrt{3} \times 1 = 3\sqrt{3} \ (\text{m}) \qquad \cdots\cdots \text{㉯}$$
$$\therefore \overline{AB} = \overline{AD} + \overline{BD}$$
$$= 3 + 3\sqrt{3} = 3(1 + \sqrt{3}) \ (\text{m}) \qquad \cdots\cdots \text{㉰}$$
    답 $3(1 + \sqrt{3})$ m

채점 기준	비율
㉮ $\overline{AD}$, $\overline{CD}$의 길이 구하기	50 %
㉯ $\overline{BD}$의 길이 구하기	30 %
㉰ $\overline{AB}$의 길이 구하기	20 %

0255 전략 삼각비를 이용하여 $\overline{AD}$, $\overline{CD}$의 길이를 구하고 피타고라
스 정리를 이용하여 $\overline{AB}$의 길이를 구한다.
△ADC에서
$$\overline{AD} = 4\sin 60° = 4 \times \frac{\sqrt{3}}{2} = 2\sqrt{3} \ (\text{cm})$$
$$\overline{CD} = 4\cos 60° = 4 \times \frac{1}{2} = 2 \ (\text{cm})$$

$$\therefore \overline{BD}=\overline{BC}-\overline{CD}=5-2=3\ (cm)$$

$\triangle ABD$에서 $\overline{AB}=\sqrt{3^2+(2\sqrt{3})^2}=\sqrt{21}\ (cm)$ **답 ④**

0256 **전략** 보조선을 그어 특수한 각을 한 내각으로 하는 직각삼각형을 만든다.

오른쪽 그림과 같이 꼭짓점 B에서 $\overline{AC}$에 내린 수선의 발을 H라 하면 $\angle C=60°$이므로

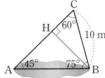

$$\overline{BH}=10\sin 60°$$
$$=10\times\frac{\sqrt{3}}{2}=5\sqrt{3}\ (m)$$

$$\therefore \overline{AB}=\frac{5\sqrt{3}}{\sin 45°}=5\sqrt{3}\times\frac{2}{\sqrt{2}}=5\sqrt{6}\ (m)$$ **답** $5\sqrt{6}$ m

0257 **전략** (거리)=(속력)×(시간)임을 이용하여 $\overline{OP}$, $\overline{OQ}$의 길이를 구한다.

(1) $\overline{OP}=6\times 2=12\ (km)$, $\overline{OQ}=8\times 2=16\ (km)$

(2) 오른쪽 그림에서

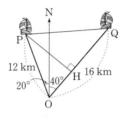

$$\overline{OH}=12\cos 60°$$
$$=12\times\frac{1}{2}=6\ (km)$$

$$\overline{PH}=12\sin 60°$$
$$=12\times\frac{\sqrt{3}}{2}=6\sqrt{3}\ (km)$$

$$\overline{HQ}=\overline{OQ}-\overline{OH}=16-6=10\ (km)$$

(3) $\triangle PHQ$에서

$$\overline{PQ}=\sqrt{(6\sqrt{3})^2+10^2}=\sqrt{208}=4\sqrt{13}\ (km)$$

답 (1) $\overline{OP}=12$ km, $\overline{OQ}=16$ km

(2) $\overline{PH}=6\sqrt{3}$ km, $\overline{HQ}=10$ km

(3) $4\sqrt{13}$ km

0258 **전략** 인공위성에서 지면에 수선을 그어 삼각비를 이용한다.

오른쪽 그림과 같이 점 P에서 지면에 내린 수선의 발을 H라 하고 $\overline{PH}=h$ km라 하면

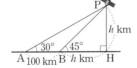

$\angle BPH=45°$이므로

$$\overline{BH}=h\tan 45°=h\ (km)$$

$\angle APH=60°$이므로

$$\overline{AH}=h\tan 60°=\sqrt{3}h\ (km)$$

$\overline{AB}=\overline{AH}-\overline{BH}$이므로

$$\sqrt{3}h-h=100, (\sqrt{3}-1)h=100$$

$$\therefore h=\frac{100}{\sqrt{3}-1}=50(\sqrt{3}+1)$$

$$\therefore \overline{AP}=\frac{h}{\sin 30°}=h\div\frac{1}{2}$$
$$=2h=100(\sqrt{3}+1)\ (km)$$ **답** $100(\sqrt{3}+1)$ km

0259 **전략** $\angle B$가 예각이므로 $\triangle ABC=\frac{1}{2}\times\overline{AB}\times\overline{BC}\times\sin B$이다.

$\triangle ABC=\frac{1}{2}\times 8\times 10\times\sin B=20\sqrt{3}$에서

$$40\sin B=20\sqrt{3}, \sin B=\frac{\sqrt{3}}{2}$$

$$\therefore \angle B=60°$$ **답** $60°$

Lecture

(1) $\angle B$가 예각인 경우

$\sin B=\frac{\sqrt{3}}{2}$에서 $\angle B=60°$

(2) $\angle B$가 둔각인 경우

$\sin(180°-B)=\frac{\sqrt{3}}{2}$에서 $180°-\angle B=60°$

$$\therefore \angle B=120°$$

0260 **전략** $\triangle ABC=60\sqrt{3}\ cm^2$임을 이용하여 $\overline{AB}$의 길이를 구한다.

$\triangle ABC=\frac{1}{2}\times\overline{AB}\times 20\times\sin 60°=60\sqrt{3}$에서

$$\frac{1}{2}\times\overline{AB}\times 20\times\frac{\sqrt{3}}{2}=60\sqrt{3}$$

$$5\sqrt{3}\times\overline{AB}=60\sqrt{3} \quad\therefore \overline{AB}=12\ (cm)$$

오른쪽 그림과 같이 꼭짓점 A에서 $\overline{BC}$에 내린 수선의 발을 H라 하면

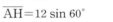

$$\overline{AH}=12\sin 60°$$
$$=12\times\frac{\sqrt{3}}{2}=6\sqrt{3}\ (cm)$$

$$\overline{BH}=12\cos 60°=12\times\frac{1}{2}=6\ (cm)$$

$$\therefore \overline{CH}=\overline{BC}-\overline{BH}=20-6=14\ (cm)$$

$\triangle AHC$에서

$$\overline{AC}=\sqrt{(6\sqrt{3})^2+14^2}=\sqrt{304}=4\sqrt{19}\ (cm)$$ **답** $4\sqrt{19}$ cm

0261 **전략** 평행선의 성질을 이용하여 $\triangle ACD$와 넓이가 같은 삼각형을 찾는다.

$\overline{AC}\parallel\overline{DE}$이므로 $\triangle ACD=\triangle ACE$ ······ ㈎

$$\therefore \square ABCD=\triangle ABC+\triangle ACD$$
$$=\triangle ABC+\triangle ACE$$
$$=\triangle ABE$$
$$=\frac{1}{2}\times 5\times 8\times\sin 60°$$
$$=\frac{1}{2}\times 5\times 8\times\frac{\sqrt{3}}{2}$$
$$=10\sqrt{3}\ (cm^2)$$ ······ ㈏

답 $10\sqrt{3}$ cm²

채점 기준	비율
㈎ $\triangle ACD=\triangle ACE$임을 알기	30 %
㈏ $\square ABCD$의 넓이 구하기	70 %

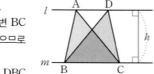

0262 전략 $\triangle ABC = \triangle ABD + \triangle ADC$임을 이용한다.

$\triangle ABC = \triangle ABD + \triangle ADC$

이므로

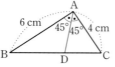

$\dfrac{1}{2} \times 6 \times 4$

$= \dfrac{1}{2} \times 6 \times \overline{AD} \times \sin 45° + \dfrac{1}{2} \times \overline{AD} \times 4 \times \sin 45°$

$12 = \dfrac{1}{2} \times 6 \times \overline{AD} \times \dfrac{\sqrt{2}}{2} + \dfrac{1}{2} \times \overline{AD} \times 4 \times \dfrac{\sqrt{2}}{2}$

$12 = \dfrac{3\sqrt{2}}{2}\overline{AD} + \sqrt{2}\,\overline{AD}$

$12 = \dfrac{5\sqrt{2}}{2}\overline{AD}$

$\therefore \overline{AD} = 12 \times \dfrac{2}{5\sqrt{2}} = \dfrac{12\sqrt{2}}{5}$ (cm) **답** $\dfrac{12\sqrt{2}}{5}$ cm

0263 전략 $\angle B$가 둔각이므로

$\triangle ABC = \dfrac{1}{2} \times \overline{AB} \times \overline{BC} \times \sin(180° - B)$이다.

$\triangle ABC = \dfrac{1}{2} \times x \times 4 \times \sin(180° - 120°) = 6$에서

$\dfrac{1}{2} \times x \times 4 \times \dfrac{\sqrt{3}}{2} = 6$

$\sqrt{3}x = 6$ $\therefore x = 2\sqrt{3}$ **답** $2\sqrt{3}$

0264 전략 $\square ABCD$를 2개의 삼각형으로 나누어 넓이를 구한다.

오른쪽 그림과 같이 $\overline{BD}$를 그으면

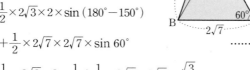

$\square ABCD$

$= \triangle ABD + \triangle BCD$ ······ ㈎

$= \dfrac{1}{2} \times 2\sqrt{3} \times 2 \times \sin(180° - 150°)$

$\quad + \dfrac{1}{2} \times 2\sqrt{7} \times 2\sqrt{7} \times \sin 60°$ ······ ㈏

$= \dfrac{1}{2} \times 2\sqrt{3} \times 2 \times \dfrac{1}{2} + \dfrac{1}{2} \times 2\sqrt{7} \times 2\sqrt{7} \times \dfrac{\sqrt{3}}{2}$

$= \sqrt{3} + 7\sqrt{3} = 8\sqrt{3}$ ······ ㈐

답 $8\sqrt{3}$

채점 기준	비율
㈎ $\square ABCD$를 2개의 삼각형으로 나누기	30 %
㈏ $\square ABCD$의 넓이 구하는 식 세우기	40 %
㈐ $\square ABCD$의 넓이 구하기	30 %

0265 전략 정팔각형은 8개의 합동인 이등변삼각형으로 나눌 수 있다.

오른쪽 그림과 같이 정팔각형은 8개
의 합동인 이등변삼각형으로 나누어
지므로

(정팔각형의 넓이)

$= 8 \times \left(\dfrac{1}{2} \times 8 \times 8 \times \sin 45° \right)$

$= 8 \times \left(\dfrac{1}{2} \times 8 \times 8 \times \dfrac{\sqrt{2}}{2} \right)$

$= 128\sqrt{2}$ (cm²) **답** $128\sqrt{2}$ cm²

0266 전략 $\triangle AOD = \dfrac{1}{4}\square ABCD$임을 이용한다.

$\square ABCD$는 평행사변형이므로

$\triangle AOD = \dfrac{1}{4}\square ABCD$

$= \dfrac{1}{4} \times (4 \times 6 \times \sin 60°)$

$= \dfrac{1}{4} \times \left(4 \times 6 \times \dfrac{\sqrt{3}}{2} \right)$

$= 3\sqrt{3}$ (cm²) **답** $3\sqrt{3}$ cm²

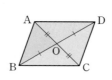

0267 전략 점 D를 지나면서 $\overline{AB}$에 평행한 직선을 그어 사다리꼴 ABCD를 평행사변형과 삼각형으로 나누어 넓이를 구한다.

오른쪽 그림과 같이 점 D를
지나면서 $\overline{AB}$에 평행한 직
선을 그어 $\overline{BC}$와 만나는 점
을 E라 하면

$\overline{BE} = \overline{AD} = 6$ cm,

$\overline{DE} = \overline{AB} = 6$ cm,

$\overline{EC} = \overline{BC} - \overline{BE} = 10 - 6 = 4$ (cm)

한편 $\angle DEC = \angle ABC = 60°$이므로

$\square ABCD = \square ABED + \triangle DEC$

$= 6 \times 6 \times \sin 60° + \dfrac{1}{2} \times 6 \times 4 \times \sin 60°$

$= 18\sqrt{3} + 6\sqrt{3} = 24\sqrt{3}$ (cm²) **답** $24\sqrt{3}$ cm²

0268 전략 $\square ABCD = \dfrac{1}{2} \times \overline{AC} \times \overline{BD} \times \sin a$임을 이용한다.

$\square ABCD = \dfrac{1}{2} \times 8 \times 10 \times \sin a$

$= \dfrac{1}{2} \times 8 \times 10 \times \dfrac{3}{5} = 24$ **답** ①

3 원과 직선

STEP **1** 개념 마스터   p.48

0269 $\overline{BM}=\overline{AM}=7$ $\therefore x=7$ **답** 7

0270 $\overline{AB}=2\overline{BM}=2\times6=12$ $\therefore x=12$ **답** 12

0271 △OAM에서 $r=\sqrt{5^2+3^2}=\sqrt{34}$ **답** $\sqrt{34}$

0272 △OMB에서 $r=\sqrt{2^2+4^2}=\sqrt{20}=2\sqrt5$ **답** $2\sqrt5$

0273 $\overline{AB}=\overline{CD}=12$이므로

$\overline{AM}=\dfrac12\overline{AB}=\dfrac12\times12=6$ $\therefore x=6$ **답** 6

0274 $\overline{AB}=2\overline{BM}=2\times4=8$이므로

$\overline{AC}=\overline{AB}=8$ $\therefore x=8$ **답** 8

0275 $\overline{CD}=2\overline{CN}=2\times5=10$이므로 $\overline{AB}=\overline{CD}$

따라서 $\overline{ON}=\overline{OM}=6$이므로 $x=6$ **답** 6

0276 $\overline{AB}=2\overline{AM}=2\times4=8$, $\overline{CD}=2\overline{DN}=2\times4=8$이므로

$\overline{AB}=\overline{CD}$

따라서 $\overline{OM}=\overline{ON}=5$이므로 $x=5$ **답** 5

STEP **2** 유형 마스터   p.49 ~ p.53

0277 전략 한 원에서 중심각의 크기와 현의 길이는 정비례하지 않는다.

④ $\overline{AB}=\overline{CD}=\overline{DE}$이므로

$2\overline{AB}=\overline{CD}+\overline{DE}>\overline{CE}$ **답** ④

0278 (1) $x°:40°=6:2$ $\therefore x=120$

(2) $(180°-60°):60°=x:5$ $\therefore x=10$

    답 (1) 120   (2) 10

0279 $\angle AOB:\angle BOC:\angle COA=\overset{\frown}{AB}:\overset{\frown}{BC}:\overset{\frown}{CA}$

$=6:5:4$

$\therefore \angle AOB=360°\times\dfrac{6}{6+5+4}=144°$ **답** 144°

0280 전략 $\angle AOB:\angle BOD=\overset{\frown}{AB}:\overset{\frown}{BD}$임을 이용한다.

$\overline{AB}/\!/\overline{CD}$이므로

$\angle OBA=\angle DOB=40°$ (엇각)

△OAB에서 $\overline{OA}=\overline{OB}$이므로

$\angle OAB=\angle OBA=40°$

$\angle AOB=180°-(40°+40°)=100°$이므로

$100°:40°=\overset{\frown}{AB}:8$ $\therefore \overset{\frown}{AB}=20$ (cm)   **답** 20 cm

0281 $\overline{AO}/\!/\overline{DC}$이므로

$\angle DCO=\angle AOB=45°$ (동위각)

오른쪽 그림과 같이 $\overline{OD}$를 그으면 △DOC에서 $\overline{OC}=\overline{OD}$이므로

$\angle ODC=\angle OCD=45°$

$\angle DOC=180°-(45°+45°)$

$=90°$ ……… (가)

$45°:90°=5:\overset{\frown}{CD}$ $\therefore \overset{\frown}{CD}=10$ (cm)   ……… (나)

    답 10 cm

채점 기준	비율
(가) $\angle DOC$의 크기 구하기	50 %
(나) $\overset{\frown}{CD}$의 길이 구하기	50 %

0282 △ODE에서 $\overline{DO}=\overline{DE}$이므로

$\angle DOE=\angle DEO=15°$

$\angle ODC=15°+15°=30°$

△OCD에서 $\overline{OC}=\overline{OD}$이므로

$\angle OCD=\angle ODC=30°$

△OCE에서 $\angle AOC=30°+15°=45°$

$45°:15°=12:\overset{\frown}{BD}$ $\therefore \overset{\frown}{BD}=4$ (cm)   **답** 4 cm

0283 전략 $\overline{OH}\perp\overline{AB}$이면 $\overline{AH}=\overline{BH}$이므로 $\overline{AB}=2\overline{AH}$이다.

△OAH에서

$\overline{AH}=\sqrt{6^2-3^2}=\sqrt{27}=3\sqrt3$ (cm)

$\therefore \overline{AB}=2\overline{AH}=2\times3\sqrt3=6\sqrt3$ (cm)   **답** $6\sqrt3$ cm

0284 $\overline{AH}=\dfrac12\overline{AB}=\dfrac12\times24=12$ (cm)

△OAH에서

$\overline{OA}=\sqrt{12^2+5^2}=\sqrt{169}=13$ (cm)   **답** 13 cm

0285 구하는 거리는 오른쪽 그림에서 $\overline{OH}$의 길이와 같다.

$\overline{AH}=\dfrac12\overline{AB}=\dfrac12\times8=4$ (cm)

△OAH에서

$\overline{OH}=\sqrt{5^2-4^2}=\sqrt9=3$ (cm)   **답** 3 cm

0286 전략 직각삼각형 OBD에서 $\overline{OB}$, $\overline{OD}$의 길이를 반지름의 길이
r를 사용하여 나타내고 피타고라스 정리를 이용한다.

$\overline{AB} \perp \overline{OC}$이므로 $\overline{BD} = \overline{AD} = 4$

이때 원 O의 반지름의 길이를 r라 하면

$\overline{OB} = r$, $\overline{OD} = r - 2$

$\triangle OBD$에서 $r^2 = (r-2)^2 + 4^2$

$4r = 20$ ∴ $r = 5$ **답** 5

0287 $\overline{OC} = 8$ cm이므로

$\overline{OH} = \dfrac{1}{2}\overline{OC} = \dfrac{1}{2} \times 8 = 4$ (cm)

$\triangle OAH$에서 $\overline{AH} = \sqrt{8^2 - 4^2} = \sqrt{48} = 4\sqrt{3}$ (cm)

∴ $\overline{AB} = 2\overline{AH} = 2 \times 4\sqrt{3} = 8\sqrt{3}$ (cm) **답** $8\sqrt{3}$ cm

0288 $\overline{AB} \perp \overline{OD}$이므로 $\overline{BC} = \overline{AC} = 5$

이때 원 O의 반지름의 길이를 r라 하면

$\overline{OB} = r$, $\overline{OC} = r - 3$

$\triangle OCB$에서 $r^2 = (r-3)^2 + 5^2$

$6r = 34$ ∴ $r = \dfrac{17}{3}$ **답** $\dfrac{17}{3}$

0289 $\angle BOH = 180° - 120° = 60°$이므로 $\triangle OHB$에서

$\overline{HB} = \overline{OH} \tan 60°$
$= 5 \times \sqrt{3} = 5\sqrt{3}$

이때 $\overline{AB} \perp \overline{OD}$이므로 $\overline{AH} = \overline{HB} = 5\sqrt{3}$ **답** $5\sqrt{3}$

0290 전략 현의 수직이등분선은 그 원의 중심을 지남을 이용하여 원
의 중심을 찾는다.

오른쪽 그림에서 $\overline{CD}$의 연장
선은 원의 중심을 지난다.
원의 중심을 O, 반지름의 길이
를 r라 하면

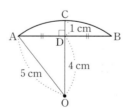

$\overline{OA} = r$, $\overline{OD} = r - 4$

$\triangle AOD$에서 $r^2 = (r-4)^2 + 6^2$

$8r = 52$ ∴ $r = \dfrac{13}{2}$ **답** $\dfrac{13}{2}$

0291 오른쪽 그림에서 $\overline{CD}$의 연장선
은 원의 중심을 지난다.
원의 중심을 O라 하면
$\overline{OA} = \overline{OC} = 5$ cm이므로
$\overline{OD} = 5 - 1 = 4$ (cm)
$\triangle AOD$에서
$\overline{AD} = \sqrt{5^2 - 4^2} = \sqrt{9} = 3$ (cm)
∴ $\overline{AB} = 2\overline{AD} = 2 \times 3 = 6$ (cm) **답** 6 cm

0292 오른쪽 그림에서 $\overline{CD}$의 연장선
은 원의 중심을 지난다.
원의 중심을 O라 하면 …… ㈎
$\overline{OA} = \overline{OC} = 15$ cm

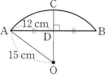

$\overline{AD} = \dfrac{1}{2}\overline{AB} = \dfrac{1}{2} \times 24 = 12$ (cm)이므로

$\triangle AOD$에서

$\overline{OD} = \sqrt{15^2 - 12^2} = \sqrt{81} = 9$ (cm) …… ㈏

∴ $\overline{CD} = \overline{OC} - \overline{OD} = 15 - 9 = 6$ (cm) …… ㈐

답 6 cm

채점 기준	비율
㈎ 그림에 원의 중심 O 표시하기	30 %
㈏ $\overline{OD}$의 길이 구하기	40 %
㈐ $\overline{CD}$의 길이 구하기	30 %

0293 오른쪽 그림에서 $\overline{HP}$의 연장
선은 원의 중심을 지난다.
원의 중심을 O라 하면
$\overline{OA} = \overline{OP} = 10$ cm이므로
$\overline{OH} = 10 - 4 = 6$ (cm)
$\triangle OAH$에서 $\overline{AH} = \sqrt{10^2 - 6^2} = \sqrt{64} = 8$ (cm)
∴ $\overline{AB} = 2\overline{AH} = 2 \times 8 = 16$ (cm)
∴ $\triangle APB = \dfrac{1}{2} \times 16 \times 4 = 32$ (cm²) **답** 32 cm²

0294 오른쪽 그림에서 $\overline{CD}$의 연장선은
원의 중심을 지난다.
원의 중심을 O, 반지름의 길이를
r cm라 하면

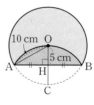

$\overline{OA} = r$ cm, $\overline{OD} = (r-4)$ cm

$\overline{AD} = \dfrac{1}{2}\overline{AB} = \dfrac{1}{2} \times 16 = 8$ (cm)

$\triangle AOD$에서 $r^2 = (r-4)^2 + 8^2$

$8r = 80$ ∴ $r = 10$

따라서 접시의 지름의 길이는 20 cm이다. **답** 20 cm

0295 전략 원의 중심 O에서 $\overline{AB}$에 수선을 긋고 피타고라스 정리를
이용한다.

오른쪽 그림과 같이 원의 중심 O에
서 $\overline{AB}$에 내린 수선의 발을 H라 하
고 $\overline{OH}$의 연장선과 원 O가 만나는
점을 C라 하면

$\overline{OA} = \overline{OC} = 10$ cm

$\overline{OH} = \overline{HC} = \dfrac{1}{2}\overline{OC} = \dfrac{1}{2} \times 10 = 5$ (cm)

△OAH에서
$$\overline{AH}=\sqrt{10^2-5^2}=\sqrt{75}=5\sqrt{3}\ (\text{cm})$$
$$\therefore \overline{AB}=2\overline{AH}=2\times5\sqrt{3}=10\sqrt{3}\ (\text{cm})$$
답 $10\sqrt{3}$ cm

0296 오른쪽 그림과 같이 원의 중심 O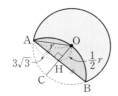
에서 $\overline{AB}$에 내린 수선의 발을 H라
하고 $\overline{OH}$의 연장선과 원 O가 만나
는 점을 C라 하면
$$\overline{AH}=\frac{1}{2}\overline{AB}=\frac{1}{2}\times6\sqrt{3}=3\sqrt{3}$$
원 O의 반지름의 길이를 r라 하면
$$\overline{OA}=\overline{OC}=r,\ \overline{OH}=\overline{HC}=\frac{1}{2}\overline{OC}=\frac{1}{2}r$$
△OAH에서
$$r^2=(3\sqrt{3})^2+\left(\frac{1}{2}r\right)^2,\ r^2=36$$
$$\therefore r=6\ (\because r>0)$$
답 6

0297 오른쪽 그림과 같이 원의 중심 O에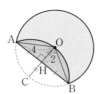
서 $\overline{AB}$에 내린 수선의 발을 H라 하
고 $\overline{OH}$의 연장선과 원 O가 만나는
점을 C라 하면
$$\overline{OH}=\overline{HC}=\frac{1}{2}\overline{OC}=\frac{1}{2}\times4=2$$
△OAH에서
$$\cos(\angle AOH)=\frac{2}{4}=\frac{1}{2}\text{이므로}\ \angle AOH=60°$$
이때 △OAH≡△OBH (RHS 합동)이므로
$$\angle BOH=\angle AOH=60°$$
$$\therefore \angle AOB=2\angle AOH=2\times60°=120°$$
답 120°

0298 전략 $\overline{OM}=\overline{ON}$이면 $\overline{AB}=\overline{CD}$이고 $\overline{ON}\perp\overline{CD}$이면 $\overline{CN}=\overline{DN}$
이다.
$\overline{OM}=\overline{ON}$이므로 $\overline{CD}=\overline{AB}=8$ cm
이때 $\overline{ON}\perp\overline{CD}$이므로
$$\overline{CN}=\overline{DN}=\frac{1}{2}\overline{CD}=\frac{1}{2}\times8=4\ (\text{cm})$$
△OCN에서
$$\overline{OC}=\sqrt{5^2+4^2}=\sqrt{41}\ (\text{cm})$$
답 $\sqrt{41}$ cm

0299 $\overline{OM}\perp\overline{AB}$이므로 $\overline{AM}=\overline{BM}=5$ cm
△OAM에서
$$\overline{OM}=\sqrt{6^2-5^2}=\sqrt{11}\ (\text{cm})$$
이때 $\overline{AB}=\overline{CD}=10$ cm이므로
$$\overline{ON}=\overline{OM}=\sqrt{11}\ \text{cm}$$
답 $\sqrt{11}$ cm

0300 오른쪽 그림과 같이 원의 중심 O에서 $\overline{AB}$에 내린 수선의 발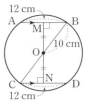
을 N이라 하면
$\overline{AB}=\overline{CD}$이므로
$$\overline{ON}=\overline{OM}=3 \qquad \cdots\cdots \text{⑦}$$
△AON에서
$$\overline{AN}=\sqrt{(3\sqrt{2})^2-3^2}=\sqrt{9}=3\text{이므로}$$
$$\overline{AB}=2\overline{AN}=2\times3=6 \qquad \cdots\cdots \text{⑭}$$
$$\therefore \triangle OBA=\frac{1}{2}\times6\times3=9 \qquad \cdots\cdots \text{⑯}$$
답 9

채점 기준	비율
⑦ 원의 중심 O에서 $\overline{AB}$에 내린 수선의 발을 N이라 할 때, $\overline{ON}$의 길이 구하기	35 %
⑭ $\overline{AB}$의 길이 구하기	35 %
⑯ △OBA의 넓이 구하기	30 %

0301 오른쪽 그림과 같이 원의 중심 O에서
두 현 AB, CD에 내린 수선의 발을
각각 M, N이라 하면
$\overline{AB}=\overline{CD}$이므로 $\overline{OM}=\overline{ON}$
$$\overline{BM}=\frac{1}{2}\overline{AB}=\frac{1}{2}\times12=6\ (\text{cm})$$
△OBM에서 $\overline{OM}=\sqrt{10^2-6^2}=\sqrt{64}=8\ (\text{cm})$
따라서 $\overline{AB}$와 $\overline{CD}$ 사이의 거리는 $\overline{MN}$의 길이와 같으므로
$$\overline{MN}=2\overline{OM}=2\times8=16\ (\text{cm})$$
답 16 cm

0302 전략 $\overline{OM}=\overline{ON}$이면 $\overline{AB}=\overline{AC}$이므로 △ABC는 이등변삼
각형이다.
$\overline{OM}=\overline{ON}$이므로 $\overline{AB}=\overline{AC}$
따라서 △ABC는 이등변삼각형이므로
$$\angle ABC=\frac{1}{2}\times(180°-50°)=65°$$
답 65°

0303 $\overline{OM}=\overline{ON}$이므로 $\overline{AB}=\overline{AC}$
따라서 △ABC는 이등변삼각형이므로
$$\angle ACB=\angle ABC=55°$$
$$\therefore \angle BAC=180°-2\times55°=70°$$
답 70°

0304 $\overline{OL}=\overline{OM}=\overline{ON}$이므로 $\overline{AB}=\overline{BC}=\overline{CA}=4\sqrt{3}$ cm
따라서 △ABC는 정삼각형이므로
$$(\triangle ABC\text{의 둘레의 길이})=3\times4\sqrt{3}$$
$$=12\sqrt{3}\ (\text{cm})$$
답 $12\sqrt{3}$ cm

0305 (1) □AMON에서

$$\angle MAN = 360° - (90° + 120° + 90°) = 60° \quad \cdots\cdots \text{ (가)}$$

$\overline{OM} = \overline{ON}$이므로 $\overline{AB} = \overline{AC}$

$$\therefore \angle ABC = \frac{1}{2} \times (180° - 60°) = 60° \quad \cdots\cdots \text{ (나)}$$

(2) 오른쪽 그림과 같이 $\overline{AO}$를 그으면

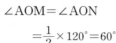

$\triangle OAM \equiv \triangle OAN$ (RHS 합동)

이므로

$$\angle AOM = \angle AON$$
$$= \frac{1}{2} \times 120° = 60°$$

△OAM에서

$\overline{AO} = 10$ cm이므로

$$\overline{AM} = \overline{AO} \sin 60° = 10 \times \frac{\sqrt{3}}{2} = 5\sqrt{3} \text{ (cm)}$$

$$\therefore \overline{AB} = 2\overline{AM} = 2 \times 5\sqrt{3} = 10\sqrt{3} \text{ (cm)} \quad \cdots\cdots \text{ (다)}$$

이때 △ABC는 정삼각형이므로

$$\overline{AB} = \overline{BC} = \overline{CA} = 10\sqrt{3} \text{ cm}$$

따라서 △ABC의 둘레의 길이는

$$10\sqrt{3} \times 3 = 30\sqrt{3} \text{ (cm)} \quad \cdots\cdots \text{ (라)}$$

답 (1) $60°$ (2) $30\sqrt{3}$ cm

채점 기준	비율
(가) ∠MAN의 크기 구하기	20 %
(나) ∠ABC의 크기 구하기	20 %
(다) $\overline{AB}$의 길이 구하기	40 %
(라) △ABC의 둘레의 길이 구하기	20 %

0306 ①, ②, ④ $\overline{OM} = \overline{ON}$이므로 $\overline{AB} = \overline{BC}$

따라서 $\angle ACB = \angle BAC = 60°$ (④)이므로

$$\angle ABC = 180° - (60° + 60°) = 60°$$

즉 △ABC는 정삼각형이다.

$\triangle OBM \equiv \triangle OBN$ (RHS 합동)이므로

$$\angle OBN = \frac{1}{2} \angle ABC = \frac{1}{2} \times 60° = 30°$$

△OBN에서

$$\overline{BN} = \frac{\overline{ON}}{\tan 30°} = 3 \div \frac{\sqrt{3}}{3} = 3\sqrt{3} \text{ (cm)}$$

$$\therefore \overline{BC} = 2\overline{BN} = 2 \times 3\sqrt{3} = 6\sqrt{3} \text{ (cm)} (②)$$

$$\overline{AM} = \frac{1}{2}\overline{AB} = \frac{1}{2}\overline{BC}$$
$$= \frac{1}{2} \times 6\sqrt{3} = 3\sqrt{3} \text{ (cm)} (①)$$

③ △OBN에서

$$\overline{OB} = \frac{\overline{ON}}{\sin 30°} = 3 \div \frac{1}{2} = 6 \text{ (cm)}$$

⑤ (원 O의 넓이) $= \pi \times 6^2 = 36\pi \text{ (cm}^2)$

따라서 옳지 않은 것은 ③이다. **답** ③

0307 △PBA에서 $\overline{PA} = \overline{PB}$이므로

$$\angle PAB = \angle PBA$$

$$\therefore \angle x = \frac{1}{2} \times (180° - 50°) = 65° \quad \text{**답** } 65°$$

0308 $\angle OAP = 90°$이므로 △OPA에서

$$\overline{PA} = \sqrt{13^2 - 5^2} = \sqrt{144} = 12 \text{ (cm)}$$

$$\therefore \overline{PB} = \overline{PA} = 12 \text{ cm} \quad \text{**답** } 12 \text{ cm}$$

0309 $\overline{AF} = \overline{AD} = 3$, $\overline{CE} = \overline{CF} = 8 - 3 = 5$이므로

$$\overline{BD} = \overline{BE} = 9 - 5 = 4 \quad \therefore x = 4 \quad \text{**답** } 4$$

0310 $\overline{AD} = \overline{AF} = 3$, $\overline{BE} = \overline{BD} = 7 - 3 = 4$,

$\overline{CE} = \overline{CF} = 2$이므로

$$\overline{BC} = \overline{BE} + \overline{CE} = 4 + 2 = 6 \quad \therefore x = 6 \quad \text{**답** } 6$$

0311 $7 + x = 6 + 9$ $\therefore x = 8$ **답** 8

0312 $7 + 5 = 3 + x$ $\therefore x = 9$ **답** 9

0313 전략 원의 접선은 그 접점을 지나는 반지름에 수직이므로 △OPT는 $\angle OTP = 90°$인 직각삼각형이다.

원 O의 반지름의 길이를 r cm라 하면

$$\overline{OT} = \overline{OB} = r \text{ cm}, \overline{OP} = (r + 2) \text{ cm}$$

$\angle OTP = 90°$이므로 △OPT에서

$$(r + 2)^2 = r^2 + 4^2, \ 4r = 12 \quad \therefore r = 3$$

따라서 원 O의 반지름의 길이는 3 cm이다. **답** 3 cm

0314 $\overline{OQ} = \overline{OT} = 4$ cm이므로

$$\overline{PO} = 2\overline{OQ} = 2 \times 4 = 8 \text{ (cm)}$$

$\angle PTO = 90°$이므로 △TPO에서

$$\overline{PT} = \sqrt{8^2 - 4^2} = \sqrt{48} = 4\sqrt{3} \text{ (cm)} \quad \text{**답** } 4\sqrt{3} \text{ cm}$$

0315 $\angle PTO = 90°$이므로 △POT에서

$$\overline{OT} = \frac{\overline{PT}}{\tan 60°} = 2\sqrt{3} \div \sqrt{3} = 2 \text{ (cm)} \quad \cdots\cdots \text{ (가)}$$

$$\overline{PO} = \sqrt{(2\sqrt{3})^2 + 2^2} = \sqrt{16} = 4 \text{ (cm)} \quad \cdots\cdots \text{ (나)}$$

이때 $\overline{OA} = \overline{OT} = 2$ cm이므로

$$\overline{PA} = \overline{PO} - \overline{OA} = 4 - 2 = 2 \text{ (cm)} \quad \cdots\cdots \text{ (다)}$$

답 2 cm

채점 기준	비율
(가) $\overline{OT}$의 길이 구하기	40 %
(나) $\overline{PO}$의 길이 구하기	20 %
(다) $\overline{PA}$의 길이 구하기	40 %

0316 전략 $\overline{AB}$는 작은 원의 접선이므로 $\overline{OP}\perp\overline{AB}$이고 $\overline{AB}$는 큰 원의 현이므로 $\overline{AB}=2\overline{AP}$이다.

$\angle OPA=90°$이므로 $\triangle OAP$에서

$\overline{AP}=\sqrt{5^2-4^2}=\sqrt{9}=3\,(cm)$

$\therefore \overline{AB}=2\overline{AP}=2\times3=6\,(cm)$ 답 $6\,cm$

0317 오른쪽 그림과 같이 작은 원과 $\overline{AB}$의 접점을 H라 하고 $\overline{OH}$를 그으면

$\angle OHB=90°$, $\overline{OH}=6\,cm$이므로 $\triangle OHB$에서

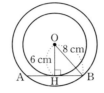

$\overline{HB}=\sqrt{8^2-6^2}=\sqrt{28}=2\sqrt7\,(cm)$

$\therefore \overline{AB}=2\overline{HB}=2\times2\sqrt7=4\sqrt7\,(cm)$ 답 $4\sqrt7\,cm$

0318 오른쪽 그림과 같이 원의 중심 O에서 $\overline{AB}$에 내린 수선의 발을 H라 하면

$\overline{AH}=\dfrac{1}{2}\overline{AB}=\dfrac{1}{2}\times12=6\,(cm)$

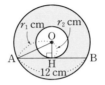

큰 원의 반지름의 길이를 $r_1\,cm$, 작은 원의 반지름의 길이를 $r_2\,cm$라 하면

$\overline{OA}=r_1\,cm$, $\overline{OH}=r_2\,cm$이므로 $\triangle OAH$에서

$r_1{}^2=6^2+r_2{}^2$ $\therefore r_1{}^2-r_2{}^2=36$

$\therefore$ (색칠한 부분의 넓이)$=\pi r_1{}^2-\pi r_2{}^2$
$=\pi(r_1{}^2-r_2{}^2)=36\pi\,(cm^2)$

답 $36\pi\,cm^2$

0319 전략 $\overrightarrow{PA}$, $\overrightarrow{PB}$가 원 O의 접선이므로 $\angle PAO=\angle PBO=90°$이다.

$\angle PAO=\angle PBO=90°$이므로

$\angle P+135°=180°$ $\therefore \angle P=45°$ 답 $45°$

0320 $\angle OAP=\angle OBP=90°$이므로

$\angle AOB+42°=180°$ $\therefore \angle AOB=138°$

$\overline{OA}=\overline{OB}$이므로 $\triangle OBA$에서

$\angle OBA=\dfrac{1}{2}\times(180°-138°)=21°$ 답 $21°$

0321 (1) $\angle PTO=\angle PT'O=90°$이므로

$80°+\angle TOT'=180°$ $\therefore \angle TOT'=100°$

(2) 색칠한 부채꼴의 중심각의 크기는 $360°-100°=260°$이므로

(색칠한 부분의 넓이)$=\pi\times6^2\times\dfrac{260}{360}$
$=26\pi\,(cm^2)$

답 (1) $100°$ (2) $26\pi\,cm^2$

0322 $\angle PAO=90°$이므로 $\angle PAB=90°-24°=66°$

이때 $\overline{PA}=\overline{PB}$이므로 $\triangle PBA$에서

$\angle PBA=\angle PAB=66°$

$\therefore \angle P=180°-2\times66°=48°$ 답 $48°$

0323 $\overline{PA}=\overline{PB}$이고 $\angle P=60°$이므로 $\triangle PBA$에서

$\angle PAB=\angle PBA=\dfrac{1}{2}\times(180°-60°)=60°$ ······ (가)

따라서 $\triangle PBA$는 정삼각형이므로 ······ (나)

($\triangle PBA$의 둘레의 길이)$=3\times8=24\,(cm)$ ······ (다)

답 $24\,cm$

채점 기준	비율
(가) $\triangle PBA$에서 $\angle PAB$, $\angle PBA$의 크기 구하기	40 %
(나) $\triangle PBA$가 어떤 삼각형인지 말하기	30 %
(다) $\triangle PBA$의 둘레의 길이 구하기	30 %

0324 오른쪽 그림과 같이 $\overline{OA}$, $\overline{OB}$를 그으면

$\angle PAO=\angle PBO=90°$이므로

$\angle OAC=90°-30°=60°$

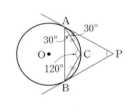

이때 $\overline{AC}=\overline{BC}$, $\overline{OA}=\overline{OB}$이므로 $\square AOBC$에서

$\angle OBC=\angle OAC=60°$

$\therefore \angle AOB=360°-(60°+60°+120°)=120°$

따라서 $120°+\angle P=180°$이므로 $\angle P=60°$ 답 $60°$

다른 풀이

오른쪽 그림과 같이 $\overline{AB}$를 그으면

$\triangle ABC$에서 $\overline{CA}=\overline{CB}$이므로

$\angle CAB=\dfrac{1}{2}\times(180°-120°)=30°$

이때 $\angle PAB=30°+30°=60°$이고

$\overline{PA}=\overline{PB}$이므로 $\triangle PAB$에서

$\angle PBA=\angle PAB=60°$

$\therefore \angle P=180°-2\times60°=60°$

0325 전략 $\overline{PA}=\overline{PB}$임을 이용한다.

$\overline{OC}=\overline{OB}=4\,cm$이므로 $\overline{PO}=6+4=10\,(cm)$

이때 $\angle PBO=90°$이므로 $\triangle PBO$에서

$\overline{PB}=\sqrt{10^2-4^2}=\sqrt{84}=2\sqrt{21}\,(cm)$

$\therefore \overline{PA}=\overline{PB}=2\sqrt{21}\,cm$ 답 $2\sqrt{21}\,cm$

0326 $\angle PAO=90°$이므로 $\triangle APO$에서

$\overline{PA}=\sqrt{17^2-8^2}=\sqrt{225}=15\,(cm)$

$\therefore \overline{PB}=\overline{PA}=15\,cm$ 답 $15\,cm$

0327 ① $\overline{AO}$의 길이는 알 수 없다.

② $\angle PAO=\angle PBO=90°$

③ $\overline{PB}=\overline{PA}=10\,cm$

④ $\triangle PAO\equiv\triangle PBO$ (RHS 합동)이므로 $\angle APO=\angle BPO$

$\therefore \angle APB=2\angle APO$

⑤ $\angle PAO=\angle PBO=90°$이므로 □APBO에서
　$\angle APB+\angle AOB=360°-(90°+90°)=180°$
따라서 옳지 않은 것은 ①이다.　　　　　　　　**답** ①

0328 $\overline{BP}=\overline{AP}=6\sqrt{3}$ cm
이때 $\angle OBP=90°$, $\angle POB=60°$이므로 △POB에서
$\overline{OB}=\dfrac{\overline{BP}}{\tan 60°}=6\sqrt{3}\div\sqrt{3}=6$ (cm)　　**답** 6 cm

0329 ① $\angle APB+120°=180°$이므로 $\angle APB=60°$
② △PAO≡△PBO (RHS 합동)이므로
　$\angle APO=\dfrac{1}{2}\angle APB=\dfrac{1}{2}\times 60°=30°$
　$\overline{OA}=\overline{OB}$이므로 △OAB에서
　$\angle OAB=\dfrac{1}{2}\times(180°-120°)=30°$
　$\therefore \angle APO=\angle OAB=30°$
③ $\angle PAO=90°$, $\angle APO=30°$이므로 △APO에서
　$\overline{PO}=\dfrac{\overline{OA}}{\sin 30°}=12\div\dfrac{1}{2}=24$ (cm)
④ $\overline{PA}=\dfrac{\overline{OA}}{\tan 30°}=12\div\dfrac{\sqrt{3}}{3}=12\sqrt{3}$ (cm)
⑤ $\angle APB=60°$이고 $\overline{PA}=\overline{PB}$이므로 △PBA는 정삼각
형이다.
　$\therefore \overline{AB}=\overline{PA}=12\sqrt{3}$ cm
따라서 옳지 않은 것은 ⑤이다.　　　　　　　　**답** ⑤

0330 $\angle PAO=90°$이므로 △APO에서
$\overline{PA}=\sqrt{10^2-6^2}=\sqrt{64}=8$ (cm)
이때 $\overline{AH}\perp\overline{PO}$이므로 $\overline{AP}\times\overline{AO}=\overline{PO}\times\overline{AH}$에서
$8\times 6=10\times\overline{AH}$　　$\therefore \overline{AH}=\dfrac{24}{5}$ (cm)
$\therefore \overline{AB}=2\overline{AH}=2\times\dfrac{24}{5}=\dfrac{48}{5}$ (cm)　**답** $\dfrac{48}{5}$ cm

참고
△APH와 △BPH에서
$\overline{PA}=\overline{PB}$, $\angle APH=\angle BPH$, $\overline{PH}$는 공통이므로
△APH≡△BPH (SAS 합동)
따라서 $\angle AHP=\angle BHP=90°$이므로 $\overline{AH}\perp\overline{PO}$

0331 **전략** $\overline{AD}=\overline{AF}$, $\overline{CE}=\overline{CD}$, $\overline{BE}=\overline{BF}$임을 이용한다.
$\overline{AF}=\overline{AD}=8$ cm이므로
$\overline{BE}=\overline{BF}=8-6=2$ (cm)
$\overline{CE}=\overline{CD}=8-5=3$ (cm)
$\therefore \overline{BC}=\overline{BE}+\overline{CE}=2+3=5$ (cm)　**답** 5 cm

다른 풀이
$\overline{BE}=\overline{BF}$, $\overline{CE}=\overline{CD}$이므로
$\overline{AB}+\overline{BC}+\overline{CA}=\overline{AD}+\overline{AF}=2\overline{AD}$, $6+\overline{BC}+5=2\times 8$
$\therefore \overline{BC}=5$ (cm)

0332 $\overline{BE}=\overline{BF}$, $\overline{CE}=\overline{CD}$이므로 △ABC의 둘레의 길이는
$\overline{AB}+\overline{BC}+\overline{CA}=\overline{AD}+\overline{AF}=2\overline{AD}$
　　　　　$=2\times 10=20$ (cm)　　**답** 20 cm

0333 $\angle ADO=90°$이므로 △AOD에서
$\overline{AD}=\sqrt{13^2-5^2}=\sqrt{144}=12$ (cm)
$\overline{BE}=\overline{BF}$, $\overline{CE}=\overline{CD}$이므로 △ABC의 둘레의 길이는
$\overline{AB}+\overline{BC}+\overline{CA}=\overline{AD}+\overline{AF}=2\overline{AD}$
　　　　　$=2\times 12=24$ (cm)　　**답** 24 cm

0334 ④ $\overline{BE}=\overline{CE}$인 경우에만 △OBE≡△OCE가 성립한다.
　　　　　　　　　　　　　　　　　　답 ④

0335 $\overline{BF}=\overline{BE}$, $\overline{CD}=\overline{CE}$이므로
$\overline{AD}+\overline{AF}=\overline{AB}+\overline{BC}+\overline{CA}$
　　　　$=10+8+8=26$ (cm)　　　　…… ㈎
이때 $\overline{AD}=\overline{AF}$이므로
$\overline{AD}=\overline{AF}=\dfrac{1}{2}\times 26=13$ (cm)　　　…… ㈏
$\therefore \overline{BF}=\overline{AF}-\overline{AB}=13-10=3$ (cm)
　$\overline{CD}=\overline{AD}-\overline{AC}=13-8=5$ (cm)　…… ㈐
　　　　　　　　답 $\overline{BF}=3$ cm, $\overline{CD}=5$ cm

채점 기준	비율
㈎ $\overline{AD}+\overline{AF}$의 길이 구하기	40 %
㈏ $\overline{AD}$, $\overline{AF}$의 길이 구하기	20 %
㈐ $\overline{BF}$, $\overline{CD}$의 길이 구하기	40 %

0336 $\angle ABC=90°$이므로 △ABC에서
$\overline{BC}=\sqrt{20^2-16^2}=\sqrt{144}=12$ (cm)
$\overline{AD}+\overline{AF}=\overline{AB}+\overline{BC}+\overline{CA}$
　　　　$=16+12+20=48$ (cm)
이때 $\overline{AD}=\overline{AF}$이므로 $\overline{AF}=\dfrac{1}{2}\times 48=24$ (cm)
$\therefore \overline{BE}=\overline{BF}=\overline{AF}-\overline{AB}=24-16=8$ (cm)　**답** 8 cm

0337 **전략** 원의 접선의 성질을 이용하여 $\overline{AD}$의 길이를 구한 후 꼭짓
점 D에서 $\overline{AB}$에 수선을 그어 피타고라스 정리를 이용한다.
$\overline{AE}=\overline{AB}=9$ cm, $\overline{DE}=\overline{DC}=4$ cm이므로
$\overline{AD}=9+4=13$ (cm)
오른쪽 그림과 같이 꼭짓점
D에서 $\overline{AB}$에 내린 수선의
발을 H라 하면 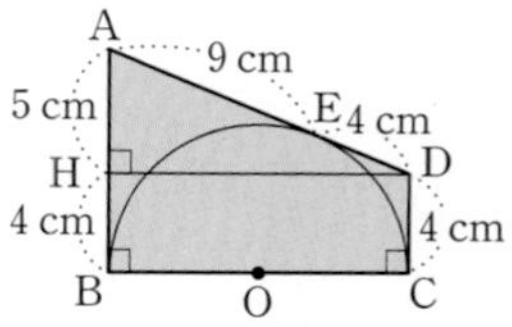
$\overline{HB}=\overline{DC}=4$ cm이므로
$\overline{AH}=9-4=5$ (cm)
△AHD에서 $\overline{DH}=\sqrt{13^2-5^2}=\sqrt{144}=12$ (cm)
$\therefore$ □ABCD$=\dfrac{1}{2}\times(4+9)\times 12=78$ (cm²)　**답** 78 cm²

0338 $\overline{CP}=\overline{CA}=5\ cm$, $\overline{DP}=\overline{DB}=8\ cm$이므로

$\overline{CD}=5+8=13\ (cm)$ ······ (가)

오른쪽 그림과 같이 꼭짓점 C에서 $\overline{DB}$에 내린 수선의 발을 H라 하면

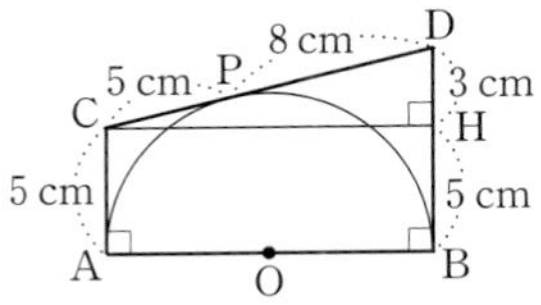

$\overline{HB}=\overline{CA}=5\ cm$이므로

$\overline{DH}=8-5=3\ (cm)$

$\triangle CHD$에서

$\overline{CH}=\sqrt{13^2-3^2}=\sqrt{160}=4\sqrt{10}\ (cm)$ ······ (나)

$\therefore \overline{AB}=\overline{CH}=4\sqrt{10}\ cm$ ······ (다)

답 $4\sqrt{10}\ cm$

채점 기준	비율
(가) $\overline{CD}$의 길이 구하기	40 %
(나) 꼭짓점 C에서 $\overline{DB}$에 내린 수선의 발을 H라 할 때, $\overline{CH}$의 길이 구하기	40 %
(다) $\overline{AB}$의 길이 구하기	20 %

0339 $\overline{BG}=\overline{BF}=6\ cm$이므로 $\overline{CG}=8-6=2\ (cm)$

$\therefore \overline{CE}=\overline{CG}=2\ cm$

오른쪽 그림과 같이 꼭짓점 C에서 $\overline{BF}$에 내린 수선의 발을 H라 하면

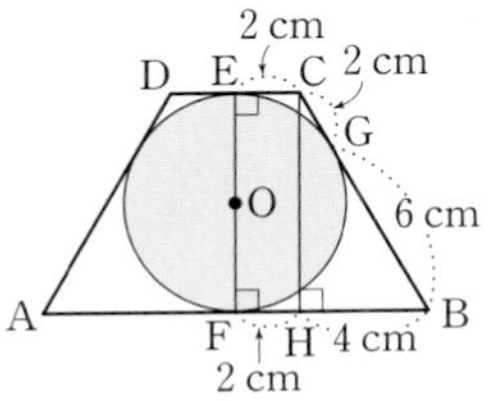

$\overline{FH}=\overline{EC}=2\ cm$이므로

$\overline{BH}=6-2=4\ (cm)$

$\triangle CHB$에서

$\overline{CH}=\sqrt{8^2-4^2}=\sqrt{48}=4\sqrt{3}\ (cm)$

즉 $\overline{EF}=\overline{CH}=4\sqrt{3}\ cm$이므로 원 O의 반지름의 길이는 $2\sqrt{3}\ cm$이다.

$\therefore$ (원 O의 넓이)$=\pi \times (2\sqrt{3})^2=12\pi\ (cm^2)$ **답** $12\pi\ cm^2$

0340 ② $\overline{AC}+\overline{BD}=\overline{PC}+\overline{PD}=\overline{CD}$

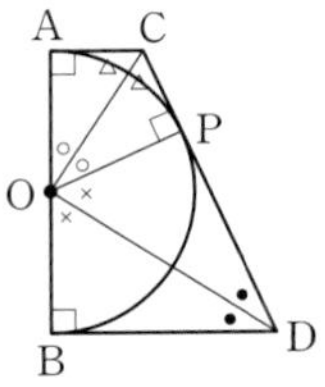

이때 $\overline{CD} \neq \overline{AB}$이므로

$\overline{AC}+\overline{BD} \neq \overline{AB}$

③ $\triangle OBD$와 $\triangle OPD$에서

$\angle OBD=\angle OPD=90°$,

$\overline{OD}$는 공통, $\overline{OB}=\overline{OP}$이므로

$\triangle OBD \equiv \triangle OPD$ (RHS 합동)

$\therefore \angle BDO=\angle PDO$

④ $\square ABDC$에서 $\angle CAB=\angle ABD=90°$이므로

$\angle ACD+\angle CDB=360°-(90°+90°)=180°$

이때 $\triangle OAC \equiv \triangle OPC$, $\triangle OBD \equiv \triangle OPD$이므로

$\angle ACO+\angle BDO=\dfrac{1}{2}\angle ACD+\dfrac{1}{2}\angle CDB$

$=\dfrac{1}{2}(\angle ACD+\angle CDB)$

$=\dfrac{1}{2}\times 180°=90°$

⑤ $\angle AOC=\angle POC$, $\angle BOD=\angle POD$이므로

$\angle COD=\dfrac{1}{2}\times 180°=90°$

따라서 옳지 않은 것은 ②이다. **답** ②

0341 $\overline{EC}=\overline{EF}=x\ cm$라 하고

오른쪽 그림과 같이 점 E에서 $\overline{AB}$에 내린 수선의 발을 H라 하면

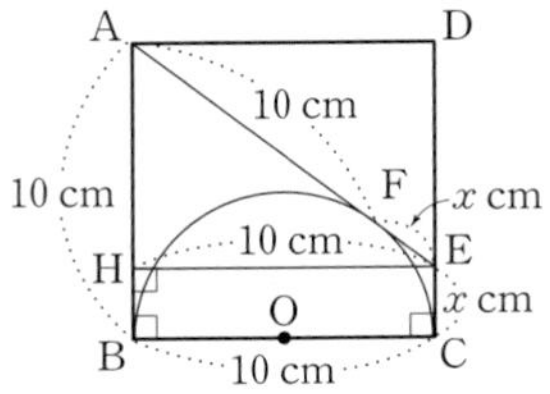

$\overline{AF}=\overline{AB}=10\ cm$이므로

$\overline{AE}=(10+x)\ cm$

$\overline{HB}=\overline{EC}=x\ cm$이므로

$\overline{AH}=(10-x)\ cm$

$\triangle AHE$에서 $(10+x)^2=(10-x)^2+10^2$

$40x=100$ $\therefore x=\dfrac{5}{2}$

$\therefore \overline{AE}=10+\dfrac{5}{2}=\dfrac{25}{2}\ (cm)$ **답** $\dfrac{25}{2}\ cm$

0342 $\overline{AE}=\overline{AB}=2\ cm$, $\overline{DE}=\overline{DC}=8\ cm$이므로

$\overline{AD}=2+8=10\ (cm)$

오른쪽 그림과 같이 꼭짓점 A에서 $\overline{DC}$에 내린 수선의 발을 H라 하면

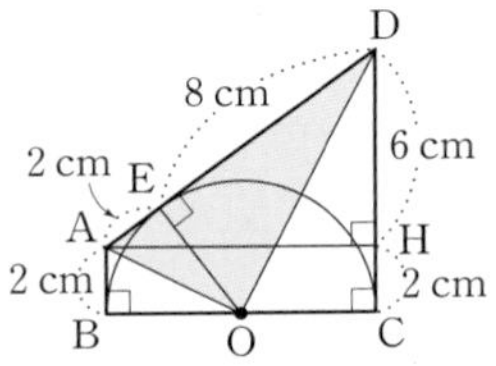

$\overline{HC}=\overline{AB}=2\ cm$이므로

$\overline{DH}=8-2=6\ (cm)$

$\triangle AHD$에서 $\overline{AH}=\sqrt{10^2-6^2}=\sqrt{64}=8\ (cm)$

이때 $\overline{BC}=\overline{AH}=8\ cm$이므로

$\overline{OE}=\dfrac{1}{2}\overline{BC}=\dfrac{1}{2}\times 8=4\ (cm)$

$\therefore \triangle AOD=\dfrac{1}{2}\times 10\times 4=20\ (cm^2)$ **답** $20\ cm^2$

0343 **전략** $\overline{BE}=\overline{BD}$, $\overline{AF}=\overline{AD}$, $\overline{CF}=\overline{CE}$이고 $\overline{AC}=\overline{AF}+\overline{CF}$임을 이용한다.

$\overline{BD}=x\ cm$라 하면 $\overline{BE}=\overline{BD}=x\ cm$이므로

$\overline{AF}=\overline{AD}=(10-x)\ cm$, $\overline{CF}=\overline{CE}=(12-x)\ cm$

이때 $\overline{AC}=\overline{AF}+\overline{CF}$에서 $(10-x)+(12-x)=8$

$2x=14$ $\therefore x=7$

$\therefore \overline{BD}=7\ cm$ **답** $7\ cm$

0344 $\overline{AF}=\overline{AD}=12-7=5\ (cm)$이고

$\overline{BE}=\overline{BD}=7\ cm$이므로

$\overline{CF}=\overline{CE}=11-7=4\ (cm)$

$\therefore \overline{AC}=\overline{AF}+\overline{CF}=5+4=9\ (cm)$ **답** $9\ cm$

0345 $\overline{AD}=x$ cm라 하면 $\overline{AF}=\overline{AD}=x$ cm이므로
$\overline{BE}=\overline{BD}=(14-x)$ cm, $\overline{CE}=\overline{CF}=(12-x)$ cm

$\cdots\cdots$ (가)

이때 $\overline{BC}=\overline{BE}+\overline{CE}$에서
$(14-x)+(12-x)=16$ $\cdots\cdots$ (나)
$2x=10$ $\quad\therefore x=5$
$\therefore \overline{AD}=5$ cm $\cdots\cdots$ (다)

답 5 cm

채점 기준	비율
(가) $\overline{AD}=x$ cm라 할 때, $\overline{AF}$, $\overline{BE}$, $\overline{CE}$의 길이를 x에 대한 식으로 나타내기	60 %
(나) $\overline{BC}=\overline{BE}+\overline{CE}$임을 이용하여 x에 대한 식 세우기	20 %
(다) $\overline{AD}$의 길이 구하기	20 %

0346 $\overline{AD}=x$ cm라 하면 $\overline{AF}=\overline{AD}=x$ cm
$\overline{BE}=\overline{BD}=6$ cm, $\overline{CE}=\overline{CF}=5$ cm이므로
$\overline{AB}+\overline{BC}+\overline{CA}=30$에서 $2(x+6+5)=30$
$x+11=15$ $\quad\therefore x=4$
$\therefore \overline{AD}=4$ cm

답 4 cm

0347 $\overline{BD}=\overline{BE}=6$ cm이므로 $\overline{AD}=10-6=4$ (cm)
오른쪽 그림과 같이 $\overline{OD}$를 그
으면 $\angle ADO=90°$이므로
$\triangle ADO$에서
$\overline{AO}=\sqrt{4^2+3^2}=\sqrt{25}=5$ (cm)
$\therefore \overline{AG}=\overline{AO}-\overline{GO}$
$\qquad\quad =5-3=2$ (cm)

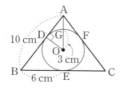

답 2 cm

0348 $\overline{BH}=x$라 하면 $\overline{BF}=\overline{BH}=x$이므로
$\overline{AI}=\overline{AF}=8-x$, $\overline{CI}=\overline{CH}=10-x$
이때 $\overline{AC}=\overline{AI}+\overline{CI}$에서 $(8-x)+(10-x)=6$
$2x=12$ $\quad\therefore x=6$
$\therefore (\triangle DBE의 둘레의 길이)=\overline{DB}+\overline{BE}+\overline{ED}=2\overline{BH}$
$\qquad\qquad\qquad\qquad\qquad\qquad\quad =2\times6=12$

답 12

0349 **전략** $\overline{OE}$, $\overline{OF}$를 긋고 □OECF는 정사각형임을 이용한다.
$\triangle ABC$에서 $\overline{AC}=\sqrt{13^2-12^2}=\sqrt{25}=5$
원 O의 반지름의 길이를 r라
하고 오른쪽 그림과 같이 $\overline{OE}$,
$\overline{OF}$를 그으면 □OECF가 정
사각형이므로
$\overline{CE}=\overline{CF}=r$
이때 $\overline{BD}=\overline{BE}=12-r$, $\overline{AD}=\overline{AF}=5-r$이므로
$\overline{AB}=\overline{AD}+\overline{BD}$에서 $(5-r)+(12-r)=13$
$2r=4$ $\quad\therefore r=2$

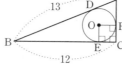

답 2

0350 $\triangle ABC$에서 $\overline{BC}=\sqrt{8^2+15^2}=\sqrt{289}=17$
원 O의 반지름의 길이를 r라
하고 오른쪽 그림과 같이 $\overline{OD}$,
$\overline{OC}$를 그으면 □ADOF가 정
사각형이므로
$\overline{AD}=\overline{AF}=r$
이때 $\overline{BE}=\overline{BD}=8-r$, $\overline{CE}=\overline{CF}=15-r$이므로
$\overline{BC}=\overline{BE}+\overline{CE}$에서 $(8-r)+(15-r)=17$
$2r=6$ $\quad\therefore r=3$
$\therefore$ □OECF$=2\triangle OEC$
$\qquad\qquad\quad =2\times\left\{\dfrac{1}{2}\times(15-3)\times3\right\}=36$

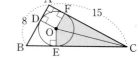

답 36

0351 $\overline{BD}=\overline{BE}=4$, $\overline{CF}=\overline{CE}=6$ $\cdots\cdots$ (가)
원 O의 반지름의 길이를 r라
하고 오른쪽 그림과 같이 $\overline{OD}$,
$\overline{OF}$를 그으면 □ADOF가 정
사각형이므로
$\overline{AD}=\overline{AF}=r$
$\triangle ABC$에서 $(4+6)^2=(r+4)^2+(r+6)^2$ $\cdots\cdots$ (나)
$r^2+10r-24=0$
$(r+12)(r-2)=0$ $\quad\therefore r=2\ (\because r>0)$ $\cdots\cdots$ (다)

답 2

채점 기준	비율
(가) $\overline{BD}$, $\overline{CF}$의 길이 구하기	30 %
(나) $\triangle ABC$에서 피타고라스 정리를 이용하여 r에 대한 식 세우기	40 %
(다) 원 O의 반지름의 길이 구하기	30 %

0352 $\overline{AB}=\dfrac{\overline{BC}}{\cos 30°}=2\sqrt{3}\div\dfrac{\sqrt{3}}{2}=4$ (cm)
$\overline{AC}=\overline{BC}\tan 30°=2\sqrt{3}\times\dfrac{\sqrt{3}}{3}=2$ (cm)
원 O의 반지름의 길이를
r cm라 하고 오른쪽 그림과
같이 $\overline{OE}$, $\overline{OF}$를 그으면
□OECF가 정사각형이므로
$\overline{CE}=\overline{CF}=r$ cm
이때 $\overline{BD}=\overline{BE}=(2\sqrt{3}-r)$ cm,
$\overline{AD}=\overline{AF}=(2-r)$ cm이므로
$\overline{AB}=\overline{AD}+\overline{BD}$에서 $(2-r)+(2\sqrt{3}-r)=4$
$2r=2\sqrt{3}-2$ $\quad\therefore r=\sqrt{3}-1$
따라서 원 O의 반지름의 길이는 $(\sqrt{3}-1)$ cm이다.

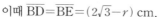

답 $(\sqrt{3}-1)$ cm

0353 오른쪽 그림과 같이 $\overline{OF}$를 그으
면 □OECF가 정사각형이므로 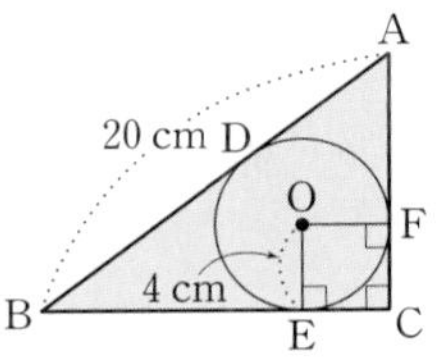
$\overline{CE}=\overline{CF}=\overline{OE}=4$ cm
$\overline{AF}=x$ cm라 하면
$\overline{AC}=(x+4)$ cm
$\overline{AD}=\overline{AF}=x$ cm이므로
$\overline{BE}=\overline{BD}=(20-x)$ cm
$\therefore \overline{BC}=\overline{BE}+\overline{CE}=(20-x)+4=24-x$ (cm)
이때 △ABC에서 $20^2=(24-x)^2+(x+4)^2$
$x^2-20x+96=0$, $(x-12)(x-8)=0$
$\therefore x=8 \ (\because \overline{BC}>\overline{AC})$
따라서 $\overline{BC}=24-8=16$ (cm), $\overline{AC}=8+4=12$ (cm)이므로
$\triangle ABC=\dfrac{1}{2}\times16\times12=96$ (cm^2)　　　답 96 cm^2

0354 (1) 오른쪽 그림과 같이 $\overline{O'E}$를 그
으면 □O'ECF는 정사각형이
므로 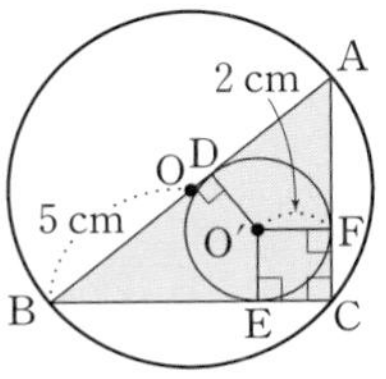
$\overline{CE}=\overline{CF}=\overline{O'F}=2$ cm
따라서 △ABC의 둘레의 길
이는
$\overline{AB}+\overline{BC}+\overline{CA}=\overline{AB}+(\overline{BE}+\overline{EC})+(\overline{AF}+\overline{FC})$
$=\overline{AB}+(\overline{BD}+\overline{EC})+(\overline{AD}+\overline{FC})$
$=\overline{AB}+(\overline{BD}+\overline{AD})+(\overline{EC}+\overline{FC})$
$=2\overline{AB}+2\overline{EC}$
$=2\times10+2\times2=24$ (cm)
(2) $\overline{O'D}$를 그으면 $\overline{O'D}=\overline{O'E}=\overline{O'F}=2$ cm이므로
$\triangle ABC=\triangle O'AB+\triangle O'BC+\triangle O'CA$
$=\dfrac{1}{2}\times\overline{AB}\times\overline{O'D}+\dfrac{1}{2}\times\overline{BC}\times\overline{O'E}$
$\qquad\qquad\qquad\quad+\dfrac{1}{2}\times\overline{CA}\times\overline{O'F}$
$=\dfrac{1}{2}\times(\overline{AB}+\overline{BC}+\overline{CA})\times\overline{O'D}$
$=\dfrac{1}{2}\times24\times2=24$ (cm^2)
답 (1) 24 cm　(2) 24 cm^2

0355 전략 $\overline{AB}+\overline{CD}=\overline{AD}+\overline{BC}$임을 이용한다.
△ABC에서 $\overline{BC}=\sqrt{15^2-9^2}=\sqrt{144}=12$ (cm)
$\overline{AB}+\overline{CD}=\overline{AD}+\overline{BC}$이므로
$9+\overline{CD}=8+12$　　$\therefore \overline{CD}=11$ (cm)　　답 11 cm

0356 $\overline{AB}+\overline{CD}=\overline{AD}+\overline{BC}$이므로
(□ABCD의 둘레의 길이)$=\overline{AB}+\overline{BC}+\overline{CD}+\overline{DA}$
$=2(\overline{AB}+\overline{CD})=2\times(7+8)$
$=2\times15=30$ (cm)
답 30 cm

0357 $\overline{AB}+\overline{CD}=\overline{AD}+\overline{BC}$이므로
$(x+2)+(x+1)=x+(2x-1)$　　$\therefore x=4$
따라서 $\overline{AD}=x=4$, $\overline{BC}=2x-1=2\times4-1=7$이므로
(□ABCD의 둘레의 길이)$=\overline{AB}+\overline{BC}+\overline{CD}+\overline{DA}$
$=2(\overline{AD}+\overline{BC})=2\times(4+7)$
$=2\times11=22$　　답 22

0358 오른쪽 그림과 같이 $\overline{OR}$를 그으
면 □QBRO가 정사각형이므로 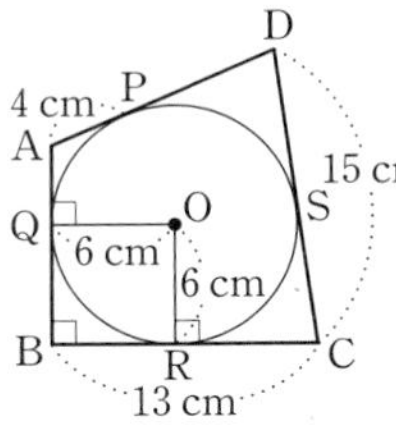
$\overline{QB}=\overline{OR}=6$ cm
이때 $\overline{AQ}=\overline{AP}=4$ cm이므로
$\overline{AB}+\overline{CD}=\overline{AD}+\overline{BC}$에서
$(4+6)+15=(4+\overline{DP})+13$
$25=17+\overline{DP}$　　$\therefore \overline{DP}=8$ (cm)
답 8 cm

0359 원 O의 반지름의 길이가 5 cm이므로
$\overline{AB}=2\times5=10$ (cm)
$\overline{AB}+\overline{CD}=\overline{AD}+\overline{BC}$이므로
$\overline{AD}+\overline{BC}=\overline{AB}+\overline{CD}=10+12=22$ (cm)
$\therefore$ □ABCD$=\dfrac{1}{2}\times22\times10=110$ (cm^2)　　답 110 cm^2

0360 (1) $\overline{AB}+\overline{CD}=\overline{AD}+\overline{BC}=6+16=22$ (cm)
이때 □ABCD는 등변사다리꼴이므로
$\overline{AB}=\overline{CD}=\dfrac{1}{2}\times22=11$ (cm)　　……⑴
(2) 오른쪽 그림과 같이 두 꼭
짓점 A, D에서 $\overline{BC}$에 내린
수선의 발을 각각 E, F라
하면 $\overline{EF}=\overline{AD}=6$ cm이
므로 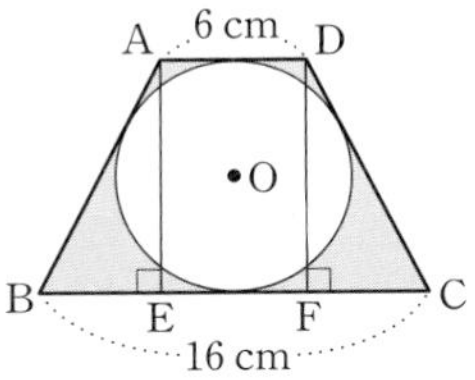
$\overline{BE}=\overline{CF}=\dfrac{1}{2}\times(16-6)=5$ (cm)
△ABE에서 $\overline{AE}=\sqrt{11^2-5^2}=\sqrt{96}=4\sqrt6$ (cm) …⑷
따라서 원 O의 반지름의 길이는
$\dfrac{1}{2}\overline{AE}=\dfrac{1}{2}\times4\sqrt6=2\sqrt6$ (cm)　　……⑷
(3) □ABCD$=\dfrac{1}{2}\times(6+16)\times4\sqrt6=44\sqrt6$ (cm^2)이므로
(색칠한 부분의 넓이)$=$□ABCD$-$(원 O의 넓이)
$=44\sqrt6-\pi\times(2\sqrt6)^2$
$=44\sqrt6-24\pi$ (cm^2)　　……⑷
답 (1) 11 cm　(2) $2\sqrt6$ cm　(3) $(44\sqrt6-24\pi)$ cm^2

채점 기준	비율
⑴ $\overline{AB}$의 길이 구하기	30 %
⑷ 꼭짓점 A에서 $\overline{BC}$에 내린 수선의 발을 E라 할 때, $\overline{AE}$의 길이 구하기	30 %
⑷ 원 O의 반지름의 길이 구하기	10 %
⑷ 색칠한 부분의 넓이 구하기	30 %

0361 전략 가장 짧은 선분인 $\overline{EF}$의 길이를 x로 놓고 $\overline{DE}$, $\overline{CE}$를 x의 식으로 나타낸 후 $\triangle DEC$에서 피타고라스 정리를 이용한다.

$\overline{EF}=x$라 하면 $\overline{EG}=\overline{EF}=x$

원 O의 반지름의 길이가 2이므로 $\overline{AH}=\overline{BF}=2$

$\overline{DG}=\overline{DH}=6-2=4$

$\overline{CE}=6-(2+x)=4-x$

이때 $\overline{DE}=4+x$이므로

$\triangle DEC$에서

$(4+x)^2=(4-x)^2+4^2$

$16x=16$ $\therefore x=1$

$\therefore \overline{DE}=4+x=4+1=5$ **답** 5

다른 풀이

$\overline{DE}=x$라 하면 $\square ABED$가 원 O에 외접하므로

$\overline{AB}+\overline{DE}=\overline{AD}+\overline{BE}$에서 $4+x=6+\overline{BE}$

$\therefore \overline{BE}=x-2$

이때 $\overline{CE}=6-(x-2)=8-x$이므로

$\triangle DEC$에서 $x^2=(8-x)^2+4^2$

$16x=80$ $\therefore x=5$

$\therefore \overline{DE}=5$

0362 $\triangle DEC$에서 $\overline{CE}=\sqrt{15^2-12^2}=\sqrt{81}=9\,(\text{cm})$

$\overline{BE}=x\,\text{cm}$라 하면 $\overline{AD}=\overline{BC}=(x+9)\,\text{cm}$

이때 $\square ABED$가 원 O에 외접하므로

$\overline{AD}+\overline{BE}=\overline{AB}+\overline{DE}$에서

$(x+9)+x=12+15$

$2x=18$ $\therefore x=9$

$\therefore \overline{BE}=9\,\text{cm}$ **답** 9 cm

0363 (1) $\overline{ID}=\overline{GC}=5\,\text{cm}$이므로

$\overline{AF}=\overline{AI}=15-5=10\,(\text{cm})$

$\overline{EF}=x\,\text{cm}$라 하면

$\overline{AE}=\overline{AF}+\overline{EF}=10+x\,(\text{cm})$

또 $\overline{EG}=\overline{EF}=x\,\text{cm}$이므로

$\overline{BE}=\overline{BC}-\overline{EC}=15-(x+5)=10-x\,(\text{cm})$

$\triangle ABE$에서

$(10+x)^2=10^2+(10-x)^2$

$40x=100$ $\therefore x=\dfrac{5}{2}$

$\therefore \overline{EF}=\dfrac{5}{2}\,\text{cm}$

(2) $\overline{BE}=10-x=10-\dfrac{5}{2}=\dfrac{15}{2}\,(\text{cm})$이므로

$\triangle ABE=\dfrac{1}{2}\times\dfrac{15}{2}\times10=\dfrac{75}{2}\,(\text{cm}^2)$

답 (1) $\dfrac{5}{2}$ cm   (2) $\dfrac{75}{2}$ cm²

0364 전략 점 D에서 $\overline{AB}$에 수선을 그어 변의 길이를 구한다.

오른쪽 그림과 같이 점 D에서 $\overline{AB}$에 내린 수선의 발을 E라 하고 $\overline{OH}$와 $\overline{ED}$가 만나는 점을 F라 하면

$\triangle AED$에서

$\overline{AE}=\overline{AD}\cos 60°$

$\qquad =8\times\dfrac{1}{2}=4\,(\text{cm})$

$\overline{DE}=\overline{AD}\sin 60°=8\times\dfrac{\sqrt{3}}{2}=4\sqrt{3}\,(\text{cm})$

이때 $\overline{OF}\perp\overline{ED}$이므로

$\overline{FD}=\dfrac{1}{2}\overline{ED}=\dfrac{1}{2}\times4\sqrt{3}=2\sqrt{3}\,(\text{cm})$

$\triangle OFD$에서

$\overline{OF}=\sqrt{\overline{OD}^2-\overline{FD}^2}=\sqrt{4^2-(2\sqrt{3})^2}=\sqrt{4}=2\,(\text{cm})$

$\therefore \overline{FH}=\overline{OH}-\overline{OF}=4-2=2\,(\text{cm})$

따라서 $\overline{CD}=\overline{BE}=\overline{FH}=2\,\text{cm}$,

$\overline{AB}=\overline{AE}+\overline{BE}=4+2=6\,(\text{cm})$,

$\overline{BC}=\overline{ED}=4\sqrt{3}\,\text{cm}$이므로

$\square ABCD=\dfrac{1}{2}\times(6+2)\times4\sqrt{3}=16\sqrt{3}\,(\text{cm}^2)$

답 $16\sqrt{3}$ cm²

0365 $\overline{AB}:\overline{AC}=10:6=5:3$이므로

$\overline{AB}=5a$, $\overline{AC}=3a\,(a>0)$라 하면

$\triangle ABC$에서 $(5a)^2=16^2+(3a)^2$이므로

$16a^2=256$, $a^2=16$ $\therefore a=4\,(\because a>0)$

$\therefore \overline{AB}=5\times4=20\,(\text{cm})$, $\overline{AC}=3\times4=12\,(\text{cm})$

내접원 O의 반지름의 길이를 $r\,\text{cm}$라 하고 오른쪽 그림과 같이 $\overline{OF}$, $\overline{OG}$를 그으면 $\square OFCG$는 정사각형이므로

$\overline{CF}=\overline{CG}=\overline{OF}=r\,\text{cm}$

이때 $\overline{AE}=\overline{AG}=(12-r)\,\text{cm}$, $\overline{BE}=\overline{BF}=(16-r)\,\text{cm}$

이므로 $\overline{AB}=\overline{AE}+\overline{BE}$에서

$(12-r)+(16-r)=20$ $\therefore r=4$

따라서 내접원 O의 반지름의 길이는 4 cm이다.   **답** 4 cm

Lecture

삼각형의 내각의 이등분선

$\triangle ABC$에서 $\angle A$의 이등분선이 $\overline{BC}$와 만나는 점을 D라 하면

$\overline{AB}:\overline{AC}=\overline{BD}:\overline{CD}$

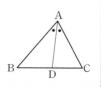

0366 전략 점 O'에서 $\overline{OE}$에 내린 수선의 발을 H라 할 때, 직각삼각형 OHO'에서 피타고라스 정리를 이용한다.

오른쪽 그림에서

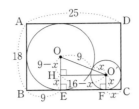

$\overline{OE}=\dfrac{1}{2}\overline{AB}=\dfrac{1}{2}\times18=9$

점 O'에서 $\overline{OE}$에 내린 수선

의 발을 H라 하고 원 O'의

반지름의 길이를 x라 하면

$\overline{OO'}=9+x$, $\overline{OH}=9-x$,

$\overline{HO'}=\overline{EF}=\overline{BC}-(\overline{BE}+\overline{FC})=25-(9+x)=16-x$

따라서 $\triangle OHO'$에서

$(9+x)^2=(9-x)^2+(16-x)^2$

$x^2-68x+256=0$, $(x-4)(x-64)=0$

$\therefore x=4\ (\because 0<x<9)$ **답** 4

STEP 3 내신 마스터 p.64~p.67

0367 전략 한 원에서 중심각의 크기와 호의 길이는 정비례하지만 중심각의 크기와 현의 길이는 정비례하지 않는다.

㉠ 한 원에서 현의 길이는 중심각의 크기와 정비례하지 않는다.

따라서 옳은 것은 ㉡, ㉢, ㉣이다. **답** ④

Lecture

중심각의 크기와 호, 현의 길이 사이의 관계

(1) 크기가 같은 두 중심각에 대한 호(현)의 길이는 같다.

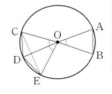

➡ ∠AOB=∠COD이면

$\quad\overset{\frown}{AB}=\overset{\frown}{CD}$

$\quad$∠AOB=∠COD이면

$\quad\overline{AB}=\overline{CD}$

(2) 길이가 같은 두 호(현)에 대한 중심각의 크기는 같다.

➡ $\overset{\frown}{AB}=\overset{\frown}{CD}$이면 ∠AOB=∠COD

$\quad\overline{AB}=\overline{CD}$이면 ∠AOB=∠COD

(3) 중심각의 크기와 호의 길이는 정비례한다.

➡ ∠COE=2∠AOB이면 $\overset{\frown}{CE}=2\overset{\frown}{AB}$

(4) 중심각의 크기와 현의 길이는 정비례하지 않는다.

➡ ∠COE=2∠AOB이면 $\overline{CE}\ne2\overline{AB}$

0368 전략 $\overline{OB}=\overline{OC}=\dfrac{1}{2}\overline{CD}$이고, $\overline{AM}=\overline{BM}=\dfrac{1}{2}\overline{AB}$임을 이용한다.

오른쪽 그림과 같이 $\overline{OB}$를 그으면

$\overline{OB}=\overline{OC}=\dfrac{1}{2}\overline{CD}=\dfrac{1}{2}\times30=15$,

$\overline{OM}=15-6=9$이므로

$\triangle OBM$에서

$\overline{BM}=\sqrt{15^2-9^2}=\sqrt{144}=12$

$\therefore \overline{AB}=2\overline{BM}=2\times12=24$

답 ⑤

0369 전략 현의 수직이등분선은 그 원의 중심을 지남을 이용하여 원의 중심을 찾는다.

오른쪽 그림에서 $\overline{CD}$의 연장선은 원의 중심을 지난다.

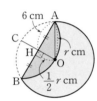

원의 중심을 O라 하면

$\overline{OA}=\overline{OC}=\dfrac{1}{2}\times10=5\ (\text{cm})$,

$\overline{AD}=\overline{BD}=\dfrac{1}{2}\overline{AB}=\dfrac{1}{2}\times8=4\ (\text{cm})$이므로

$\triangle AOD$에서 $\overline{OD}=\sqrt{5^2-4^2}=\sqrt{9}=3\ (\text{cm})$

$\therefore \overline{CD}=\overline{OC}-\overline{OD}=5-3=2\ (\text{cm})$ **답** 2 cm

---

0370 전략 원의 중심 O에서 $\overline{AB}$에 수선을 긋고 피타고라스 정리를 이용한다.

오른쪽 그림과 같이 원의 중심 O에서 $\overline{AB}$에 내린 수선의 발을 H라 하고 $\overline{OH}$의 연장선과 원 O가 만나는 점을 C라 하면

$\overline{AH}=\dfrac{1}{2}\overline{AB}=\dfrac{1}{2}\times12=6\ (\text{cm})$

원 O의 반지름의 길이를 r cm라 하면

$\overline{OA}=\overline{OC}=r\ \text{cm}$,

$\overline{OH}=\overline{HC}=\dfrac{1}{2}\overline{OC}=\dfrac{1}{2}r\ (\text{cm})$이므로

$\triangle OAH$에서 $r^2=6^2+\left(\dfrac{1}{2}r\right)^2$

$r^2=48$ $\therefore r=4\sqrt{3}\ (\because r>0)$

따라서 구하는 원 O의 넓이는

$\pi\times(4\sqrt{3})^2=48\pi\ (\text{cm}^2)$ **답** $48\pi\ \text{cm}^2$

0371 전략 원 O에서 $\overline{OH}=\overline{OI}$이면 $\overline{AB}=\overline{CD}$이다.

④ $\overline{AH}=\overline{OH}$인지는 알 수 없다. **답** ④

0372 전략 원의 중심에서 현에 내린 수선은 그 현을 이등분한다.

오른쪽 그림과 같이 원의 중심 O에서 $\overline{AB}$, $\overline{CD}$에 내린 수선의 발을 각각 E, F라 하면 $\overline{AB}=\overline{CD}$이므로

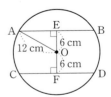

$\overline{OE}=\overline{OF}=\dfrac{1}{2}\times12=6\ (\text{cm})$

$\triangle OAE$에서

$\overline{AE}=\sqrt{12^2-6^2}=\sqrt{108}=6\sqrt{3}\ (\text{cm})$

$\therefore \overline{AB}=2\overline{AE}=2\times6\sqrt{3}=12\sqrt{3}\ (\text{cm})$

따라서 두 철사의 길이의 합은

$\overline{AB}+\overline{CD}=2\overline{AB}=2\times12\sqrt{3}=24\sqrt{3}\ (\text{cm})$ **답** $24\sqrt{3}\ \text{cm}$

0373 전략 원 O에서 $\overline{AB}\perp\overline{OM}$, $\overline{AC}\perp\overline{ON}$이고 $\overline{OM}=\overline{ON}$이면 $\overline{AB}=\overline{AC}$이다.

$\overline{OM}=\overline{ON}$이므로 $\overline{AB}=\overline{AC}$

$\therefore \angle ABC=\dfrac{1}{2}\times(180°-44°)=68°$ 답 68°

0374 전략 $\overline{OD}=\overline{OE}=\overline{OF}$이면 $\overline{AB}=\overline{BC}=\overline{CA}$이므로 $\triangle ABC$는 정삼각형임을 이용한다.

$\overline{OD}=\overline{OE}=\overline{OF}$이므로 $\overline{AB}=\overline{BC}=\overline{CA}=8$ cm

즉 $\triangle ABC$는 정삼각형이므로

$\overline{BE}=\dfrac{1}{2}\overline{BC}=\dfrac{1}{2}\times8=4$ (cm)

오른쪽 그림과 같이 $\overline{OB}$를 그으면
$\triangle OBD\equiv\triangle OBE$ (RHS 합동)이
므로

$\angle OBE=\angle OBD=\dfrac{1}{2}\angle ABC$

$=\dfrac{1}{2}\times60°=30°$

$\triangle OBE$에서

$\overline{OB}=\dfrac{\overline{BE}}{\cos 30°}=4\div\dfrac{\sqrt{3}}{2}=\dfrac{8}{\sqrt{3}}=\dfrac{8\sqrt{3}}{3}$ (cm)

따라서 원 O의 반지름의 길이는 $\dfrac{8\sqrt{3}}{3}$ cm이다.

답 $\dfrac{8\sqrt{3}}{3}$ cm

0375 전략 $\overline{PT}$가 원 C의 접선이므로 $\triangle CPT$는 직각삼각형임을 이용한다.

오른쪽 그림에서
$\overline{CP}$
$=\sqrt{\{3-(-2)\}^2+\{2-(-3)\}^2}$
$=\sqrt{50}=5\sqrt{2}$

이때 $\triangle CPT$에서
$\overline{CT}=1$이고 $\angle PTC=90°$이므로
$\overline{PT}=\sqrt{(5\sqrt{2})^2-1^2}=\sqrt{49}=7$ 답 ③

> **Lecture**
> 두 점 $P(x_1, y_1)$, $Q(x_2, y_2)$ 사이의 거리는
> $\overline{PQ}=\sqrt{(x_2-x_1)^2+(y_2-y_1)^2}$

0376 전략 원의 중심 O에서 $\overline{AB}$에 수선을 긋고 피타고라스 정리를 이용한다.

오른쪽 그림과 같이 $\overline{AB}$와 작은 원의 접점을 M이라 하면
$\overline{AB}\perp\overline{OM}$이므로
$\overline{AM}=\overline{BM}=\dfrac{1}{2}\overline{AB}$
$=\dfrac{1}{2}\times20=10$ (cm)   …… (가)

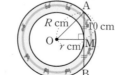

큰 원의 반지름의 길이를 R cm, 작은 원의 반지름의 길이를 r cm라 하면 $\triangle AOM$에서
$R^2=r^2+10^2$ $\therefore R^2-r^2=100$

$\therefore$ (색칠된 부분의 넓이)$=\pi R^2-\pi r^2$
$=\pi(R^2-r^2)$
$=100\pi$ (cm^2)   …… (나)

답 100π cm^2

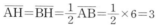

채점 기준	비율
(가) $\overline{AB}$와 작은 원의 접점을 M이라 할 때, $\overline{AM}$의 길이 구하기	30 %
(나) 색칠된 부분의 넓이 구하기	70 %

0377 전략 길이가 6인 현은 원의 중심이 같고 반지름의 길이가 다른 두 원에서 큰 원의 현이면서 작은 원의 접선이 된다.

한 원에서 길이가 같은 현은 원의 중심으로부터 같은 거리에 있으므로 원 O의 내부에 그 거리를 반지름으로 하는 원이 그려진다.

오른쪽 그림과 같이 원의 중심 O에서 현 AB에 내린 수선의 발을 H라 하면
$\overline{AH}=\overline{BH}=\dfrac{1}{2}\overline{AB}=\dfrac{1}{2}\times6=3$

$\triangle AHO$에서
$\overline{AO}^2=3^2+\overline{HO}^2$, $\overline{AO}^2-\overline{HO}^2=9$

따라서 현이 지나간 부분의 넓이는
$\pi\times\overline{AO}^2-\pi\times\overline{HO}^2=\pi(\overline{AO}^2-\overline{HO}^2)$
$=\pi\times9=9\pi$ 답 9π

0378 전략 $\overline{PA}=\overline{PB}$이므로 $\triangle PAB$는 이등변삼각형임을 이용한다.

$\angle PAO=90°$이므로 $\angle PAB=90°-28°=62°$
이때 $\overline{PA}=\overline{PB}$이므로 $\triangle PAB$에서
$\angle P=180°-2\times62°=56°$ 답 56°

0379 전략 $\overline{AD}=\overline{AE}$이므로 $\triangle ADE$는 이등변삼각형임을 이용한다.

$\triangle ABC$에서 $\angle A=180°-(50°+70°)=60°$
$\triangle ADE$에서 $\overline{AD}=\overline{AE}$이므로
$\angle x=\dfrac{1}{2}\times(180°-60°)=60°$ 답 ②

0380 전략 $\angle PAO=\angle PBO=90°$임을 이용하여 $\angle AOB$의 크기를 구한다.

$\angle PAO=\angle PBO=90°$이므로
$60°+\angle AOB=180°$
$\therefore \angle AOB=120°$
한편 $\overline{PO}$를 그으면 $\triangle APO$에서

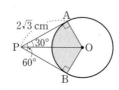

$\angle APO=\dfrac{1}{2}\angle APB=30°$이므로

$\overline{AO}=\overline{PA}\tan 30°=2\sqrt{3}\times\dfrac{\sqrt{3}}{3}=2\,(\text{cm})$

$\therefore$ (색칠한 부분의 넓이)$=\pi\times 2^2\times\dfrac{120°}{360°}=\dfrac{4}{3}\pi\,(\text{cm}^2)$

답 $\dfrac{4}{3}\pi\ \text{cm}^2$

0381 [전략] $\overline{PA}=\overline{PB}$이고 $\angle PAO=90°$임을 이용한다.

$\overline{PA}=\overline{PB}=4\,\text{cm}$이고 $\angle PAO=90°$이므로

$\triangle APO$에서

$\overline{AO}=\sqrt{5^2-4^2}=\sqrt{9}=3\,(\text{cm})$　　　**답** $3\,\text{cm}$

0382 [전략] $\overline{BD}=\overline{BF}$, $\overline{CD}=\overline{CE}$이고 $\overline{AF}+\overline{AE}=2\overline{AF}$임을 이용한다.

$\overline{BD}=\overline{BF}$, $\overline{CD}=\overline{CE}$이므로

$\overline{AF}+\overline{AE}=\overline{AB}+\overline{BC}+\overline{AC}$

$\qquad\qquad\quad=11+10+13=34$

이때 $\overline{AF}=\overline{AE}$이므로 $\overline{AF}=\dfrac{1}{2}\times 34=17$

$\therefore \overline{BF}=\overline{AF}-\overline{AB}=17-11=6$　　　**답** 6

0383 [전략] $\angle PAO=\angle PBO=90°$이고 $\overline{PA}=\overline{PB}$임을 이용한다.

(1) $\angle OPA=\angle OPB=\dfrac{1}{2}\times 60°=30°$이고

$\angle PAO=90°$이므로 $\triangle AOP$에서

$\overline{OA}=\overline{OP}\sin 30°=8\sqrt{3}\times\dfrac{1}{2}=4\sqrt{3}\,(\text{cm})$

따라서 원 O의 반지름의 길이는 $4\sqrt{3}\,\text{cm}$이다. …… ㈎

(2) $\triangle AOP$에서

$\overline{PA}=\overline{OP}\cos 30°=8\sqrt{3}\times\dfrac{\sqrt{3}}{2}=12\,(\text{cm})$

$\therefore \overline{PB}=\overline{PA}=12\,\text{cm}$　　　…… ㈏

(3) ($\triangle PQR$의 둘레의 길이)$=\overline{PQ}+\overline{QR}+\overline{PR}$

$\qquad\qquad\qquad\qquad\qquad=2\overline{PA}=2\times 12=24\,(\text{cm})$

…… ㈐

답 (1) $4\sqrt{3}\,\text{cm}$　(2) $\overline{PA}=12\,\text{cm},\ \overline{PB}=12\,\text{cm}$　(3) $24\,\text{cm}$

채점 기준	비율
㈎ 원 O의 반지름의 길이 구하기	40 %
㈏ PA, PB의 길이 구하기	30 %
㈐ $\triangle PQR$의 둘레의 길이 구하기	30 %

0384 [전략] 꼭짓점 C에서 $\overline{BD}$에 수선을 그어 직각삼각형이 생기면 피타고라스 정리를 이용한다.

① $\overline{CP}=\overline{CA}=4\,\text{cm}$

② $\overline{DP}=\overline{DB}=9\,\text{cm}$이므로 $\overline{CD}=4+9=13\,(\text{cm})$

③ 오른쪽 그림과 같이 꼭짓점 C에서 $\overline{BD}$에 내린 수선의 발을 H라 하면

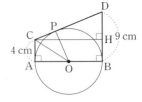

$\overline{BH}=\overline{AC}=4\,\text{cm}$

$\overline{DH}=9-4=5\,(\text{cm})$

$\triangle DCH$에서

$\overline{CH}=\sqrt{13^2-5^2}=\sqrt{144}=12\,(\text{cm})$

$\therefore \overline{AB}=\overline{CH}=12\,\text{cm}$

④ $\overline{OA}=\dfrac{1}{2}\overline{AB}=\dfrac{1}{2}\times 12=6\,(\text{cm})$이므로

$\triangle CAO$에서 $\overline{OC}=\sqrt{4^2+6^2}=\sqrt{52}=2\sqrt{13}\,(\text{cm})$

⑤ $\overline{OP}=\overline{OA}=6\,\text{cm}$

따라서 옳지 않은 것은 ⑤이다.　　　**답** ⑤

0385 [전략] $\overline{AP}=\overline{AR}$, $\overline{BP}=\overline{BQ}$, $\overline{CR}=\overline{CQ}$임을 이용한다.

$\overline{CQ}=x\,\text{cm}$라 하면 $\overline{CR}=\overline{CQ}=x\,\text{cm}$

$\overline{AP}=\overline{AR}=(7-x)\,\text{cm}$, $\overline{BP}=\overline{BQ}=(11-x)\,\text{cm}$

…… ㈎

$\overline{AB}=\overline{AP}+\overline{BP}$에서 $(7-x)+(11-x)=8$

$2x=10$　　$\therefore x=5$

$\therefore \overline{CQ}=5\,\text{cm}$　　　…… ㈏

답 $5\,\text{cm}$

채점 기준	비율
㈎ $\overline{CQ}=x\,\text{cm}$라 하고 $\overline{BP}$, $\overline{AP}$의 길이를 x에 대한 식으로 나타내기	50 %
㈏ $\overline{CQ}$의 길이 구하기	50 %

0386 [전략] $\overline{AF}=\overline{AI}$, $\overline{BF}=\overline{BH}$, $\overline{CH}=\overline{CI}$임을 이용한다.

$\overline{BF}=x$라 하면 $\overline{BH}=\overline{BF}=x$이므로

$\overline{AI}=\overline{AF}=12-x$, $\overline{CI}=\overline{CH}=22-x$

$(12-x)+(22-x)=18$에서 $2x=16$　　$\therefore x=8$

$\therefore$ ($\triangle DBE$의 둘레의 길이)$=\overline{DB}+\overline{BE}+\overline{ED}$

$\qquad\qquad\qquad\qquad\qquad=2\overline{BF}=2\times 8=16$　**답** 16

0387 [전략] $\overline{AP}=\overline{AR}$, $\overline{BP}=\overline{BQ}$, $\overline{CQ}=\overline{CR}$이고, $\square OQCR$는 정사각형임을 이용한다.

(1) 원 O의 반지름의 길이를 r라 하면

$\overline{CQ}=\overline{CR}=r$

$\overline{BQ}=\overline{BP}=6$이므로 $\overline{BC}=6+r$

$\overline{AR}=\overline{AP}=9$이므로 $\overline{AC}=9+r$

이때 $\triangle ABC$에서 $(9+6)^2=(6+r)^2+(9+r)^2$

$r^2+15r-54=0,\ (r+18)(r-3)=0$

$\therefore r=3\ (\because r>0)$

(2) $\overline{BC}=6+r=6+3=9$, $\overline{AC}=9+r=9+3=12$이므로

$\triangle ABC=\dfrac{1}{2}\times 9\times 12=54$　　　**답** (1) 3　(2) 54

△ABC의 넓이는 내접원의 반지름의 길이를 이용하여 구할 수도 있다.

$$\triangle ABC = \triangle OAB + \triangle OBC + \triangle OCA$$
$$= \frac{1}{2} \times \overline{AB} \times \overline{OP} + \frac{1}{2} \times \overline{BC} \times \overline{OQ} + \frac{1}{2} \times \overline{CA} \times \overline{OR}$$
$$= \frac{1}{2} \times \overline{AB} \times r + \frac{1}{2} \times \overline{BC} \times r + \frac{1}{2} \times \overline{CA} \times r$$
$$= \frac{1}{2} r (\overline{AB} + \overline{BC} + \overline{CA})$$

0388 전략 원 O에 외접하는 □ABCD에서 $\overline{AB} + \overline{CD} = \overline{AD} + \overline{BC}$ 임을 이용한다.

$\overline{AB} + \overline{CD} = \overline{AD} + \overline{BC}$이므로

$7 + 10 = 6 + \overline{BC}$ ∴ $\overline{BC} = 11$ **답** 11

0389 전략 꼭짓점 A에서 $\overline{BC}$에 내린 수선의 발을 E라 할 때,

(원 O의 반지름의 길이)$= \frac{1}{2} \overline{AE}$이다.

오른쪽 그림과 같이 두 꼭짓점 A, D에서 $\overline{BC}$에 내린 수선의 발을 각각 E, F라 하면

$\overline{EF} = \overline{AD} = 8$ cm이므로

$\overline{BE} = \overline{CF} = \frac{1}{2} \times (18 - 8)$
$= 5$ (cm)

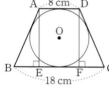

$\overline{AB} + \overline{CD} = \overline{AD} + \overline{BC} = 8 + 18 = 26$ (cm)

$\overline{AB} = \overline{CD}$이므로 $\overline{AB} = \frac{1}{2} \times 26 = 13$ (cm)

△ABE에서 $\overline{AE} = \sqrt{13^2 - 5^2} = \sqrt{144} = 12$ (cm)

∴ (원 O의 반지름의 길이)$= \frac{1}{2} \overline{AE} = \frac{1}{2} \times 12 = 6$ (cm)

답 ④

0390 전략 $\overline{QE} = x$ cm로 놓고 $\overline{DE}$, $\overline{CE}$를 x의 식으로 나타낸 후 △DEC에서 피타고라스 정리를 이용한다.

$\overline{QE} = x$ cm라 하면 $\overline{RE} = \overline{QE} = x$ cm

$\overline{AS} = \overline{BQ} = \frac{1}{2} \overline{AB} = 3$ (cm)이므로

$\overline{DR} = \overline{DS} = 9 - 3 = 6$ (cm)

$\overline{CE} = 9 - (3 + x) = 6 - x$ (cm)

이때 $\overline{DE} = (6 + x)$ cm이므로 △DEC에서

$(6 + x)^2 = (6 - x)^2 + 6^2$, $24x = 36$ ∴ $x = \frac{3}{2}$

$\overline{EC} = 6 - x = 6 - \frac{3}{2} = \frac{9}{2}$ (cm)이므로

$\triangle DEC = \frac{1}{2} \times \frac{9}{2} \times 6 = \frac{27}{2}$ (cm²)

답 $\frac{27}{2}$ cm²

4 원주각

STEP 1 개념 마스터
p.70 ~ p.71

0391 $\angle x = \dfrac{1}{2}\angle AOB = \dfrac{1}{2} \times 100° = 50°$ **답** $50°$

0392 $\angle x = \dfrac{1}{2}\angle AOB = \dfrac{1}{2} \times 96° = 48°$ **답** $48°$

0393 $\angle x = 2\angle APB = 2 \times 55° = 110°$ **답** $110°$

0394 $\angle x = 2\angle APB = 2 \times 120° = 240°$ **답** $240°$

0395 $\angle x = \angle CBD = 40°$ **답** $40°$

0396 $\angle x = \angle ACB = 30°$ **답** $30°$

0397 $\angle x = \angle DBC = 56°$ **답** $56°$

0398 $\triangle ABC$에서 $\angle BAC = 180° - (80° + 65°) = 35°$
$\therefore \angle x = \angle BAC = 35°$ **답** $35°$

0399 $\overline{BC}$가 원 O의 지름이므로 $\angle BAC = 90°$
$\therefore \angle x = 180° - (90° + 60°) = 30°$ **답** $30°$

0400 $\overline{AC}$가 원 O의 지름이므로 $\angle ABC = 90°$
$\therefore \angle x = 180° - (15° + 90°) = 75°$ **답** $75°$

0401 $\overarc{AB} = \overarc{CD}$이므로 $\angle CQD = \angle APB = 20°$
$\therefore x = 20$ **답** 20

0402 $\angle APB = \angle CQD$이므로 $\overarc{AB} = \overarc{CD} = 4 \text{ cm}$
$\therefore x = 4$ **답** 4

0403 $25° : 75° = 5 : x$이므로 $1 : 3 = 5 : x$
$\therefore x = 15$ **답** 15

0404 $30° : x° = 2 : 4$이므로 $30 : x = 1 : 2$
$\therefore x = 60$ **답** 60

0405 $\overarc{AB} = \overarc{BC}$이므로 $\angle ADB = \angle BDC = 35°$
$\angle ACD = \angle ABD = 50°$
$\triangle ACD$에서
$\angle x = 180° - (50° + 35° + 35°) = 60°$ **답** $60°$

0406 $\angle x = \angle BDC = 35°$ **답** $35°$

0407 $\angle ACD = \angle ABD = 60°$이므로
$\angle x = 180° - (90° + 60°) = 30°$ **답** $30°$

0408 $\angle BAC \neq \angle BDC$이므로 네 점 A, B, C, D는 한 원 위에 있지 않다. **답** $\times$

0409 $\triangle ABP$에서 $\angle ABP = 180° - (60° + 80°) = 40°$
따라서 $\angle ABD = \angle ACD$이므로 네 점 A, B, C, D는 한 원 위에 있다. **답** $\bigcirc$

0410 $\triangle PCD$에서 $110° = 80° + \angle D$ $\therefore \angle D = 30°$
따라서 $\angle BAC \neq \angle BDC$이므로 네 점 A, B, C, D는 한 원 위에 있지 않다. **답** $\times$

0411 $\triangle APC$에서 $65° = 35° + \angle C$ $\therefore \angle C = 30°$
따라서 $\angle ADB = \angle ACB$이므로 네 점 A, B, C, D는 한 원 위에 있다. **답** $\bigcirc$

STEP 2 유형 마스터
p.72~ p.78

0412 **전략** (원주각의 크기)$= \dfrac{1}{2} \times$ (중심각의 크기)임을 이용한다.

$\angle x = \dfrac{1}{2} \times 140° = 70°$

$\angle y = \dfrac{1}{2} \times (360° - 140°) = 110°$ **답** $\angle x = 70°, \angle y = 110°$

0413 $360° - \angle x = 2 \times 105°$
$\therefore \angle x = 150°$ **답** $150°$

0414 오른쪽 그림과 같이 $\overline{OE}$를 그으면 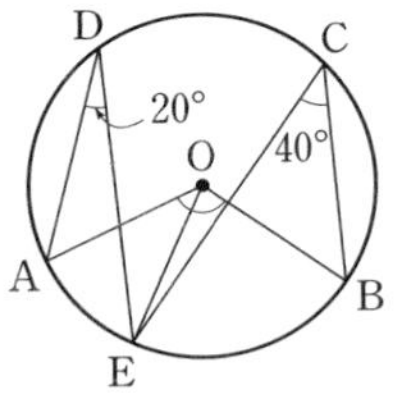
$\angle AOE = 2\angle ADE$
$\quad = 2 \times 20° = 40°$
$\angle EOB = 2\angle ECB$
$\quad = 2 \times 40° = 80°$
$\therefore \angle AOB = \angle AOE + \angle EOB$
$\quad = 40° + 80° = 120°$ **답** $120°$

0415 $\angle AOB = 2\angle APB = 2 \times 50° = 100°$
이때 $\triangle OAB$는 $\overline{OA} = \overline{OB}$인 이등변삼각형이므로
$\angle OAB = \dfrac{1}{2} \times (180° - 100°) = 40°$ **답** $40°$

0416 $\angle BOC = 2\angle BAC = 2 \times 75° = 150°$
$\therefore \triangle OBC = \dfrac{1}{2} \times 8 \times 8 \times \sin(180° - 150°)$
$\quad = \dfrac{1}{2} \times 8 \times 8 \times \sin 30°$
$\quad = \dfrac{1}{2} \times 8 \times 8 \times \dfrac{1}{2} = 16 \text{ (cm}^2)$ **답** 16 cm^2

0417 오른쪽 그림과 같이 원의 중심을 O라 하고 $\overline{OA}$, $\overline{OC}$를 그으면

$\angle AOC = 2\angle ABC$

$\qquad = 2 \times 30° = 60°$ ······ (가)

이때 $\overline{OA} = \overline{OC}$이므로

$\angle OAC = \angle OCA$

$\qquad = \dfrac{1}{2} \times (180° - 60°) = 60°$

즉 $\triangle AOC$는 정삼각형이므로 ······ (나)

$\overline{OA} = \overline{AC} = 15\,\text{m}$

따라서 공연장의 반지름의 길이는 15 m이다. ······ (다)

답 15 m

채점 기준	비율
(가) $\angle AOC$의 크기 구하기	50 %
(나) $\triangle AOC$가 정삼각형임을 알기	30 %
(다) 공연장의 반지름의 길이 구하기	20 %

0418 오른쪽 그림과 같이 $\overline{BC}$를 그으면

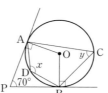

$\angle BCD = \dfrac{1}{2}\angle BOD$

$\qquad = \dfrac{1}{2} \times 50° = 25°$

$\angle ABC = \dfrac{1}{2}\angle AOC = \dfrac{1}{2} \times 130° = 65°$

따라서 $\triangle BCP$에서

$65° = 25° + \angle x$ $\quad \therefore \angle x = 40°$

답 40°

0419 **전략** $\angle PAO = \angle PBO = 90°$이므로 $\angle P + \angle AOB = 180°$

이고 (원주각의 크기) $= \dfrac{1}{2} \times$ (중심각의 크기)임을 이용한다.

오른쪽 그림과 같이 $\overline{OA}$, $\overline{OB}$를 그으면

$\angle PAO = \angle PBO = 90°$이므로

$\angle P + \angle AOB = 180°$에서

$70° + \angle AOB = 180°$

$\therefore \angle AOB = 110°$

$\angle y = \dfrac{1}{2}\angle AOB = \dfrac{1}{2} \times 110° = 55°$

$\angle x = \dfrac{1}{2} \times (360° - 110°) = 125°$

$\therefore \angle x - \angle y = 125° - 55° = 70°$

답 70°

0420 오른쪽 그림과 같이 $\overline{OA}$, $\overline{OB}$를 그으면

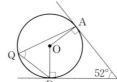

$\angle PAO = \angle PBO = 90°$이므로

$\angle AOB + \angle P = 180°$에서

$\angle AOB + 52° = 180°$

$\therefore \angle AOB = 128°$

$\therefore \angle AQB = \dfrac{1}{2}\angle AOB = \dfrac{1}{2} \times 128° = 64°$

답 64°

0421 오른쪽 그림과 같이 $\overline{OA}$, $\overline{OB}$를 그으면

$360° - \angle AOB = 2 \times 110°$

$\therefore \angle AOB = 140°$ ······ (가)

이때 $\angle PAO = \angle PBO = 90°$이므로

$\angle P + \angle AOB = 180°$에서 $\angle P + 140° = 180°$

$\therefore \angle P = 40°$ ······ (나)

답 40°

채점 기준	비율
(가) $\angle AOB$의 크기 구하기	50 %
(나) $\angle P$의 크기 구하기	50 %

0422 **전략** $\angle ADB = \angle ACB$이고 삼각형의 한 외각의 크기는 이와 이웃하지 않는 두 내각의 크기의 합과 같음을 이용한다.

$\angle ADB = \angle ACB = 35°$

$\triangle APD$에서 $\angle DPC = 23° + 35° = 58°$

답 58°

0423 $\angle x = 2\angle AQB = 2 \times 30° = 60°$

$\angle y = \angle AQB = 30°$

$\therefore \angle x - \angle y = 60° - 30° = 30°$

답 30°

0424 오른쪽 그림과 같이 $\overline{QB}$를 그으면

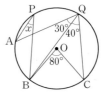

$\angle BQC = \dfrac{1}{2}\angle BOC$

$\qquad = \dfrac{1}{2} \times 80° = 40°$

$\angle AQB = 70° - 40° = 30°$이므로

$\angle x = \angle AQB = 30°$

답 30°

0425 오른쪽 그림과 같이 $\overline{PB}$를 그으면

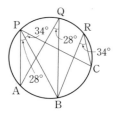

$\angle APB = \angle AQB = 28°$

$\angle BPC = \angle BRC = 34°$

$\therefore \angle x = \angle APB + \angle BPC$

$\qquad = 28° + 34°$

$\qquad = 62°$

답 62°

0426 $\angle x = \angle BAC = 32°$

$\triangle PCD$에서 $75° = \angle y + 32°$ $\quad \therefore \angle y = 43°$

$\therefore \angle y - \angle x = 43° - 32° = 11°$

답 11°

0427 $\angle BDC = \angle x$라 하면 $\angle BAC = \angle BDC = \angle x$

$\triangle AQC$에서 $\angle ACD = \angle x + 30°$

$\triangle PCD$에서 $(\angle x + 30°) + \angle x = 70°$

$2\angle x = 40°$ $\quad \therefore \angle x = 20°$

답 20°

0428 〈전략〉 반원에 대한 원주각의 크기는 90°임을 이용한다.

오른쪽 그림과 같이 $\overline{BC}$를 그으면 $\overline{AB}$가 원 O의 지름이므로

$\angle ACB = 90°$

△ACB에서

$\angle ABC = 180° - (37° + 90°)$
$= 53°$

$\therefore \angle x = \angle ABC = 53°$

답 53°

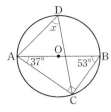

0429 오른쪽 그림과 같이 $\overline{AE}$를 그으면 $\overline{AB}$가 원 O의 지름이므로

$\angle AEB = 90°$

$\angle AED = 90° - 54° = 36°$

$\therefore \angle x = \angle AED = 36°$

답 36°

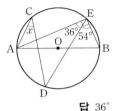

0430 $\overline{AD}$가 원 O의 지름이므로 $\angle ABD = 90°$

$\angle BAC = \angle BEC = 20°$

따라서 △ABF에서

$\angle AFB = 180° - (20° + 90°) = 70°$

답 70°

0431 $\overline{AB}$가 원 O의 지름이므로 $\angle ADB = 90°$

$\therefore \angle ADC = 90° - 40° = 50°$

이때 $\angle ABC = \angle ADC = 50°$이므로 △PCB에서

$\angle CPB = 180° - (25° + 50°) = 105°$

답 105°

0432 $\overline{BD}$가 원 O의 지름이므로 $\angle BCD = 90°$

$\therefore \angle y = 90° - 38° = 52°$

△DBC에서 $\angle BDC = 180° - (42° + 90°) = 48°$이므로

$\angle x = \angle BDC = 48°$

$\therefore \angle y - \angle x = 52° - 48° = 4°$

답 4°

0433 오른쪽 그림과 같이 $\overline{AE}$를 그으면 …… (가)

$\angle DAE = \frac{1}{2} \angle DOE$
$= \frac{1}{2} \times 40°$
$= 20°$ …… (나)

$\overline{AB}$가 원 O의 지름이므로 $\angle AEB = 90°$ …… (다)

따라서 △CAE에서

$90° = \angle x + 20°$ $\therefore \angle x = 70°$ …… (라)

답 70°

채점 기준	비율
(가) $\overline{AE}$ 긋기	20 %
(나) $\angle DAE$의 크기 구하기	30 %
(다) $\angle AEB$의 크기 구하기	30 %
(라) $\angle x$의 크기 구하기	20 %

0434 오른쪽 그림과 같이 $\overline{CB}$를 그으면 $\overline{AB}$가 반원 O의 지름이므로 $\angle ACB = 90°$

△ABC에서

$\angle ABC = 180° - (90° + 48°)$
$= 42°$

$\angle CPD = \angle COD = \angle x$라 하면

$\angle CBD = \frac{1}{2} \angle COD = \frac{1}{2} \angle x$

△PCB에서

$90° = \angle x + \frac{1}{2} \angle x$ $\therefore \angle x = 60°$

△OBD에서 $\overline{OB} = \overline{OD}$이므로

$\angle ODB = \angle OBD$
$= 42° + \frac{1}{2} \angle x = 42° + \frac{1}{2} \times 60° = 72°$

답 72°

0435 〈전략〉 $\angle BAC = \angle BA'C$가 되도록 원의 중심 O를 지나는 $\overline{A'B}$와 $\overline{A'C}$를 긋고 $\tan A = \tan A'$임을 이용한다.

오른쪽 그림과 같이 $\overline{BO}$의 연장선이 원 O와 만나는 점을 A'이라 하면 $\angle A'CB = 90°$이고

$\angle BAC = \angle BA'C$이므로

$\tan A = \tan A' = 2\sqrt{3}$

△A'BC에서 $\tan A' = \frac{\overline{BC}}{\overline{A'C}}$이므로

$2\sqrt{3} = \frac{4\sqrt{3}}{\overline{A'C}}$ $\therefore \overline{A'C} = 2$

$\therefore \overline{A'B} = \sqrt{(4\sqrt{3})^2 + 2^2} = 2\sqrt{13}$

따라서 원 O의 반지름의 길이는

$\frac{1}{2}\overline{A'B} = \frac{1}{2} \times 2\sqrt{13} = \sqrt{13}$

답 $\sqrt{13}$

0436 오른쪽 그림과 같이 $\overline{CO}$의 연장선이 원 O와 만나는 점을 A'이라 하면 $\angle A'BC = 90°$이고

$\angle A' = \angle A = 30°$이므로

△A'BC에서

$\sin 30° = \frac{\overline{CB}}{\overline{CA'}}$, $\frac{1}{2} = \frac{6\sqrt{2}}{\overline{CA'}}$

$\therefore \overline{CA'} = 12\sqrt{2}$

따라서 원 O의 지름의 길이는 $12\sqrt{2}$이다.

답 $12\sqrt{2}$

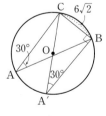

0437 오른쪽 그림과 같이 $\overline{AO}$의 연장선이 원 O와 만나는 점을 B'이라 하고 점 A에서 $\overline{BC}$에 내린 수선의 발을 D라 하면 $\angle B'CA = 90°$이고 $\angle B' = \angle B = 60°$이므로

△AB'C에서

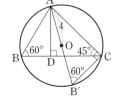

$$\sin 60° = \frac{\overline{AC}}{\overline{AB}}, \quad \frac{\sqrt{3}}{2} = \frac{\overline{AC}}{8} \qquad \therefore \overline{AC} = 4\sqrt{3}$$

△ADC에서

$$\sin 45° = \frac{\overline{AD}}{\overline{AC}}, \quad \frac{\sqrt{2}}{2} = \frac{\overline{AD}}{4\sqrt{3}} \qquad \therefore \overline{AD} = 2\sqrt{6}$$

$$\therefore \overline{DC} = \overline{AD} = 2\sqrt{6}$$

△ABD에서

$$\tan 60° = \frac{\overline{AD}}{\overline{BD}}, \quad \sqrt{3} = \frac{2\sqrt{6}}{\overline{BD}} \qquad \therefore \overline{BD} = 2\sqrt{2}$$

$$\therefore \overline{BC} = \overline{BD} + \overline{DC}$$
$$= 2\sqrt{2} + 2\sqrt{6} = 2(\sqrt{2} + \sqrt{6}) \qquad \text{답 } 2(\sqrt{2} + \sqrt{6})$$

0438 전략 한 원에서 길이가 같은 호에 대한 원주각의 크기는 서로 같음을 이용한다.

$\overparen{AC} = \overparen{BD}$이므로 $\angle DCB = \angle ABC = 25°$

$$\therefore \angle APD = \angle CPB = 180° - (25° + 25°) = 130°$$

답 130°

0439 $\overparen{BC} = \overparen{CD}$이므로 $\angle CBD = \angle BAC = 30°$

따라서 △BCA에서

$$\angle BCA = 180° - (30° + 45° + 30°) = 75° \qquad \text{답 } 75°$$

0440 $\overparen{PQ} = \overparen{QR}$이므로 $\angle QAR = \angle PAQ = 21°$

따라서 △ASP에서

$$\angle ASB = 37° + 21° + 21° = 79° \qquad \text{답 } 79°$$

0441 $\overline{PC}$가 원 O의 지름이므로

$$\angle PDC = 90°$$

△PCD에서 $\angle CPD = 180° - (55° + 90°) = 35°$

이때 $\overparen{AB} = \overparen{CD}$이므로 $\angle APB = \angle CPD = 35°$ 답 35°

0442 오른쪽 그림과 같이 $\overline{CB}$를 그으면 $\overline{AB}$는 원 O의 지름이므로

$$\angle ACB = 90°$$

또 $\overparen{BC} = \overparen{CD}$이므로

$$\angle DBC = \angle CAB = 32°$$

따라서 △ABC에서

$$\angle ABD = 180° - (90° + 32° + 32°) = 26° \qquad \text{답 } 26°$$

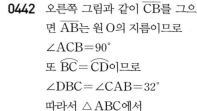

0443 오른쪽 그림과 같이 $\overline{AP}$, $\overline{BP}$를 그으면 $\overline{AB}$는 원 O의 지름이므로

$$\angle APB = 90°$$

또 $\overparen{AR} = \overparen{RQ} = \overparen{QB}$이므로

$$\angle APR = \angle RPQ = \angle QPB$$

$$\therefore \angle RPQ = \frac{1}{3}\angle APB = \frac{1}{3} \times 90° = 30° \qquad \text{답 } 30°$$

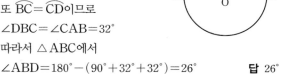

0444 오른쪽 그림과 같이 $\overline{AE}$, $\overline{EB}$를 그으면 $\overline{AB}$는 원 O의 지름이 므로 $\angle AEB = 90°$

또 $\overparen{AD} = \overparen{BF}$이므로

$\angle BEF = \angle ACD = 23°$이고

$\angle AED = \angle ACD = 23°$이므로

$$\angle DEF = \angle AEB - (\angle AED + \angle BEF)$$
$$= 90° - (23° + 23°) = 44° \qquad \text{답 } 44°$$

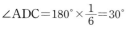

0445 전략 한 원에서 호의 길이는 그 호에 대한 원주각의 크기에 정비례함을 이용한다.

$\overparen{BC} = 3\overparen{AD}$이므로

$$\angle BAC = 3\angle ABD = 3\angle x$$

△ABP에서 $80° = 3\angle x + \angle x$

$$4\angle x = 80° \qquad \therefore \angle x = 20° \qquad \text{답 } 20°$$

0446 $\angle ADB : \angle DBC = \overparen{AB} : \overparen{CD} = 3 : 1$이므로

$$\angle DBC = \frac{1}{3}\angle ADB = \frac{1}{3}\angle x$$

△DBE에서 $\angle x = \frac{1}{3}\angle x + 32°$

$$\frac{2}{3}\angle x = 32° \qquad \therefore \angle x = 48° \qquad \text{답 } 48°$$

0447 △ACP에서 $75° = \angle CAP + 30°$

$$\therefore \angle CAP = 45° \qquad \cdots\cdots \text{(가)}$$

$\overparen{AD} : 9 = 30° : 45°$이므로 $\qquad \cdots\cdots \text{(나)}$

$$\overparen{AD} : 9 = 2 : 3 \qquad \therefore \overparen{AD} = 6 \text{ (cm)} \qquad \cdots\cdots \text{(다)}$$

답 6 cm

채점 기준	비율
(가) $\angle CAP$의 크기 구하기	40 %
(나) 원주각의 크기와 호의 길이에 대한 비례식 세우기	40 %
(다) $\overparen{AD}$의 길이 구하기	20 %

0448 전략 $\overline{AD}$를 그어 $\overparen{AC}$, $\overparen{BD}$에 대한 원주각의 크기를 각각 구한다.

오른쪽 그림과 같이 $\overline{AD}$를 그으면

$$\angle ADC = 180° \times \frac{1}{6} = 30°$$

$$\angle DAB = 180° \times \frac{1}{4} = 45°$$

△APD에서

$$\angle x = 180° - (30° + 45°) = 105° \qquad \text{답 } 105°$$

0449 $\angle C : \angle A : \angle B = \overparen{AB} : \overparen{BC} : \overparen{CA} = 5 : 4 : 3$이므로

$$\angle A = 180° \times \frac{4}{5+4+3} = 60°$$

$$\angle B = 180° \times \frac{3}{5+4+3} = 45°$$

$$\angle C = 180° \times \frac{5}{5+4+3} = 75°$$

답 $\angle A = 60°, \angle B = 45°, \angle C = 75°$

0450 $\angle ABC = 180° \times \frac{1}{4} = 45°$

$$\angle BCD = 180° \times \frac{1}{10} = 18°$$

$\triangle BCP$에서 $45° = 18° + \angle P$

$\therefore \angle P = 27°$

답 $27°$

0451 오른쪽 그림과 같이 $\overline{CB}$를 그으면

$$\angle BCD = 180° \times \frac{1}{6} = 30°$$

$\angle ABC : \angle BCD = \overset{\frown}{AC} : \overset{\frown}{BD}$에서

$\angle ABC : 30° = 3 : 2$

$\therefore \angle ABC = 45°$

따라서 $\triangle PCB$에서

$\angle APC = 30° + 45° = 75°$

답 $75°$

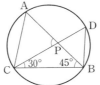

0452 오른쪽 그림과 같이 $\overline{AC}, \overline{CB}$를 그으면 $\overline{AB}$가 원 O의 지름이므로

$\angle ACB = 90°$ ...... (가)

$\overset{\frown}{AD} = \overset{\frown}{DE} = \overset{\frown}{EB}$이므로

$\angle ACD = \angle DCE = \angle ECB$

$= 90° \times \frac{1}{3} = 30°$ ...... (나)

한편 $\overset{\frown}{AC} : \overset{\frown}{CB} = 2 : 3$이므로

$\angle CAB = 90° \times \frac{3}{2+3} = 54°$ ...... (다)

$\triangle CAP$에서 $\angle APC = 180° - (30° + 54°) = 96°$

$\therefore \angle BPD = \angle APC = 96°$ ...... (라)

답 $96°$

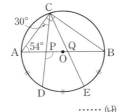

채점 기준	비율
(가) $\overline{AC}, \overline{CB}$를 긋고 $\angle ACB$의 크기 구하기	20 %
(나) $\angle ACD$의 크기 구하기	30 %
(다) $\angle CAB$의 크기 구하기	30 %
(라) $\angle BPD$의 크기 구하기	20 %

0453 오른쪽 그림과 같이 $\overline{BC}$를 그으면

$\triangle PCB$에서

$\angle PBC + \angle PCB = 60°$

원 O의 둘레의 길이는

$2\pi \times 4 = 8\pi \text{ (cm)}$이므로

$(\overset{\frown}{AC} + \overset{\frown}{BD}) : 8\pi = 60° : 180°$

$(\overset{\frown}{AC} + \overset{\frown}{BD}) : 8\pi = 1 : 3$

$\therefore \overset{\frown}{AC} + \overset{\frown}{BD} = \frac{8}{3}\pi \text{ (cm)}$

답 $\frac{8}{3}\pi$ cm

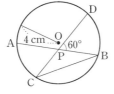

0454 (1) $\angle ABC : \angle DCB = \overset{\frown}{AC} : \overset{\frown}{DB} = 3\pi : 5\pi = 3 : 5$

$\triangle PCB$에서 $\angle PCB + \angle PBC = 40°$이므로

$$\angle ABC = 40° \times \frac{3}{3+5} = 15°$$

$$\angle DCB = 40° \times \frac{5}{3+5} = 25°$$

(2) 오른쪽 그림과 같이 $\overline{OB}$,
$\overline{OD}$를 그으면

$\angle DOB = 2\angle DCB$

$= 2 \times 25° = 50°$

원 O의 반지름의 길이를 r라

하면 부채꼴 DOB에서

$2\pi r \times \frac{50}{360} = 5\pi$ $\therefore r = 18$

답 (1) $\angle ABC = 15°, \angle DCB = 25°$ (2) 18

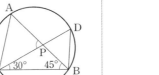

0455 <u>전략</u> 한 선분 PQ에 대하여 같은 쪽에 두 점 M, N이 있을 때, $\angle PMQ = \angle PNQ$인지 확인한다.

① $\angle ADB = \angle ACB$이므로 네 점 A, B, C, D는 한 원 위에 있다.

② $\angle ADB = \angle ACB$이므로 네 점 A, B, C, D는 한 원 위에 있다.

③ $\angle BDC = 110° - 70° = 40°$

이때 $\angle BAC = \angle BDC$이므로 네 점 A, B, C, D는 한 원 위에 있다.

④ $\angle BAC, \angle BDC$의 크기를 알 수 없으므로 네 점 A, B, C, D가 한 원 위에 있는지 알 수 없다.

⑤ $\angle BAC = 180° - (40° + 60° + 40°) = 40°$

이때 $\angle BAC = \angle BDC$이므로 네 점 A, B, C, D는 한 원 위에 있다.

따라서 네 점 A, B, C, D가 한 원 위에 있지 않은 것은 ④이다.

답 ④

0456 네 점 A, B, C, D가 한 원 위에 있으므로

$\angle BDC = \angle BAC = 65°$

따라서 $\triangle BCD$에서

$\angle ACD = 180° - (30° + 42° + 65°) = 43°$

답 $43°$

0457 $\triangle ABP$에서

$\angle BAP = 180° - (60° + 75°) = 45°$

네 점 A, B, C, D가 한 원 위에 있으므로

$\angle x = \angle BAC = 45°$

또 $\angle DBC = \angle DAC = 30°$이므로 $\triangle PBC$에서

$75° = 30° + \angle y$ $\therefore \angle y = 45°$

답 $\angle x = 45°, \angle y = 45°$

0458 $\angle x+85°=180°$에서 $\angle x=95°$
$120°+\angle y=180°$에서 $\angle y=60°$ **답** $\angle x=95°$, $\angle y=60°$

0459 $\angle BDC=90°$이므로 △BCD에서
$\angle x=180°-(90°+20°)=70°$
$\angle y+70°=180°$에서 $\angle y=110°$ **답** $\angle x=70°$, $\angle y=110°$

0460 $\angle x+75°=180°$에서 $\angle x=105°$
$\angle y=100°$ **답** $\angle x=105°$, $\angle y=100°$

0461 □ABCE에서
$(\angle x+30°)+80°=180°$ $\therefore \angle x=70°$
□ABCD에서 $\angle y=\angle x=70°$ **답** $\angle x=70°$, $\angle y=70°$

0462 $\angle x=\angle ACB=60°$ **답** $60°$

0463 $\angle x=\angle CBT=54°$ **답** $54°$

0464 $\angle BAT=\angle BTP=45°$
따라서 △ABT에서
$\angle x=180°-(45°+55°)=80°$ **답** $80°$

0465 △ABT에서
$\angle ABT=180°-(70°+50°)=60°$
$\therefore \angle x=\angle ABT=60°$ **답** $60°$

0466 (전략) □ABCD가 원 O에 내접하므로
$\angle ABC+\angle ADC=180°$임을 이용한다.
$\angle ABC+\angle ADC=180°$에서
$\angle ABC+80°=180°$ $\therefore \angle ABC=100°$
따라서 △ABC에서
$\angle BCA=180°-(35°+100°)=45°$ **답** $45°$

0467 $\angle A+\angle C=180°$이고, $\angle A:\angle C=3:2$이므로
$\angle A=180°\times\dfrac{3}{3+2}=108°$ **답** $108°$

0468 $\angle BAD+\angle BCD=180°$에서
$\angle x+(2\angle y+12°)=180°$
$\therefore \angle x+2\angle y=168°$ ····· ㉠
$\angle ABC+\angle ADC=180°$에서
$\angle y+2\angle x=180°$ ····· ㉡
㉠, ㉡을 연립하여 풀면
$\angle x=64°$, $\angle y=52°$ **답** $\angle x=64°$, $\angle y=52°$

0469 △ABC에서 $\overline{AB}=\overline{AC}$이므로
$\angle ACB=\angle ABC=\dfrac{1}{2}\times(180°-56°)=62°$
$\angle APB+\angle ACB=180°$에서
$\angle APB+62°=180°$ $\therefore \angle APB=118°$ **답** $118°$

0470 $\angle BAD+\angle BCD=180°$에서
$55°+\angle BCD=180°$ $\therefore \angle BCD=125°$
$\angle BOD=2\angle BAD=2\times55°=110°$
□BCDO에서 $\angle x+\angle BCD+\angle y+\angle BOD=360°$이므로
$\angle x+125°+\angle y+110°=360°$
$\therefore \angle x+\angle y=125°$ **답** $125°$

0471 $\overline{AB}$는 원 O의 지름이므로 $\angle ACB=90°$
△ABC에서 $\angle ABC=180°-(90°+30°)=60°$ ····· (가)
$\angle ADC+\angle ABC=180°$에서
$\angle ADC+60°=180°$ $\therefore \angle ADC=120°$ ····· (나)
이때 $\overset{\frown}{AD}=\overset{\frown}{CD}$이므로 $\angle DCA=\angle DAC$
$\therefore \angle DAC=\dfrac{1}{2}\times(180°-120°)=30°$ ····· (다)
답 $30°$

채점 기준	비율
(가) $\angle ABC$의 크기 구하기	40 %
(나) $\angle ADC$의 크기 구하기	30 %
(다) $\angle DAC$의 크기 구하기	30 %

0472 $\angle ABC+\angle ADC=180°$에서
$\angle x+75°=180°$ $\therefore \angle x=105°$
$\angle ECD=\angle EAD=31°$이므로
$\angle y=31°+75°=106°$
$\therefore \angle x+\angle y=105°+106°=211°$ **답** $211°$

0473 (전략) $\angle ABC+\angle ADC=180°$, $\angle DCE=\angle BAD$임을 이용한다.
$\angle ABC+\angle ADC=180°$에서
$84°+\angle x=180°$ $\therefore \angle x=96°$
$\angle y=\angle BAD=108°$
$\therefore \angle x+\angle y=96°+108°=204°$ **답** $204°$

0474 ∠PAB=∠BCD=80°

따라서 △APB에서

∠ABP=180°−(80°+30°)=70°

답 70°

0475 ∠BAD=∠DCE=80°

∠DAC=∠DBC=35°

∴ ∠BAC=∠BAD−∠DAC

=80°−35°=45°

답 45°

0476 ∠A+∠C=180°이고, ∠A : ∠C=2 : 1이므로

$\angle A=180°\times\dfrac{2}{2+1}=120°$

이때 ∠D=∠A−20°=120°−20°=100°이므로

∠ABE=∠D=100°

답 100°

0477 ∠x=∠BAD=110°

이때 ∠BCD=180°−110°=70°이므로

∠y=2∠BCD=2×70°=140°

∴ ∠x+∠y=110°+140°=250°

답 250°

0478 ∠DAB=∠DCE이므로

∠y+30°=65° ∴ ∠y=35°

$\overline{AB}$가 원 O의 지름이므로 ∠ACB=90°

△ABC에서 ∠ABC=180°−(90°+30°)=60°

∠ADC+∠ABC=180°이므로

∠x+60°=180° ∴ ∠x=120°

∴ ∠x−∠y=120°−35°=85°

답 85°

0479 전략 ∠CDP, ∠DCP의 크기를 각각 ∠x에 대한 식으로 나타낸 후 △DCP의 세 내각의 크기의 합은 180°임을 이용한다.

∠CDP=∠ABC=∠x

△QBC에서 ∠DCP=∠x+23°

△DCP에서 ∠x+(∠x+23°)+35°=180°

2∠x=122° ∴ ∠x=61°

답 61°

0480 ∠ABC+∠ADC=180°에서

∠ABC+130°=180° ∴ ∠ABC=50°

△QBC에서 ∠DCP=50°+25°=75°

∠CDP=180°−130°=50°

△DCP에서 50°+75°+∠x=180°

∴ ∠x=55°

답 55°

0481 ∠BCE=∠A

△FAB에서 ∠CBE=∠A+32°

△CBE에서 ∠A+(∠A+32°)+56°=180°

2∠A=92° ∴ ∠A=46°

따라서 △FAB에서

∠ABC=180°−(46°+32°)=102°

답 102°

0482 전략 $\overline{AD}$를 긋고 $\angle ADE=\dfrac{1}{2}\angle AOE$,

∠ABC+∠ADC=180°임을 이용한다.

오른쪽 그림과 같이 $\overline{AD}$를 그으면

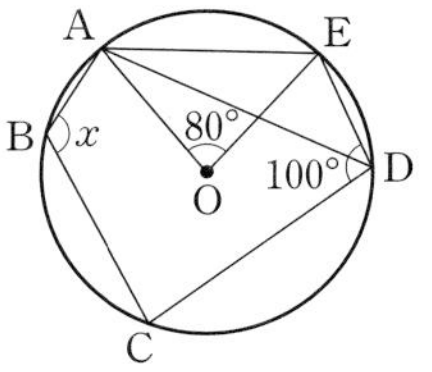

$\angle ADE=\dfrac{1}{2}\angle AOE$

$=\dfrac{1}{2}\times80°=40°$

∴ ∠ADC=100°−40°=60°

□ABCD가 원 O에 내접하므로

∠ABC+∠ADC=180°에서

∠x+60°=180° ∴ ∠x=120°

답 120°

0483 오른쪽 그림과 같이 $\overline{BD}$를 그으면

······ (가)

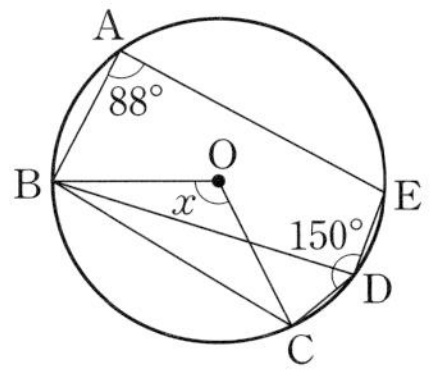

□ABDE가 원 O에 내접하므로

∠BAE+∠BDE=180°에서

88°+∠BDE=180°

∴ ∠BDE=92° ······ (나)

이때 ∠BDC=150°−92°=58°이므로

∠x=2∠BDC=2×58°=116°

······ (다)

답 116°

채점 기준	비율
(가) $\overline{BD}$ 긋기	20 %
(나) ∠BDE의 크기 구하기	40 %
(다) ∠x의 크기 구하기	40 %

0484 오른쪽 그림과 같이 $\overline{CF}$를 그으면

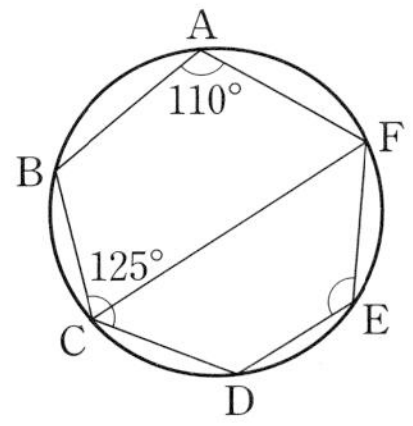

□ABCF가 원에 내접하므로

∠A+∠BCF=180°에서

110°+∠BCF=180°

∴ ∠BCF=70°

이때 ∠DCF=125°−70°=55°이고

□CDEF가 원에 내접하므로

∠DCF+∠E=180°에서 55°+∠E=180°

∴ ∠E=125°

답 125°

0485 전략 원 O에서 ∠CAP+∠CQP=180°이고 원 O′에서 ∠CQP=∠PBD임을 이용한다.

□PQDB가 원 O′에 내접하므로

∠y=∠PBD=98°

□ACQP가 원 O에 내접하므로 ∠CAP+∠y=180°에서

∠CAP+98°=180° ∴ ∠CAP=82°

∴ ∠x=2∠CAP=2×82°=164°

∴ ∠x+∠y=164°+98°=262°

답 262°

0486 □ABQP가 원 O에 내접하므로

∠BAP+∠BQP=180°에서

$95°+∠BQP=180°$ ∴ ∠BQP=85°

이때 □PQCD가 원 O′에 내접하므로

$∠x=∠BQP=85°$ **답** 85°

0487 □ABQP와 □PQCD가 각각 두 원 O, O′에 내접하므로

$∠x=∠QPD=∠DCR=87°$ **답** 87°

0488 **전략** □ABCD가 원에 내접하기 위한 조건을 만족하는지 알아본다.

① ∠A+∠C=∠B+∠D=180°이므로 □ABCD는 원에 내접한다.

② ∠BAC=∠BDC=40°이므로 □ABCD는 원에 내접한다.

③ ∠BAD=∠DCE=100°이므로 □ABCD는 원에 내접한다.

④ ∠B=180°−(60°+60°)=60°이므로

∠B+∠D=60°+100°=160°≠180°

따라서 □ABCD는 원에 내접하지 않는다.

⑤ ∠A+∠C=∠B+∠D=180°이므로 □ABCD는 원에 내접한다.

따라서 □ABCD가 원에 내접하지 않는 것은 ④이다.

답 ④

0489 **답** ⑤

0490 □ABCD가 원에 내접하므로

∠CBD=∠CAD=65°, ∠ABC=∠ADE=100°

∴ ∠x=∠ABC−∠CBD=100°−65°=35°

∠BAC=∠BDC=45°이므로 △BFA에서

∠y=∠ABF+∠BAF=35°+45°=80°

∴ ∠x+∠y=35°+80°=115° **답** 115°

0491 ③ 등변사다리꼴은 아랫변의 양 끝 각의 크기가 서로 같고 윗변의 양 끝 각의 크기가 서로 같으므로 대각의 크기의 합은 180°이다.

따라서 항상 원에 내접한다.

⑤ 직사각형의 네 내각의 크기는 모두 90°이므로 대각의 크기의 합은 180°이다.

따라서 항상 원에 내접한다. **답** ③, ⑤

0492 △QBC에서

∠QBP=23°+58°=81°

또 □ABCD가 원에 내접하려면

∠PAB=∠C=58°

따라서 △APB에서

∠x=180°−(58°+81°)=41° **답** 41°

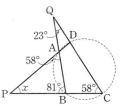

0493 ∠AEB=∠ADB=90°이므로 □ABDE는 원에 내접한다. 마찬가지로 □BCEF, □CAFD도 원에 내접한다.

또 ∠AFG+∠AEG=180°이므로 □AFGE는 원에 내접한다.

마찬가지로 □BDGF, □CEGD도 원에 내접한다.

따라서 원에 내접하는 사각형은 모두 6개이다. **답** 6개

0494 **전략** ∠BCA=∠BAT임을 이용한다.

∠BCA=∠BAT=70°

따라서 △ABC에서

∠x=180°−(35°+70°)=75° **답** 75°

0495 △CPA에서

$70°=30°+∠CAP$ ∴ ∠CAP=40°

∴ ∠x=∠CAP=40° **답** 40°

0496 ∠BPA=∠BAT=65°

이때 $\overset{\frown}{AB}=\overset{\frown}{PB}$이므로

∠BAP=∠BPA=65°

∴ ∠PBA=180°−2×65°=50° **답** 50°

0497 ∠CPD=∠BPA=110°이므로 △CPD에서

∠PCD=180°−(110°+25°)=45°

∴ ∠DAT′=∠DCA=45° **답** 45°

0498 오른쪽 그림과 같이 원 O 위에 점 P를 잡고 $\overline{PA}$, $\overline{PB}$를 그으면

∠APB=∠BAT=42°

∠AOB=2∠APB

$=2×42°=84°$

이때 △OAB에서 $\overline{OA}=\overline{OB}$이므로

$∠x=\dfrac{1}{2}×(180°−84°)=48°$ **답** 48°

0499 $∠BCA=180°×\dfrac{3}{3+4+5}=45°$

∴ ∠BAT=∠BCA=45° **답** 45°

0500 $\angle BCA = \angle BAT = 60°$ $\cdots\cdots$ (가)

$\overparen{AB} = \overparen{BC}$이므로 $\angle CAB = \angle BCA = 60°$

따라서 $\triangle ABC$는 한 변의 길이가 $6\,cm$인 정삼각형이므로

$\cdots\cdots$ (나)

$\triangle ABC$의 둘레의 길이는

$6 \times 3 = 18\,(cm)$ $\cdots\cdots$ (다)

답 $18\,cm$

채점 기준	비율
(가) $\angle BCA$의 크기 구하기	30 %
(나) $\triangle ABC$가 정삼각형임을 알기	40 %
(다) $\triangle ABC$의 둘레의 길이 구하기	30 %

0501 **전략** $\overline{CA}$를 그어 $\angle BAC = 90°$, $\angle BCA = \angle BAQ$임을 이용한다.

오른쪽 그림과 같이 $\overline{CA}$를 그으면

$\overline{BC}$가 원 O의 지름이므로

$\angle CAB = 90°$

$\angle CAP = 180° - (90° + 68°)$
$= 22°$

$\angle BCA = \angle BAQ = 68°$이므로 $\triangle CPA$에서

$68° = \angle x + 22°$ $\quad \therefore \angle x = 46°$

답 $46°$

0502 $\overline{AC}$가 원 O의 지름이므로 $\angle ADC = 90°$

$\angle ACB = \angle ADB = 90° - 50° = 40°$

이때 $\angle DCB = \angle DBT = 70°$이므로

$\angle x = \angle DCB - \angle ACB = 70° - 40° = 30°$

답 $30°$

0503 오른쪽 그림과 같이 $\overline{AT}$를 그으면

$\angle BAT = \angle BCT = 55°$

$\overline{AB}$는 원 O의 지름이므로 $\angle ATB = 90°$

$\triangle ATB$에서

$\angle ABT = 180° - (55° + 90°) = 35°$

$\angle ATP = \angle ABT = 35°$이므로 $\triangle APT$에서

$55° = \angle x + 35°$ $\quad \therefore \angle x = 20°$

답 $20°$

0504 오른쪽 그림과 같이 $\overline{AC}$를 긋고 $\angle ACP = \angle x$라 하면

$\angle ABC = \angle ACP = \angle x$

이때 $\overline{PC} = \overline{BC}$이므로

$\angle CPB = \angle CBP = \angle x$

$\triangle APC$에서 $\angle BAC = \angle x + \angle x = 2\angle x$

$\overline{AB}$가 원 O의 지름이므로 $\angle ACB = 90°$

따라서 $\triangle ACB$에서

$\angle x + 2\angle x + 90° = 180°$

$3\angle x = 90°$ $\quad \therefore \angle x = 30°$

$\therefore \angle BCT = \angle BAC = 2\angle x = 2 \times 30° = 60°$ **답** $60°$

0505 오른쪽 그림과 같이 $\overline{AT}$, $\overline{BT}$를 긋고 $\angle ATP = \angle a$라 하면

$\angle PBT = \angle ATP = \angle a$

$\overline{AB}$가 원 O의 지름이므로

$\angle ATB = 90°$

따라서 $\triangle PTB$에서

$34° + (\angle a + 90°) + \angle a = 180°$,

$2\angle a = 56°$ $\quad \therefore \angle a = 28°$

한편 $\angle TAB = \angle TCB = \angle x$이므로 $\triangle APT$에서

$\angle x = 34° + 28° = 62°$

답 $62°$

0506 오른쪽 그림과 같이 $\overline{CA}$를 그으면 $\overline{AB}$가 원 O의 지름이므로 $\angle ACB = 90°$

$\angle CAB = 180° - (90° + 30°)$
$= 60°$

$\overline{AB} = 2\overline{AO} = 2 \times 6 = 12$

$\overline{AC} = 12 \cos 60° = 12 \times \dfrac{1}{2} = 6$

$\overline{BC} = 12 \sin 60° = 12 \times \dfrac{\sqrt{3}}{2} = 6\sqrt{3}$

이때 $\angle PCA = \angle ABC = 30°$이므로 $\triangle CPA$에서

$60° = 30° + \angle CPA$ $\quad \therefore \angle CPA = 30°$

따라서 $\triangle PBC$는 $\overline{PC} = \overline{BC} = 6\sqrt{3}$인 이등변삼각형이므로

$\triangle PBC = \dfrac{1}{2} \times \overline{PC} \times \overline{BC} \times \sin(180° - 120°)$

$= \dfrac{1}{2} \times 6\sqrt{3} \times 6\sqrt{3} \times \dfrac{\sqrt{3}}{2} = 27\sqrt{3}$ **답** $27\sqrt{3}$

Lecture

- 둔각이 주어질 때, 삼각형의 넓이

$\triangle ABC$에서 $\angle B$가 둔각일 때

$\triangle ABC$

$= \dfrac{1}{2} \times \overline{AB} \times \overline{BC} \times \sin(180° - B)$

0507 **전략** $\overline{BT}$가 원 O의 접선이므로 $\angle CAB = \angle CBT$이고,

□ABCD가 원 O에 내접하므로 $\angle DAB + \angle DCB = 180°$임을 이용한다.

$\angle CAB = \angle CBT = 40°$

$\angle DAB + \angle DCB = 180°$에서

$(30° + 40°) + (75° + \angle x) = 180°$ $\quad \therefore \angle x = 35°$

따라서 $\triangle ABC$에서

$\angle y = 180° - (40° + 35°) = 105°$

답 $\angle x = 35°$, $\angle y = 105°$

0508 오른쪽 그림과 같이 $\overline{AC}$를 그
으면

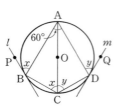

$\angle ACB = \angle ABP = \angle x$

$\angle ACD = \angle ADQ = \angle y$

$\angle BAD + \angle BCD = 180°$에서

$60° + (\angle x + \angle y) = 180°$

$\therefore \angle x + \angle y = 120°$

답 120°

0509 $\angle ABT + \angle ACT = 180°$에서

$\angle ABT + 100° = 180°$　$\therefore \angle ABT = 80°$　……㉮

$\angle BTP = \angle BAT = 40°$　……㉯

$\triangle BPT$에서 $80° = \angle BPT + 40°$

$\therefore \angle BPT = 40°$　……㉰

답 40°

채점 기준	비율
㉮ $\angle ABT$의 크기 구하기	30 %
㉯ $\angle BTP$의 크기 구하기	30 %
㉰ $\angle BPT$의 크기 구하기	40 %

0510 $\overset{\frown}{AB} = \overset{\frown}{BC}$이므로 $\triangle BCA$에서

$\angle x = \dfrac{1}{2} \times (180° - 110°) = 35°$

$\angle B + \angle D = 180°$에서

$110° + \angle D = 180°$　$\therefore \angle D = 70°$

$\triangle ACD$에서 $\angle DAC = 180° - (64° + 70°) = 46°$

$\therefore \angle y = \angle DAC = 46°$

$\therefore \angle x + \angle y = 35° + 46° = 81°$

답 81°

0511 $\angle DBA = \angle DAT = 51°$

$\overset{\frown}{AB} : \overset{\frown}{AD} = 2 : 3$이므로 $\angle BDA : \angle DBA = 2 : 3$

$\angle BDA : 51° = 2 : 3$　$\therefore \angle BDA = 34°$

$\triangle ABD$에서

$\angle DAB = 180° - (34° + 51°) = 95°$

$\angle DAB + \angle DCB = 180°$에서

$95° + \angle DCB = 180°$　$\therefore \angle DCB = 85°$

답 85°

0512 $\angle BCP = \angle x$라 하면 $\angle BAC = \angle BCP = \angle x$

$\triangle BPC$에서 $\angle ABC = 30° + \angle x$

이때 $\overline{AB} = \overline{AC}$이므로 $\angle ACB = \angle ABC = 30° + \angle x$

$\triangle ABC$에서 $\angle x + (30° + \angle x) + (30° + \angle x) = 180°$

$3\angle x = 120°$　$\therefore \angle x = 40°$

따라서 $\angle ABC = 30° + \angle x = 30° + 40° = 70°$이므로

$\angle ABC + \angle ADC = 180°$에서

$70° + \angle ADC = 180°$　$\therefore \angle ADC = 110°$

답 110°

0513 **전략** $\triangle BDF$가 이등변삼각형이므로 $\angle BDF = \angle BFD$이고,

$\overline{BC}$가 원의 접선이므로 $\angle EDC = \angle EFD$임을 이용한다.

$\overline{BD} = \overline{BF}$이므로

$\angle BDF = \angle BFD = \dfrac{1}{2} \times (180° - 50°) = 65°$

이때 $\angle EDC = \angle EFD = 60°$이므로

$\angle x = 180° - (65° + 60°) = 55°$

답 55°

0514 $\angle y = \angle ACB = 68°$

$\overline{PA} = \overline{PB}$이므로 $\angle PAB = \angle y = 68°$

따라서 $\triangle APB$에서

$\angle x = 180° - (68° + 68°) = 44°$

답 $\angle x = 44°$, $\angle y = 68°$

0515 $\overline{PA} = \overline{PB}$이므로

$\angle PBA = \angle PAB = \dfrac{1}{2} \times (180° - 58°) = 61°$

이때 $\angle ABC = \angle DAC = 73°$이므로

$\angle CBE = 180° - (61° + 73°) = 46°$

답 46°

0516 **전략** 작은 원에서 $\angle BTQ = \angle BAT$이고 큰 원에서

$\angle CTQ = \angle CDT$임을 이용한다.

$\angle BTQ = \angle BAT = 75°$, $\angle CTQ = \angle CDT = 55°$이므로

$\angle x = 180° - (75° + 55°) = 50°$

답 50°

0517 오른쪽 그림과 같이 $\overline{BC}$를 그
으면　……㉮

$\angle ABC = \angle GAC = 54°$

이때 $\square BCED$는 큰 원에 내
접하므로

$\angle CED = \angle ABC = 54°$　……㉯

따라서 $\triangle AED$에서

$\angle x = 180° - (66° + 54°) = 60°$　……㉰

답 60°

채점 기준	비율
㉮ $\overline{BC}$ 긋기	30 %
㉯ $\angle CED$의 크기 구하기	50 %
㉰ $\angle x$의 크기 구하기	20 %

0518 $\angle ABT = \angle ATP = \angle CDT$ (④),

$\angle BAT = \angle BTQ = \angle DCT$ (②)

즉 동위각의 크기가 같으므로 $\overline{AB} /\!/ \overline{CD}$ (①)

이때 $\triangle ABT \infty \triangle CDT$ (AA 닮음)이므로 (⑤)

$\overline{TA} : \overline{TB} = \overline{TC} : \overline{TD}$

따라서 옳지 않은 것은 ③이다.

답 ③

0519 전략 $\overline{PC}$를 긋고 반원에 대한 원주각의 크기는 $90°$임을 이용한다.

오른쪽 그림과 같이 $\overline{PC}$를 그으면 $\overline{AC}$가 작은 반원의 지름이므로 $\angle APC = 90°$

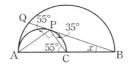

$\angle CPB = 180° - (55° + 90°)$
$\qquad = 35°$

$\angle PCA = \angle QPA = 55°$

$\triangle PCB$에서 $55° = 35° + \angle x$ $\qquad \therefore \angle x = 20°$ **답** $20°$

0520 $\angle ABC = \angle a$, $\angle ADE = \angle EDB = \angle b$라 하면

$\overleftrightarrow{DA}$가 원의 접선이므로

$\angle CAD = \angle ABC = \angle a$

$\triangle ABD$에서 $(50° + \angle a) + \angle a + (\angle b + \angle b) = 180°$

$2\angle a + 2\angle b = 130°$ $\qquad \therefore \angle a + \angle b = 65°$

따라서 $\triangle EBD$에서

$\angle AED = \angle a + \angle b = 65°$ **답** $65°$

0521 $\angle CBY = \angle CAB = 60°$

오른쪽 그림과 같이 $\overline{DE}$를 그으면

$\angle EDB = \angle EBY = 60°$

$\angle DBE = \angle x$라 하면

$\angle CDE = \angle DBE = \angle x$

$\triangle DBC$에서

$(60° + \angle x) + \angle x + 34° = 180°$

$2\angle x = 86°$ $\qquad \therefore \angle x = 43°$ **답** $43°$

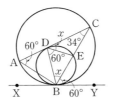

STEP 3 내신 마스터   p.89 ~ p.91

0522 전략 한 호에 대한 원주각의 크기는 그 호에 대한 중심각의 크기의 $\dfrac{1}{2}$이다.

① $\angle x = \dfrac{1}{2} \times 140° = 70°$

② $\angle x = 2 \times 40° = 80°$

③ $84° = \angle x + 18°$ $\qquad \therefore \angle x = 66°$

④ $\angle x = \dfrac{1}{2} \times 100° = 50°$

⑤ $\angle x = 90°$

따라서 $\angle x$의 크기가 가장 큰 것은 ⑤이다. **답** ⑤

0523 전략 $\angle AOD = 2\angle ACD$, $\angle DEB = \dfrac{1}{2}\angle DOB$임을 이용한다.

오른쪽 그림과 같이 $\overline{OD}$를 그으면

$\angle AOD = 2\angle ACD$
$\qquad = 2 \times 20° = 40°$

$\angle DOB = 110° - 40° = 70°$이므로

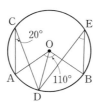

$\angle DEB = \dfrac{1}{2}\angle DOB$
$\qquad = \dfrac{1}{2} \times 70° = 35°$ **답** ②

0524 전략 $\overline{AO}$, $\overline{BO}$를 그으면 $\angle OAP = \angle OBP = 90°$임을 이용하여 $\angle AOB$의 크기를 구한다.

오른쪽 그림과 같이 $\overline{AO}$, $\overline{BO}$를 그으면

$\angle AOB + 58° = 180°$이므로

$\angle AOB = 122°$

$\therefore \angle ACB = \dfrac{1}{2}\angle AOB$
$\qquad = \dfrac{1}{2} \times 122° = 61°$ **답** $61°$

0525 전략 원의 중심을 O라 하고, $\angle ACB = 45°$임을 이용하여 $\angle AOB$의 크기를 구한다.

오른쪽 그림과 같이 원의 중심을 O라 하면

$\angle AOB = 2\angle ACB$
$\qquad = 2 \times 45° = 90°$

이때 $\overline{OA} = \overline{OB}$이므로

$\angle OAB = \angle OBA = \dfrac{1}{2} \times (180° - 90°) = 45°$

$\triangle AOB$에서 $\sin 45° = \dfrac{\overline{OA}}{\overline{AB}}$이므로 $\dfrac{\sqrt{2}}{2} = \dfrac{\overline{OA}}{600}$

$\therefore \overline{OA} = 300\sqrt{2}$ (m)

따라서 위험 지역의 지름의 길이는

$2 \times 300\sqrt{2} = 600\sqrt{2}$ (m) **답** $600\sqrt{2}$ m

0526 전략 한 원에서 한 호에 대한 원주각의 크기는 모두 같음을 이용한다.

$\angle BQC = \dfrac{1}{2}\angle BOC$
$\qquad = \dfrac{1}{2} \times 56°$
$\qquad = 28°$

$\angle AQB = 65° - 28° = 37°$이므로

$\angle x = \angle AQB = 37°$ **답** $37°$

0527 전략 $\overline{AD}$를 그은 후 반원에 대한 원주각의 크기는 $90°$임을 이용한다.

오른쪽 그림과 같이 $\overline{AD}$를 그으면 $\overline{AB}$가 반원 O의 지름이므로

$\angle ADB = 90°$ $\qquad$ …… (가)

$\triangle PAD$에서

$90° = 66° + \angle PAD$

$\therefore \angle PAD = 24°$ $\qquad$ …… (나)

$\therefore \angle x = 2\angle CAD = 2 \times 24° = 48°$ $\qquad$ …… (다) **답** $48°$

채점 기준	비율
(가) $\overline{AD}$를 긋고, $\angle ADB=90°$임을 알기	40 %
(나) $\angle PAD$의 크기 구하기	30 %
(다) $\angle x$의 크기 구하기	30 %

0528 <u>전략</u> 한 원에서 호의 길이는 그 호에 대한 원주각의 크기에 정비례함을 이용한다.

$\triangle ACP$에서 $57°=\angle CAB+27°$

$\therefore \angle CAB=30°$

원의 둘레의 길이를 l cm라 하면

$30°:180°=4\pi:l$, $1:6=4\pi:l$

$\therefore l=24\pi$

따라서 원의 둘레의 길이는 24π cm이다. **답** ⑤

0529 <u>전략</u> $\overset{\frown}{AB}$의 길이가 원주의 $\dfrac{1}{k}$이면 $\overset{\frown}{AB}$에 대한 원주각의 크기는 $180°\times\dfrac{1}{k}$임을 이용한다.

$\angle BAD$는 $\overset{\frown}{BCD}$에 대한 원주각이므로

$\angle BAD=180°\times\dfrac{4+2}{3+4+2+3}=90°$ **답** ③

0530 <u>전략</u> $\overline{AD}$를 긋고 $\overset{\frown}{AC}$에 대한 원주각의 크기를 먼저 구한다.

오른쪽 그림과 같이 $\overline{AD}$를 그으면

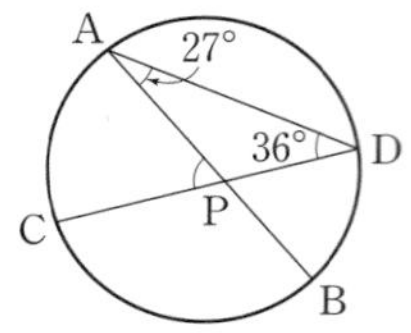

$\angle ADC=180°\times\dfrac{1}{5}=36°$

$\qquad\qquad\qquad$ …… (가)

$\angle ADC:\angle DAB=\overset{\frown}{AC}:\overset{\frown}{BD}$

$\qquad\qquad\qquad\quad =4:3$

$36°:\angle DAB=4:3$

$\therefore \angle DAB=27°$ …… (나)

$\triangle APD$에서

$\angle APC=\angle ADP+\angle DAP$

$\qquad\quad =36°+27°=63°$ …… (다)

답 $63°$

채점 기준	비율
(가) $\overline{AD}$를 긋고, $\angle ADC$의 크기 구하기	40 %
(나) $\angle DAB$의 크기 구하기	40 %
(다) $\angle APC$의 크기 구하기	20 %

0531 <u>전략</u> $\square ABCD$가 원에 내접하므로 $\angle ABC+\angle ADC=180°$임을 이용한다.

$\angle ABC+\angle ADC=180°$에서

$60°+\angle x=180°$ $\therefore \angle x=120°$

$\angle AOC=2\angle ABC=2\times60°=120°$

$\square AOCD$에서

$\angle y=360°-(120°+65°+120°)=55°$

$\therefore \angle x-\angle y=120°-55°=65°$ **답** $65°$

0532 <u>전략</u> $\square ABCD$가 원에 내접하므로 $\angle CDP=\angle ABC$임을 이용한다.

$\square ABCD$가 원에 내접하므로

$\angle CDP=\angle ABC=\angle x$

$\triangle QBC$에서 $\angle DCP=\angle x+26°$

$\triangle DCP$에서

$\angle x+(\angle x+26°)+40°=180°$

$2\angle x=114°$ $\therefore \angle x=57°$ **답** ①

0533 <u>전략</u> $\overline{BD}$를 긋고 $\angle A+\angle BDE=180°$임을 이용한다.

오른쪽 그림과 같이 $\overline{BD}$를 그으면

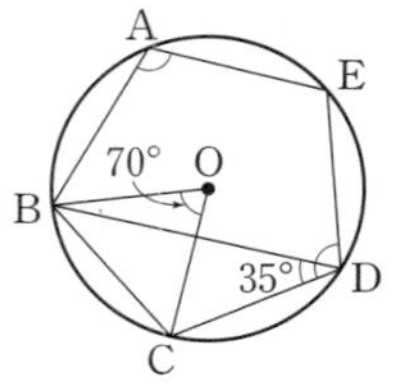

$\square ABDE$가 원 O에 내접하므로

$\angle A+\angle BDE=180°$ …… (가)

$\angle BDC=\dfrac{1}{2}\angle BOC$

$\qquad\quad =\dfrac{1}{2}\times70°=35°$ …… (나)

$\therefore \angle A+\angle D=\angle A+\angle BDE+\angle BDC$

$\qquad\qquad\quad =180°+35°=215°$ …… (다)

답 $215°$

채점 기준	비율
(가) $\overline{BD}$를 긋고, $\angle A+\angle BDE$의 크기 구하기	40 %
(나) $\angle BDC$의 크기 구하기	30 %
(다) $\angle A+\angle D$의 크기 구하기	30 %

0534 <u>전략</u> 원 O에서 $\angle BAP+\angle BQP=180°$이고 원 O'에서 $\angle BQP=\angle PDC$임을 이용한다.

$\square PQCD$가 원 O'에 내접하므로

$\angle y=\angle PDC=104°$

$\square ABQP$가 원 O에 내접하므로

$\angle BAP+\angle BQP=180°$에서

$\angle BAP+104°=180°$ $\therefore \angle BAP=76°$

$\therefore \angle x=2\angle BAP=2\times76°=152°$

$\therefore \angle x+\angle y=152°+104°=256°$ **답** $256°$

0535 <u>전략</u> $\square ABCD$가 원에 내접하는 조건을 만족하는지 알아본다.

㉠ $\angle A+\angle C=75°+105°=180°$이므로 $\square ABCD$는 원에 내접한다.

㉡ $\angle BAD=180°-85°=95°$이므로 $\square ABCD$의 한 외각의 크기와 그 외각에 이웃한 내각에 대한 대각의 크기가 서로 같지 않다.

따라서 $\square ABCD$는 원에 내접하지 않는다.

㉢ $\angle BAC=\angle BDC$이므로 $\square ABCD$는 원에 내접한다.

㉣ $\angle B+\angle D=85°+90°=175°\neq180°$이므로 $\square ABCD$는 원에 내접하지 않는다.

ⓔ ∠ADC=180°−130°=50°이므로 □ABCD의 한 외각
의 크기와 그 외각에 이웃한 내각에 대한 대각의 크기가
서로 같다.
따라서 □ABCD는 원에 내접한다.

ⓕ ∠ADB=∠ACB이므로 □ABCD는 원에 내접한다.
따라서 □ABCD가 원에 내접하는 것은 ㉠, ㉢, ㉤, ㉥
이다.   답 ④

Lecture

오른쪽 그림에서 다음 중 하나를 만족하
면 □ABCD는 원에 내접한다.
(1) ∠BAD+∠BCD=180° 또는
   ∠ABC+∠ADC=180°
(2) ∠DCE=∠BAD
(3) ∠BAC=∠BDC 또는 ∠ABD=∠ACD 또는
   ∠ADB=∠ACB 또는 ∠DAC=∠DBC

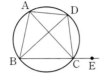

0536 전략 $\overline{AD}$를 그은 후 ∠BAD=∠BDT임을 이용한다.

오른쪽 그림과 같이 $\overline{AD}$를 그
으면
∠ADC : ∠BAD
=$\overset{\frown}{AC}$: $\overset{\frown}{BD}$=1 : 3
∠ADC=∠x라 하면
∠BAD=3∠x
∠BAD=∠BDT=51°이므로
3∠x=51°   ∴ ∠x=17°
△APD에서 51°=∠P+17°   ∴ ∠P=34°   답 ⑤

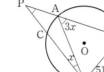

0537 전략 $\overline{AC}$를 그은 후 ∠BAC=90°임을 이용한다.

오른쪽 그림과 같이 $\overline{AC}$를 그으면
$\overline{BC}$가 원 O의 지름이므로
∠BAC=90°
∠BCA=∠BAT=67°
△BAC에서
∠x=180°−(90°+67°)=23°
△BAT′에서
67°=23°+∠y ∴ ∠y=44°
∴ ∠y−∠x=44°−23°=21°   답 21°

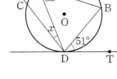

0538 전략 할선이 원의 중심을 지나도록 보조선을 그은 후 반원에
대한 원주각을 찾는다.

오른쪽 그림과 같이 원의 중심 O를
지나도록 $\overline{BC'}$을 그으면
∠AC′B=∠ABP=60°
$\overline{C'B}$는 원 O의 지름이므로
∠C′AB=90°

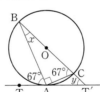

△ABC′에서
sin 60°=$\dfrac{\overline{AB}}{\overline{C'B}}$이므로 $\dfrac{\sqrt{3}}{2}=\dfrac{6}{\overline{C'B}}$
∴ $\overline{C'B}=4\sqrt{3}$
따라서 원 O의 반지름의 길이는 $\dfrac{1}{2}×4\sqrt{3}=2\sqrt{3}$이므로 원 O
의 둘레의 길이는
2π×2$\sqrt{3}$=4$\sqrt{3}$π   답 4$\sqrt{3}$π

Lecture

오른쪽 그림과 같이 ∠C=90°인 직각삼각형
ABC에서
sin A=$\dfrac{a}{\overline{AB}}$ ➡ $\overline{AB}=\dfrac{a}{\sin A}$
또 특수한 각에서 sin의 값은 다음과 같다.

A	30°	45°	60°
sin A	$\dfrac{1}{2}$	$\dfrac{\sqrt{2}}{2}$	$\dfrac{\sqrt{3}}{2}$

0539 전략 □ABCD가 원에 내접하므로 ∠DAB+∠DCB=180°
임을 이용한다.

∠DAB+∠DCB=180°에서
∠DAB+110°=180°   ∴ ∠DAB=70°
△APB에서 70°=30°+∠x ∴ ∠x=40°   ……(가)
∠y=∠CBT=50°   ……(나)
∴ ∠x+∠y=40°+50°=90°   ……(다)
                                        답 90°

채점 기준	비율
(가) ∠x의 크기 구하기	50 %
(나) ∠y의 크기 구하기	30 %
(다) ∠x+∠y의 크기 구하기	20 %

0540 전략 $\overline{PA}=\overline{PB}$이고 $\overline{AB}$를 그으면 ∠ACB=∠ABP임을
이용한다.

오른쪽 그림과 같이 $\overline{AB}$를 그으면
△PBA에서
$\overline{PB}=\overline{PA}$이므로
∠PBA
=$\dfrac{1}{2}×(180°−42°)$
=69°
∠ACB=∠ABP=69°
$\overset{\frown}{AC}$: $\overset{\frown}{BC}$=1 : 2이므로
∠ABC=∠a라 하면 ∠BAC=2∠a
△ABC에서 2∠a+∠a+69°=180°
3∠a=111°   ∴ ∠a=37°
∴ ∠PBC=69°+37°=106°   답 106°

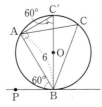

5 통계

0541 (평균)$=\dfrac{51+47+60+54+48}{5}=\dfrac{260}{5}=52$ **답** 52

0542 (평균)$=\dfrac{24+16+20+32+18+34}{6}=\dfrac{144}{6}=24$ **답** 24

0543 (평균)$=\dfrac{11+9+8+7+10+13+6+9+10+8}{10}$

$=\dfrac{91}{10}=9.1$ **답** 9.1

0544 (평균)$=\dfrac{34+35+37+36+40+36+38+36}{8}$

$=\dfrac{292}{8}=36.5$(명)   **답** 36.5명

0545 자료가 5개이고 자료를 작은 값에서부터 크기순으로 나열하면 8, 9, 10, 13, 25이므로 중앙값은 3번째 값인 10이다.
   답 10

0546 자료가 7개이고 자료를 작은 값에서부터 크기순으로 나열하면 3, 3, 5, 6, 8, 9, 10이므로 중앙값은 4번째 값인 6이다.
   답 6

0547 자료가 6개이고 자료를 작은 값에서부터 크기순으로 나열하면 10, 10, 11, 12, 13, 14이므로 중앙값은 3번째와 4번째 값의 평균인 $\dfrac{11+12}{2}=11.5$이다.   **답** 11.5

0548 자료가 8개이고 자료를 작은 값에서부터 크기순으로 나열하면 2, 4, 4, 5, 7, 7, 8, 11이므로 중앙값은 4번째와 5번째 값의 평균인 $\dfrac{5+7}{2}=6$이다.   **답** 6

0549 자료가 5개이고 자료를 작은 값에서부터 크기순으로 나열하면 79, 81, 83, 86, 90이므로 중앙값은 3번째 값인 83이다.
   답 83

0550 자료에서 가장 많이 나타난 값이 1이므로 최빈값은 1이다.
   답 1

0551 주어진 표에서 가장 많은 학생이 좋아하는 꽃은 국화이므로 최빈값은 국화이다.   **답** 국화

0552 주어진 표에서 가장 많은 학생이 좋아하는 음료는 탄산음료이므로 최빈값은 탄산음료이다.   **답** 탄산음료

0553 (평균)$=\dfrac{3+7+2+3+5+1}{6}=\dfrac{21}{6}=3.5$(시간)
   답 3.5시간

0554 자료를 작은 값에서부터 크기순으로 나열하면 1, 2, 3, 3, 5, 7이므로 (중앙값)$=\dfrac{3+3}{2}=3$(시간)   **답** 3시간

0555 3시간이 2번으로 가장 많이 나타나므로
(최빈값)$=3$(시간)   **답** 3시간

0556 (평균)$=\dfrac{1\times3+2\times5+3\times6+4\times7+5\times3+6\times1}{25}$

$=\dfrac{80}{25}=3.2$(회)   **답** 3.2회

0557 전체 학생 수가 25명이므로 자료를 작은 값에서부터 크기순으로 나열할 때 13번째 값이 중앙값이다.
∴ (중앙값)$=3$(회)   **답** 3회

0558 4회가 7명으로 가장 많이 나타나므로
(최빈값)$=4$(회)   **답** 4회

0559 **전략** 평균이 주어진 경우에는 먼저 (평균)$=\dfrac{(변량)의 총합}{(변량)의 개수}$ 임을 이용하여 식을 세운다.
평균이 7시간이므로

$\dfrac{5+9+14+x+1+2+6+10}{8}=7$

$x+47=56$ ∴ $x=9$ **답** 9

0560 수현이의 키를 x cm라 하면 평균이 162 cm이므로

$\dfrac{160+152+x+171}{4}=162$

$x+483=648$ ∴ $x=165$
따라서 수현이의 키는 165 cm이다.   **답** 165 cm

0561 변량 a, b, c, d의 평균이 5이므로

$\dfrac{a+b+c+d}{4}=5$ ∴ $a+b+c+d=20$

따라서 5개의 변량 $a, b, c, d, 15$의 평균은

$\dfrac{a+b+c+d+15}{5}=\dfrac{20+15}{5}=7$ **답** 7

0562 〔전략〕 자료의 개수가 짝수이면 중앙값은 자료를 작은 값에서부터 크기순으로 나열할 때 중앙에 놓인 두 값의 평균이다.

(평균)

$$= \frac{12+17+23+18+28+15+20+22+15+20}{10}$$

$$= \frac{190}{10} = 19(회)$$

$\therefore a = 19$

자료를 작은 값에서부터 크기순으로 나열하면 12, 15, 15, 17, 18, 20, 20, 22, 23, 28이므로 중앙값은 5번째와 6번째 값의 평균인 $\frac{18+20}{2} = 19(회)$ $\therefore b = 19$

$\therefore a + b = 19 + 19 = 38$ **답** 38

0563 자료를 작은 값에서부터 크기순으로 나열하면 13, 14, 15, 16, 18, 19이므로 중앙값은 3번째와 4번째 값인

$\frac{15+16}{2} = 15.5(세)$이다. **답** 15.5세

0564 평균이 3000만 원이므로

$$\frac{2800+2400+4200+5000+1800+2000+x+3200+2800+3000}{10}$$

$$= 3000$$

$27200 + x = 30000$ $\therefore x = 2800$ ……㉮

이때 자료를 작은 값에서부터 크기순으로 나열하면 1800, 2000, 2400, 2800, 2800, 2800, 3000, 3200, 4200, 5000이므로 중앙값은 5번째와 6번째 값의 평균인

$\frac{2800+2800}{2} = 2800(만 원)$ ……㉯

답 2800만 원

채점 기준	비율
㉮ x의 값 구하기	50 %
㉯ 중앙값 구하기	50 %

0565 〔전략〕 자료가 수로 표현되지 못하는 경우, 최빈값은 자료의 특성을 잘 나타낼 수 있다.

자료가 수로 표현되지 못하므로 자료의 대푯값으로 가장 적절한 것은 최빈값이다.

이때 가장 많은 학생이 좋아하는 운동 경기는 축구이므로 최빈값은 축구이다. **답** 최빈값, 축구

0566 (평균) $= \frac{9+7+8+7+8+8+6+6+7+8}{10}$

$= \frac{74}{10} = 7.4(시간)$

$\therefore a = 7.4$

자료를 작은 값에서부터 크기순으로 나열하면 6, 6, 7, 7, 7, 8, 8, 8, 8, 9이므로 중앙값은 5번째와 6번째 값의 평균인

$\frac{7+8}{2} = 7.5(시간)$ $\therefore b = 7.5$

8시간이 4회로 가장 많이 나타나므로 최빈값은 8시간이다.

$\therefore c = 8$

$\therefore a < b < c$ **답** $a < b < c$

0567 평균이 8시간이므로

$\frac{x+1+14+5+8+12+5+14}{8} = 8$

$x + 59 = 64$ $\therefore x = 5$ ……㉮

자료를 작은 값에서부터 크기순으로 나열하면 1, 5, 5, 5, 8, 12, 14, 14이므로

(중앙값) $= \frac{5+8}{2} = 6.5(시간)$ ……㉯

따라서 $a = 6.5$, $b = 5$이므로

$a + b = 6.5 + 5 = 11.5$ ……㉰

답 11.5

채점 기준	비율
㉮ x의 값 구하기	40 %
㉯ 중앙값 구하기	30 %
㉰ a, b의 값을 구한 후 $a+b$의 값 구하기	30 %

0568 〔전략〕 줄기와 잎 그림에서 중앙값을 구하기 위해 필요한 10번째, 11번째 변량을 찾는다.

주어진 자료는 작은 값에서부터 크기순으로 나열되어 있으므로 중앙값은 10번째 값인 15초와 11번째 값인 16초의 평균인

$\frac{15+16}{2} = 15.5(초)$ $\therefore a = 15.5$

기록이 17초인 학생이 3명으로 가장 많으므로 최빈값은 17초이다. $\therefore b = 17$

$\therefore b - a = 17 - 15.5 = 1.5$ **답** 1.5

0569 (평균) $= \frac{0 \times 2 + 1 \times 7 + 2 \times 5 + 3 \times 3 + 4 \times 1}{18} = \frac{30}{18} = \frac{5}{3}(회)$

$\therefore a = \frac{5}{3}$

자료를 작은 값에서부터 크기순으로 나열할 때, 중앙값은 9번째 값인 1회와 10번째 값인 2회의 평균이므로

(중앙값) $= \frac{1+2}{2} = 1.5(회)$ $\therefore b = 1.5$

횟수가 1회인 선수가 7명으로 가장 많으므로 최빈값은 1회이다.

$\therefore c = 1$

$\therefore c < b < a$ **답** $c < b < a$

0570 전체 학생 수는 $1+3+5+8+8+3+2 = 30(명)$

(평균)

$$= \frac{15 \times 1 + 16 \times 3 + 17 \times 5 + 18 \times 8 + 19 \times 8 + 20 \times 3 + 21 \times 2}{30}$$

$$= \frac{546}{30} = 18.2(개)$$

자료를 작은 값에서부터 크기순으로 나열할 때, 중앙값은 15번째 값인 18개와 16번째 값인 18개의 평균이므로

$$(중앙값)=\frac{18+18}{2}=18(개)$$

한편 18개와 19개의 도수가 8명으로 가장 크므로 최빈값은 18개, 19개이다.

답 평균 : 18.2개, 중앙값 : 18개, 최빈값 : 18개, 19개

0571 **전략** 자료를 작은 값에서부터 크기순으로 나열하고 자료가 4개일 때의 중앙값은 2번째와 3번째 값의 평균임을 이용한다.
변량 8, 10, 17, a의 중앙값이 12이므로 $10<a<17$임을 알 수 있다.
따라서 변량을 작은 값에서부터 크기순으로 나열하면 8, 10, a, 17이고 중앙값이 12이므로

$$\frac{10+a}{2}=12, 10+a=24 \quad \therefore a=14$$ **답** 14

0572 자료 A의 중앙값이 12이므로 $a=12$
자료 B의 변량이 11, 8, 5, 9, 10이므로
두 자료 A, B의 변량은 4, 16, 10, 17, 12, 11, 8, 5, 9, 10이다.
따라서 두 자료 A, B 전체의 최빈값은 10이다. **답** 10

0573 변량 a, 3, b, 5, 14의 중앙값이 7이므로 5개의 변량을 작은 값에서부터 크기순으로 나열할 때 3번째 값이 7이어야 한다.
그런데 $a<b$이므로 $a=7$
변량 8, a, b, 12, 즉 8, 7, b, 12의 중앙값이 9이므로 $8<b<12$임을 알 수 있다.
따라서 변량을 작은 값에서부터 크기순으로 나열하면 7, 8, b, 12이고 중앙값이 9이므로

$$\frac{8+b}{2}=9, 8+b=18 \quad \therefore b=10$$
$$\therefore b-a=10-7=3$$ **답** 3

0574 점수를 작은 값에서부터 크기순으로 나열할 때, 중앙값은 3번째와 4번째 학생의 점수의 평균이므로 4번째 학생의 점수를 x점이라 하면

$$\frac{73+x}{2}=76, 73+x=152 \quad \therefore x=79$$

이때 점수가 80점인 학생이 들어오면 점수를 작은 값에서부터 크기순으로 나열할 때, 4번째 학생의 점수는 79점이므로 학생 7명의 영어 점수의 중앙값은 79점이다. **답** 79점

0575 **전략** x의 값에 관계없이 자료에서 7이 가장 많이 나타나므로 최빈값은 7회이다.
주어진 자료에서 x의 값에 관계없이 7이 가장 많이 나타나므로 최빈값은 7회이다.

$$(평균)=\frac{7+8+10+7+x+7+6}{7}=\frac{x+45}{7}(회)$$

이때 평균과 최빈값이 같으므로

$$\frac{x+45}{7}=7, x+45=49 \quad \therefore x=4$$ **답** 4

0576 주어진 자료에서 최빈값이 존재하려면 x의 값이 85, 93, 78, 84 중 하나이어야 한다. 즉, 최빈값은 x점이다. ······ (가)

$$(평균)=\frac{85+93+78+84+x}{5}=\frac{340+x}{5}(점) \quad ······ (나)$$

이때 평균과 최빈값이 같으므로

$$\frac{340+x}{5}=x, 340+x=5x$$
$$4x=340 \quad \therefore x=85 \quad ······ (다)$$

답 85

채점 기준	비율
(가) 최빈값이 x점임을 알기	30 %
(나) 평균을 x의 식으로 나타내기	30 %
(다) 평균과 최빈값이 같음을 이용하여 x의 값 구하기	40 %

0577 나머지 한 회원의 나이를 x살이라 하면 농구 동호회 회원 5명의 나이는 13살, 15살, 16살, 16살, x살이고 평균은 15.6살이므로

$$\frac{13+15+16+16+x}{5}=15.6, 60+x=78$$
$$\therefore x=18$$

따라서 나머지 한 회원의 나이는 18살이다. **답** 18살

0578 $(평균)=\frac{3+5+a+6+7+2+b}{7}$
$$=\frac{a+b+23}{7}$$

이때 평균이 5이므로 $\frac{a+b+23}{7}=5$
$a+b+23=35 \quad \therefore a+b=12 \quad ······ ㉠$
한편 최빈값이 3이므로 a, b의 값 중 하나는 3이다.
그런데 $a<b$이므로 ㉠에서 $a=3$, $b=9$
$$\therefore b-a=9-3=6$$ **답** 6

0579 **전략** 평균을 이용하여 변량의 총합을 구한다.
변량 a, b, c, d의 평균이 6이므로
$$\frac{a+b+c+d}{4}=6 \quad \therefore a+b+c+d=24$$
따라서 변량 $3a-4$, $3b-4$, $3c-4$, $3d-4$의 평균은
$$\frac{(3a-4)+(3b-4)+(3c-4)+(3d-4)}{4}$$
$$=\frac{3(a+b+c+d)-16}{4}$$
$$=\frac{3\times24-16}{4}=\frac{56}{4}=14$$ **답** 14

0580 변량 x_1, x_2, x_3, x_4, x_5의 평균이 m이므로
$$\frac{x_1+x_2+x_3+x_4+x_5}{5}=m$$
$$\therefore x_1+x_2+x_3+x_4+x_5=5m$$

따라서 변량 cx_1+d, cx_2+d, cx_3+d, cx_4+d, cx_5+d의 평균은

$$\frac{(cx_1+d)+(cx_2+d)+(cx_3+d)+(cx_4+d)+(cx_5+d)}{5}$$
$$=\frac{c(x_1+x_2+x_3+x_4+x_5)+d\times 5}{5}$$
$$=\frac{c\times 5m+5d}{5}=cm+d \qquad \text{답} \quad cm+d$$

0581 변량 $2a-3$, $2b-3$, $2c-3$, $2d-3$의 평균이 8이므로

$$\frac{(2a-3)+(2b-3)+(2c-3)+(2d-3)}{4}=8$$

$$2(a+b+c+d)-12=32$$

$$\therefore a+b+c+d=22$$

따라서 변량 a, b, c, d의 평균은

$$\frac{a+b+c+d}{4}=\frac{22}{4}=5.5 \qquad \text{답} \quad 5.5$$

0582 [전략] 71점을 제외한 11과목의 성적의 총점을 a점이라 하고 잘못 보아 구한 평균이 실제보다 1점 높게 나왔음을 이용한다.

71점을 제외한 11과목의 성적의 총점을 a점이라 하고 71점을 x점으로 잘못 보았다고 하면

$$\frac{a+x}{12}=\frac{a+71}{12}+1, \quad \frac{a+x}{12}=\frac{a+71+12}{12}$$

$$a+x=a+83 \qquad \therefore x=83$$

따라서 71점을 83점으로 잘못 보았다. $\qquad$ 답 83점

0583 가장 큰 변량을 x, 가장 작은 변량을 y라 하고 x, y를 포함한 서로 다른 5개의 변량의 총합을 a라 하면

$$x+4\times 20=a \qquad\qquad \cdots\cdots ㉠$$

$$y+4\times 30=a \qquad\qquad \cdots\cdots ㉡$$

㉠$-$㉡을 하면 $x-y-40=0 \quad \therefore x-y=40 \quad \cdots\cdots ㉢$

또한 가장 큰 변량과 가장 작은 변량의 합이 60이므로

$$x+y=60 \qquad\qquad\qquad \cdots\cdots ㉣$$

㉢, ㉣을 연립하여 풀면 $x=50$, $y=10$

따라서 5개의 변량의 평균은

$$\frac{50+4\times 20}{5}=\frac{130}{5}=26 \qquad \text{답} \quad 26$$

0584 평균이 90점을 초과했으므로

$$\frac{87+93+97+x}{4}>90, \quad 277+x>360$$

$$\therefore x>83 \qquad\qquad \cdots\cdots ㉠$$

한편 중앙값이 90점이므로 $x\leq 87 \qquad \cdots\cdots ㉡$

따라서 ㉠, ㉡을 모두 만족하는 자연수 x는 84, 85, 86, 87의 4개이다. $\qquad$ 답 4개

0585 자료를 작은 값에서부터 크기순으로 나열하면 5번째와 6번째 수의 평균이 중앙값이고 최빈값은 중앙값과 같으므로 5번째와 6번째 수는 서로 같다.

또한 자료를 작은 값에서부터 크기순으로 나열할 때, 1, 2, 3,

6, 7, 9는 5번째, 6번째 수가 될 수 없으므로 4, 5 중 하나가 중앙값, 최빈값, 평균이 되어야 한다.

$$(\text{평균})=\frac{1+2+3+4+5+6+7+9+a+b}{10}=\frac{a+b+37}{10}$$

(i) 평균이 4인 경우

$$\frac{a+b+37}{10}=4\text{에서 } a+b+37=40$$

$$\therefore a+b=3$$

그런데 a, b 중 어느 하나가 4이어야 하므로 불가능하다.

(ii) 평균이 5인 경우

$$\frac{a+b+37}{10}=5\text{에서 } a+b+37=50$$

$$\therefore a+b=13$$

이때 a, b 중 어느 하나는 5, 나머지는 8이면 조건을 만족한다.

따라서 (i), (ii)에 의해 $ab=40$ $\qquad$ 답 40

STEP 1 **개념 마스터** $\qquad$ p.100

0586 $(\text{평균})=\dfrac{5+10+13+15+7}{5}=\dfrac{50}{5}=10(\text{분})$ $\qquad$ 답 10분

0587 답 -5분, 0분, 3분, 5분, -3분

0588 편차의 총합은 항상 0이므로

$$(-2)+x+2+(-1)+4=0$$

$$x+3=0 \quad \therefore x=-3 \qquad \text{답} \quad -3$$

0589 편차의 총합은 항상 0이므로

$$5+(-3)+(-2)+1+(-4)+x=0$$

$$x-3=0 \quad \therefore x=3 \qquad \text{답} \quad 3$$

0590 편차의 총합은 항상 0이므로

$$(-4)+1+x+8+(x-1)=0$$

$$2x+4=0, \ 2x=-4 \quad \therefore x=-2 \qquad \text{답} \quad -2$$

0591 답 ㉡$-$㉠$-$㉢$-$㉤$-$㉣

0592 $(\text{평균})=\dfrac{3+5+2+4+1}{5}=\dfrac{15}{5}=3$ $\qquad$ 답 3

0593 $(\text{편차의 합})=0+2+(-1)+1+(-2)=0$ $\qquad$ 답 0

0594 $\{(\text{편차})^2\text{의 총합}\}=0^2+2^2+(-1)^2+1^2+(-2)^2$
$$=10 \qquad \text{답} \quad 10$$

0595 $(\text{분산})=\dfrac{(\text{편차})^2\text{의 총합}}{(\text{변량})\text{의 개수}}=\dfrac{10}{5}=2$ $\qquad$ 답 2

0596 $(\text{표준편차})=\sqrt{(\text{분산})}=\sqrt{2}$ $\qquad$ 답 $\sqrt{2}$

0597 전략 편차의 총합은 항상 0임을 이용한다.

편차의 총합은 항상 0이므로

$4+(-3)+1+x+(-5)+(-2)=0$

$x-5=0$ ∴ $x=5$ **답** 5

0598 ㉠ 편차의 총합은 항상 0이므로

$(-1)+x+1+(-2)+5=0$

$x+3=0$ ∴ $x=-3$

㉡ (편차)=(변량)-(평균)이므로 편차가 가장 큰 학생 E의 수학 점수가 가장 높다.

㉢ 학생 C의 편차가 1점이므로 학생 C의 수학 점수는 평균 점수보다 1점 높다. 즉 평균 점수는 학생 C의 수학 점수보다 1점 낮다.

따라서 옳은 것은 ㉠, ㉡이다.   **답** ③

0599 편차의 총합은 항상 0이므로

$(-2)×7+(-1)×10+0×6+1×5+2×x+3×3=0$

$2x-10=0, 2x=10$ ∴ $x=5$ **답** 5

0600 전략 (변량)=(평균)+(편차)임을 이용하여 변량을 구한다.

편차의 총합은 항상 0이므로

$(-8)+3+(-16)+(-14)+x+20+13=0$

$x-2=0$ ∴ $x=2$

금요일에 온 손님 수를 a명이라 하면

$a=70+2=72$

따라서 금요일에 온 손님은 72명이다.   **답** 72명

0601 (평균)=(변량)-(편차)이고 찬원이의 수학 점수는 89점, 편차는 9점이므로

(평균)=$89-9=80$(점), $a=80+4=84$

편차의 총합은 항상 0이므로

$9+4+(-1)+(-5)+c=0, 7+c=0$ ∴ $c=-7$

∴ $b=80+(-7)=73$

∴ $a+b+c=84+73+(-7)=150$ **답** 150

0602 ① 편차의 총합은 항상 0이므로

$(-3)+(x-1)+3x+8+0=0$

$4x+4=0$ ∴ $x=-1$

③ 학생 A, B, C, D, E의 편차는 각각 $-3, -2, -3, 8, 0$ 이고 이 편차를 작은 값에서부터 크기순으로 나열하면 $-3, -3, -2, 0, 8$이므로 B의 몸무게가 중앙값과 같다.

⑤ 몸무게가 평균보다 무거운 사람은 D이다.

따라서 옳지 않은 것은 ③이다.   **답** ③

0603 전략 평균 → 편차 → (편차)²의 총합 → 분산 → 표준편차의 순으로 구한다.

(평균)$=\dfrac{4+5+4+9+10+7+7+8+6+10}{10}$

    $=\dfrac{70}{10}=7$(점)

편차는 각각 $-3, -2, -3, 2, 3, 0, 0, 1, -1, 3$이므로

(분산)

$=\dfrac{(-3)^2+(-2)^2+(-3)^2+2^2+3^2+0^2+0^2+1^2+(-1)^2+3^2}{10}$

$=\dfrac{46}{10}=4.6$

∴ (표준편차)$=\sqrt{(분산)}=\sqrt{4.6}$(점)

답 평균 : 7점, 표준편차 : $\sqrt{4.6}$점

0604 (평균)$=\dfrac{(x+3)+x+(x-1)+(x-2)}{4}=\dfrac{4x}{4}=x$

편차는 각각 $3, 0, -1, -2$이므로

(분산)$=\dfrac{3^2+0^2+(-1)^2+(-2)^2}{4}=\dfrac{14}{4}=\dfrac{7}{2}$ **답** $\dfrac{7}{2}$

0605 (평균)$=\dfrac{8+7+6+9+10}{5}=\dfrac{40}{5}=8$(점)

편차는 각각 $0, -1, -2, 1, 2$이므로

∴ (분산)$=\dfrac{0^2+(-1)^2+(-2)^2+1^2+2^2}{5}=\dfrac{10}{5}=2$

답 2

0606 ① (평균)$=\dfrac{9+10+8+8+7+6}{6}=\dfrac{48}{6}=8$

② 자료를 작은 값에서부터 크기순으로 나열하면 6, 7, 8, 8, 9, 10이므로 (중앙값)$=\dfrac{8+8}{2}=8$

따라서 중앙값은 변량 중에 존재한다.

③ 가장 많이 나타나는 값이 8이므로 최빈값은 8이다.

④ 각 변량들의 편차의 총합은 항상 0이다.

⑤ 편차는 각각 $1, 2, 0, 0, -1, -2$이므로

(분산)$=\dfrac{1^2+2^2+0^2+0^2+(-1)^2+(-2)^2}{6}$

    $=\dfrac{10}{6}=\dfrac{5}{3}$

따라서 옳지 않은 것은 ⑤이다.   **답** ⑤

0607 (평균)$=\dfrac{18+16+13+18+15+15+19+14}{8}$

    $=\dfrac{128}{8}=16$(시간)   ······ ㈎

편차는 각각 $2, 0, -3, 2, -1, -1, 3, -2$이므로

(분산)$=\dfrac{2^2+0^2+(-3)^2+2^2+(-1)^2+(-1)^2+3^2+(-2)^2}{8}$

    $=\dfrac{32}{8}=4$ ······ ㈏

∴ (표준편차)$=\sqrt{4}=2$(시간)   ······ ㈐

답 2시간

채점 기준	비율
(가) 평균 구하기	40 %
(나) 분산 구하기	40 %
(다) 표준편차 구하기	20 %

0608 주어진 자료의 평균이 0이므로

$$\frac{-2+(-3)+a+b+5+3+2}{7}=0$$

$a+b+5=0$　　∴ $a+b=-5$　　$\cdots\cdots$ ㉠

한편 중앙값이 1이므로 a, b의 값 중 하나는 1이다.

이때 $a<b$이므로 ㉠에서 $a=-6$, $b=1$

∴ (분산)$=\dfrac{(-2)^2+(-3)^2+(-6)^2+1^2+5^2+3^2+2^2}{7}$

　　　　　$=\dfrac{88}{7}$　　　　　　　　　**답** $\dfrac{88}{7}$

0609 [전략] 편차의 총합은 항상 0임을 이용하여 학생 B의 키의 편차를 구한다.

학생 B의 키의 편차를 x cm라 하면

편차의 총합은 항상 0이므로

$(-3)+x+4+1+3+(-2)=0$

$x+3=0$　　∴ $x=-3$

(분산)$=\dfrac{(-3)^2+(-3)^2+4^2+1^2+3^2+(-2)^2}{6}$

　　　　$=\dfrac{48}{6}=8$

∴ (표준편차)$=\sqrt{8}=2\sqrt{2}$ (cm)　　　　**답** $2\sqrt{2}$ cm

0610 (분산)$=\dfrac{(-3)^2+4^2+(-5)^2+1^2+3^2}{5}=\dfrac{60}{5}=12$

(표준편차)$=\sqrt{12}=2\sqrt{3}$

답 분산 : 12, 표준편차 : $2\sqrt{3}$

0611 편차의 총합은 항상 0이므로

$3+(-1)+(-2)+0+a+(-2)+(-5)=0$

$a-7=0$　　∴ $a=7$

(분산)$=\dfrac{3^2+(-1)^2+(-2)^2+0^2+7^2+(-2)^2+(-5)^2}{7}$

　　　　$=\dfrac{92}{7}$

∴ $b=\dfrac{92}{7}$

∴ $ab=7\times\dfrac{92}{7}=92$　　　　　　　**답** 92

0612 (1) 편차의 총합은 항상 0이므로

$(-2)\times4+(-1)\times3+0\times5+3\times1+4\times x=0$

$-8+4x=0$, $4x=8$

∴ $x=2$

(2) (분산)$=\dfrac{(-2)^2\times4+(-1)^2\times3+0^2\times5+3^2\times1+4^2\times2}{4+3+5+1+2}$

　　　　$=\dfrac{60}{15}=4$

(3) (표준편차)$=\sqrt{4}=2$　　　　**답** (1) 2　(2) 4　(3) 2

0613 편차의 총합은 항상 0이므로

$(-4)\times2+(-2)\times1+x\times3+1\times2+4\times2=0$

$3x=0$　　∴ $x=0$　　　　　　　$\cdots\cdots$ (가)

(분산)$=\dfrac{(-4)^2\times2+(-2)^2\times1+0^2\times3+1^2\times2+4^2\times2}{10}$

　　　　$=\dfrac{70}{10}=7$　　　　　　　　　$\cdots\cdots$ (나)

∴ (표준편차)$=\sqrt{7}$(점)　　　　　　　$\cdots\cdots$ (다)

답 $\sqrt{7}$점

채점 기준	비율
(가) x의 값 구하기	40 %
(나) 분산 구하기	40 %
(다) 표준편차 구하기	20 %

0614 [전략] 평균, 분산을 이용하여 x, y의 식을 세우고 식의 값을 구한다.

변량 1, 3, x, 6, y의 평균이 3이므로

$$\frac{1+3+x+6+y}{5}=3$$

$x+y+10=15$　　∴ $x+y=5$　　$\cdots\cdots$ ㉠

또 분산이 2.8이므로

$$\frac{(1-3)^2+(3-3)^2+(x-3)^2+(6-3)^2+(y-3)^2}{5}=2.8$$

$x^2+y^2-6(x+y)+17=0$

위의 식에 ㉠을 대입하면

$x^2+y^2-6\times5+17=0$

∴ $x^2+y^2=13$　　　　　　　　　　**답** 13

0615 변량 a, b, c의 평균이 4이므로

$$\frac{a+b+c}{3}=4$$　　∴ $a+b+c=12$　　$\cdots\cdots$ ㉠

또 분산이 3이므로

$$\frac{(a-4)^2+(b-4)^2+(c-4)^2}{3}=3$$

$a^2+b^2+c^2-8(a+b+c)+39=0$

위의 식에 ㉠을 대입하면

$a^2+b^2+c^2-8\times12+39=0$

∴ $a^2+b^2+c^2=57$　　　　　　　**답** 57

0616 변량 a, b, c의 평균이 5이므로

$$\frac{a+b+c}{3}=5$$　　∴ $a+b+c=15$

또 표준편차가 $\sqrt6$, 즉 분산이 6이므로

$$\frac{(a-5)^2+(b-5)^2+(c-5)^2}{3}=6$$

$$\therefore (a-5)^2+(b-5)^2+(c-5)^2=18$$

변량 $a, b, c, 4, 5, 6$에서

$$(평균)=\frac{a+b+c+4+5+6}{6}=\frac{30}{6}=5$$

$\therefore$ (분산)

$$=\frac{(a-5)^2+(b-5)^2+(c-5)^2+(-1)^2+0^2+1^2}{6}$$

$$=\frac{20}{6}=\frac{10}{3}$$

답 $\frac{10}{3}$

0617 편차의 총합은 항상 0이므로

$$(-4)+a+3+b+0=0$$

$$a+b-1=0 \quad \therefore a+b=1 \qquad \cdots\cdots \text{㉠}$$

또 표준편차가 $\sqrt{6}$, 즉 분산이 6이므로

$$\frac{(-4)^2+a^2+3^2+b^2+0^2}{5}=6$$

$$a^2+b^2+25=30 \quad \therefore a^2+b^2=5 \qquad \cdots\cdots \text{㉡}$$

이때 $a^2+b^2=(a+b)^2-2ab$에 ㉠, ㉡을 각각 대입하면

$$5=1^2-2ab, 2ab=-4 \quad \therefore ab=-2 \qquad \textbf{답} -2$$

0618 변량 $a, b, 6, 8$의 평균이 7이므로

$$\frac{a+b+6+8}{4}=7$$

$$a+b+14=28 \quad \therefore a+b=14 \qquad \cdots\cdots \text{㉠}$$

또 표준편차가 $\sqrt{5}$, 즉 분산이 5이므로

$$\frac{(a-7)^2+(b-7)^2+(6-7)^2+(8-7)^2}{4}=5$$

$$a^2+b^2-14(a+b)+80=0$$

위의 식에 ㉠을 대입하면

$$a^2+b^2-14\times14+80=0$$

$$\therefore a^2+b^2=116$$

따라서 a^2, b^2의 평균은 $\dfrac{a^2+b^2}{2}=\dfrac{116}{2}=58$ \qquad **답** 58

0619 **전략** 변량 a, b, c의 평균, 분산을 이용하여 식의 값을 구한 후 $3a-1, 3b-1, 3c-1$의 평균, 분산에 구한 식의 값을 대입한다.

변량 a, b, c의 평균이 4이므로

$$\frac{a+b+c}{3}=4$$

또 표준편차가 3, 즉 분산이 9이므로

$$\frac{(a-4)^2+(b-4)^2+(c-4)^2}{3}=9$$

변량 $3a-1, 3b-1, 3c-1$에서

$$(평균)=\frac{(3a-1)+(3b-1)+(3c-1)}{3}$$

$$=\frac{3(a+b+c)-3}{3}=\frac{3(a+b+c)}{3}-1$$

$$=3\times4-1=11$$

$$(분산)=\frac{(3a-12)^2+(3b-12)^2+(3c-12)^2}{3}$$

$$=\frac{9\{(a-4)^2+(b-4)^2+(c-4)^2\}}{3}$$

$$=9\times9=81$$

$$\therefore (표준편차)=\sqrt{81}=9$$

따라서 구하는 평균과 표준편차의 합은

$$11+9=20 \qquad \textbf{답} 20$$

0620 변량 a, b, c, d, e의 평균이 7이므로

$$\frac{a+b+c+d+e}{5}=7$$

또 분산이 5이므로

$$\frac{(a-7)^2+(b-7)^2+(c-7)^2+(d-7)^2+(e-7)^2}{5}=5$$

변량 $4a, 4b, 4c, 4d, 4e$에서

$$(평균)=\frac{4a+4b+4c+4d+4e}{5}$$

$$=\frac{4(a+b+c+d+e)}{5}$$

$$=4\times7=28$$

$$(분산)=\frac{(4a-28)^2+(4b-28)^2+(4c-28)^2+(4d-28)^2+(4e-28)^2}{5}$$

$$=\frac{16\{(a-7)^2+(b-7)^2+(c-7)^2+(d-7)^2+(e-7)^2\}}{5}$$

$$=16\times5=80$$

답 평균 : 28, 분산 : 80

0621 변량 a, b, c, d의 평균이 20이므로

$$\frac{a+b+c+d}{4}=20$$

또 표준편차가 4, 즉 분산이 16이므로

$$\frac{(a-20)^2+(b-20)^2+(c-20)^2+(d-20)^2}{4}=16$$

변량 $2a+1, 2b+1, 2c+1, 2d+1$의 평균 m과 분산 s^2을 구하면

$$m=\frac{(2a+1)+(2b+1)+(2c+1)+(2d+1)}{4}$$

$$=\frac{2(a+b+c+d)+4}{4}=\frac{2(a+b+c+d)}{4}+1$$

$$=2\times20+1=41$$

$$s^2=\frac{(2a-40)^2+(2b-40)^2+(2c-40)^2+(2d-40)^2}{4}$$

$$=\frac{4\{(a-20)^2+(b-20)^2+(c-20)^2+(d-20)^2\}}{4}$$

$$=4\times16=64$$

$$\therefore s=\sqrt{64}=8$$

$$\therefore m+s=41+8=49 \qquad \textbf{답} 49$$

0622 **전략** 두 집단의 평균이 같으면 전체의 평균도 같다. 또 분산은 (편차)^{2}의 평균이므로 {(편차)^{2}의 총합}=(분산)×(변량의 개수)임을 이용한다.

남학생 10명의 평균과 여학생 20명의 평균이 같으므로 전체 학생 30명의 평균도 같다.

남학생 10명의 (편차)²의 총합은 표준편차가 $\sqrt{6}$점, 즉 분산이 6이므로 $6 \times 10 = 60$

여학생 20명의 (편차)²의 총합은 표준편차가 3점, 즉 분산이 9이므로 $9 \times 20 = 180$

따라서 전체 학생 30명의 (편차)²의 총합은
$60 + 180 = 240$

$\therefore$ (분산) $= \dfrac{240}{30} = 8$

(표준편차) $= \sqrt{8} = 2\sqrt{2}$(점)　　　　　**답** $2\sqrt{2}$점

0623 남학생 20명의 평균과 여학생 15명의 평균이 같으므로 전체 학생 35명의 평균도 같다.

남학생 20명의 (편차)²의 총합은 표준편차가 7점, 즉 분산이 49이므로 $49 \times 20 = 980$

여학생 15명의 (편차)²의 총합은 표준편차가 $\sqrt{7}$점, 즉 분산이 7이므로 $7 \times 15 = 105$

따라서 전체 학생 35명의 (편차)²의 총합은
$980 + 105 = 1085$

$\therefore$ (분산) $= \dfrac{1085}{35} = 31$

(표준편차) $= \sqrt{31}$(점)　　　　　**답** $\sqrt{31}$점

0624 남학생 15명의 평균과 여학생 15명의 평균이 같으므로 전체 학생 30명의 평균도 같다.

남학생 15명의 (편차)²의 총합은 표준편차가 $2\sqrt{5}$시간, 즉 분산이 20이므로 $20 \times 15 = 300$

여학생 15명의 (편차)²의 총합은 표준편차가 $3\sqrt{3}$시간, 즉 분산이 27이므로 $27 \times 15 = 405$

따라서 전체 학생 30명의 (편차)²의 총합은
$300 + 405 = 705$

$\therefore$ (분산) $= \dfrac{705}{30} = 23.5$　　　　　**답** 23.5

0625 **전략** 표준편차가 작을수록 자료의 분포 상태가 고르다고 할 수 있다.

① 2반에 30점 미만인 학생이 있는지 없는지 알 수 없다.

② 주어진 자료만으로는 학생 수를 알 수 없다.

③ 평균이 가장 높은 반이 2반이므로 영어 성적이 가장 우수한 반은 2반이다.

④ 주어진 자료에서 95점 이상인 학생의 분포는 알 수 없다.

⑤ 4반 학생들의 표준편차가 가장 작으므로 4반 학생들의 영어 성적이 가장 고르게 분포되어 있다.

따라서 옳은 것은 ③, ⑤이다.　　　　　**답** ③, ⑤

0626 ① 주어진 자료만으로는 학생 수를 알 수 없다.

②, ③ A 그룹 학생들의 표준편차가 가장 작으므로 A 그룹

학생들의 성적이 가장 고르게 분포되어 있다.

④ 주어진 자료에서 90점 이상인 학생의 분포는 알 수 없다.

⑤ D 그룹 학생들의 평균 점수가 E 그룹 학생들의 평균 점수보다 높으므로 D 그룹 학생들의 성적이 E 그룹 학생들의 성적보다 대체로 우수하다고 할 수 있다.

따라서 옳은 것은 ②, ⑤이다.　　　　　**답** ②, ⑤

0627 B 중학교의 그래프가 A 중학교의 그래프보다 오른쪽에 있으므로 B 중학교의 국어 성적이 A 중학교의 국어 성적보다 우수하다.

또 그래프의 폭이 좁을수록 분포 상태가 고르므로 A 중학교의 국어 성적이 B 중학교의 국어 성적보다 고르게 분포되어 있다.　　　　　**답** B, A

0628 ①~⑤의 평균은 모두 3이고 주어진 자료들 중에서 평균 3을 중심으로 흩어진 정도가 가장 심한 것은 ①이므로 표준편차가 가장 큰 것은 ①이다.　　　　　**답** ①

다른 풀이

① (분산) $= \dfrac{(-2)^2 \times 3 + 2^2 \times 3}{6} = \dfrac{24}{6} = 4$

$\therefore$ (표준편차) $= \sqrt{4} = 2$

② (분산) $= \dfrac{(-2)^2 \times 2 + 0^2 \times 2 + 2^2 \times 2}{6} = \dfrac{16}{6} = \dfrac{8}{3}$

$\therefore$ (표준편차) $= \sqrt{\dfrac{8}{3}} = \dfrac{2\sqrt{6}}{3}$

③ (분산) $= \dfrac{(-1)^2 \times 3 + 1^2 \times 3}{6} = \dfrac{6}{6} = 1$

$\therefore$ (표준편차) $= \sqrt{1} = 1$

④ (분산) $= \dfrac{(-1)^2 \times 2 + 0^2 \times 2 + 1^2 \times 2}{6} = \dfrac{4}{6} = \dfrac{2}{3}$

$\therefore$ (표준편차) $= \sqrt{\dfrac{2}{3}} = \dfrac{\sqrt{6}}{3}$

⑤ (분산) $= \dfrac{(-1)^2 \times 2 + 1^2 \times 2 + (-2)^2 \times 1 + 2^2 \times 1}{6}$

$= \dfrac{12}{6} = 2$

$\therefore$ (표준편차) $= \sqrt{2}$

따라서 표준편차가 가장 큰 것은 ①이다.

0629 무결이와 정인이의 턱걸이 기록의 평균은 모두 15회이고 정인이의 기록이 무결이의 기록보다 평균을 중심으로 가까이 모여 있으므로 정인이의 기록이 더 고르다고 할 수 있다.　　　　　**답** 정인

다른 풀이

무결 : (분산) $= \dfrac{(-2)^2 + (-4)^2 + 0^2 + 2^2 + 4^2}{5} = \dfrac{40}{5} = 8$

정인 : (분산) $= \dfrac{(-1)^2 + 2^2 + 0^2 + 1^2 + (-2)^2}{5} = \dfrac{10}{5} = 2$

따라서 정인이의 분산이 무결이의 분산보다 작으므로 정인이의 기록이 더 고르다고 할 수 있다.

0630 세 선수가 화살을 쏘아 맞힌 점수에 대한 표를 만들면 다음과 같다.

점수(점)	1	2	3	4	5	6	7	8	9	10	합계
A	1			1	1	1	1		1	1	7
B				1	2	2	1		1		7
C	1	1		1		1			1	2	7

위의 표에서 B 선수의 점수가 A, C 두 선수의 점수보다 평균 6점을 중심으로 가까이 있으므로 점수의 표준편차가 가장 작은 선수는 B이다. **답** B

0631 전략 6명의 성적의 분산을 이용하여 나머지 학생 5명의 성적의 (편차)^{2}의 총합을 구한다.

학생 6명 중 성적이 80점인 학생이 한 명 있으므로 나머지 학생 5명의 성적을 a점, b점, c점, d점, e점이라 하자.
학생 6명의 수학 성적의 평균은 80점이고 분산은 25이므로
(학생 6명의 수학 성적의 분산)
$$=\frac{(a-80)^2+(b-80)^2+(c-80)^2+(d-80)^2+(e-80)^2+(80-80)^2}{6}$$
$$=25$$
$$\therefore (a-80)^2+(b-80)^2+(c-80)^2+(d-80)^2+(e-80)^2=150$$
이때 성적이 80점인 학생 한 명을 제외한 나머지 학생 5명의 평균도 80점이므로
(나머지 학생 5명의 수학 성적의 분산)
$$=\frac{(a-80)^2+(b-80)^2+(c-80)^2+(d-80)^2+(e-80)^2}{5}$$
$$=\frac{150}{5}=30$$ **답** 30

0632 자료 A의 변량은 $-50, -49, -48, \cdots, -2, -1$이고 자료 B의 변량은 $1, 2, 3, \cdots, 49, 50$이므로 자료 B의 각 변량은 자료 A의 각 변량에 51을 더한 것과 같다.
따라서 자료 B의 평균은 자료 A의 평균에 51을 더한 것이다. (㉠)
한편 자료 A의 각 편차와 자료 B의 각 편차가 같으므로 그 분산과 표준편차는 각각 같다. (㉢)
따라서 옳은 것은 ㉠, ㉢이다. **답** ②

0633 몸무게가 60 kg, 54 kg인 두 학생의 몸무게가 각각 58 kg, 56 kg으로 -2 kg, $+2$ kg만큼 잘못 기록되었으므로 학생 10명의 몸무게의 합에는 변화가 없다.
따라서 실제 몸무게의 평균은 60 kg이다.
한편 잘못 기록된 두 학생을 제외한 8명의 몸무게의 (편차)^{2}의 총합을 A라 하면
$$(분산)=\frac{(58-60)^2+(56-60)^2+A}{10}=8.4$$
$$\therefore A=64$$

$$\therefore (실제 몸무게의 분산)=\frac{(60-60)^2+(54-60)^2+64}{10}$$
$$=\frac{100}{10}=10$$

답 평균 : 60 kg, 분산 : 10

다른 풀이
학생 10명 중 몸무게가 잘못 기록된 2명의 학생을 제외한 나머지 학생 8명의 몸무게를 각각 a kg, b kg, c kg, d kg, e kg, f kg, g kg, h kg이라 하자.
처음 조사한 몸무게의 평균이 60 kg이므로
$$\frac{a+b+c+d+e+f+g+h+58+56}{10}=60$$
$$\therefore a+b+c+d+e+f+g+h=486$$
또 분산이 8.4이므로
$$\frac{(a-60)^2+(b-60)^2+\cdots+(h-60)^2+(-2)^2+(-4)^2}{10}=8.4$$
$$\therefore (a-60)^2+(b-60)^2+\cdots+(h-60)^2=64$$
따라서 학생 10명의 실제 몸무게의 평균과 분산을 각각 구하면
$$(평균)=\frac{a+b+c+d+e+f+g+h+60+54}{10}$$
$$=\frac{486+60+54}{10}=\frac{600}{10}=60 \text{ (kg)}$$
$$(분산)=\frac{(a-60)^2+(b-60)^2+\cdots+(h-60)^2+0^2+(-6)^2}{10}$$
$$=\frac{64+36}{10}=\frac{100}{10}=10$$

STEP 1 개념 마스터 p.107~p.108

0634 선수 10명의 기록을 순서쌍 (2점슛의 개수, 3점슛의 개수)로 나타내어 산점도를 그린다.

답
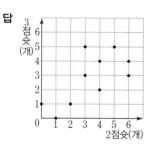

0635 성공시킨 2점슛과 3점슛의 개수가 같은 선수의 기록을 순서쌍 (2점슛의 개수, 3점슛의 개수)로 나타내면 $(3, 3), (4, 4), (5, 5)$의 3명이다. **답** 3명

0636 성공시킨 3점슛의 개수가 4개 이상인 선수의 기록을 순서쌍 (2점슛의 개수, 3점슛의 개수)로 나타내면 $(3, 5), (4, 4), (5, 5), (6, 4)$의 4명이다. **답** 4명

0637 3점슛보다 2점슛을 더 많이 성공시킨 선수의 기록을 순서쌍 (2점슛의 개수, 3점슛의 개수)로 나타내면 $(1, 0)$, $(2, 1)$, $(4, 2)$, $(6, 3)$, $(6, 4)$의 5명이다. **답** 5명

0638 **답** 수학 성적 : 60점, 과학 성적 : 80점

0639 수학 성적과 과학 성적이 같은 학생은 오른쪽 산점도에서 대각선 위의 점을 나타내므로 6명이다.

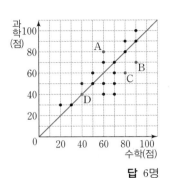

답 6명

0640 A, B, C, D의 수학 성적을 차례로 구하면 60점, 90점, 80점, 40점이므로 수학 성적이 가장 높은 학생은 B이다. **답** B

0641 **답** ⓒ, ⓑ

0642 **답** ⓐ, ⓔ

0643 **답** ⓑ, ⓓ

0644 **답** ⓔ

0645 **답** 양

0646 **답** 음

0647 **답** 양

0648 **답** 없다.

0649 **답** 없다.

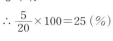
STEP 2 유형 마스터
p.109 ~ p.113

0650 【전략】 두 변량을 비교할 때, 대각선을 긋고 생각한다.

2차 성적이 1차 성적보다 높은 학생은 오른쪽 산점도에서 대각선 위쪽의 점을 나타내므로 6명이다.

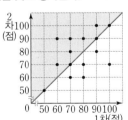

답 6명

0651 수학 성적과 과학 성적이 같은 학생은 오른쪽 산점도에서 대각선 위의 점을 나타내므로 5명이다.

$\therefore \dfrac{5}{20} \times 100 = 25\,(\%)$

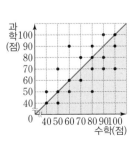

답 25 %

0652 수학 성적이 과학 성적보다 높은 학생은 **0651** 산점도에서 대각선 아래쪽의 점을 나타내므로 9명이다. **답** 9명

0653 【전략】 영어 성적이 80점, 국어 성적이 80점인 선을 긋고 영어 성적과 국어 성적이 모두 80점 이상인 부분에 색칠한다.

영어 성적과 국어 성적이 모두 80점 이상인 학생은 오른쪽 산점도에서 경계선을 포함한 색칠한 부분에 속하는 점을 나타내므로 4명이다.

$\therefore \dfrac{4}{16} \times 100 = 25\,(\%)$

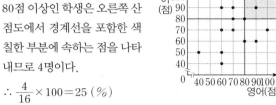

답 25 %

0654 수학 시험 성적이 1회, 2회 모두 5점 미만인 학생은 오른쪽 산점도에서 경계선을 포함하지 않는 색칠한 부분에 속하는 점을 나타내므로 4명이다. ⋯⋯ ㈎, ㈏

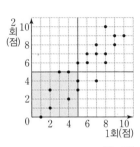

답 4명

채점 기준	비율
㈎ 수학 시험 성적이 1회, 2회 모두 5점 미만인 부분을 그림에 나타내기	60 %
㈏ 수학 시험 성적이 1회, 2회 모두 5점 미만인 학생 수 구하기	40 %

0655 국어 성적과 수학 성적 중 적어도 한 과목의 성적이 90점 이상인 학생은 오른쪽 산점도에서 경계선을 포함한 색칠한 부분에 속하는 점을 나타내므로 6명이다.

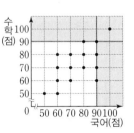

답 6명

0656 【전략】 국어 성적과 수학 성적의 평균이 80점, 즉 두 과목의 총점이 160점이 되는 점을 이어 선을 긋고 생각한다.

국어 성적과 수학 성적의 평균이 80점 이상, 즉 두 과목의 총점이 160점 이상인 학생은 오른쪽 산점도에서 경계선을 포함한 색칠한 부분에 속하는 점을 나타내므로 6명이다.

$\therefore \dfrac{6}{16} \times 100 = 37.5\,(\%)$

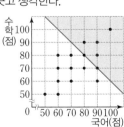

답 37.5 %

0657 미술 실기 점수와 이론 점수의 합이 50점 이하인 학생은 오른쪽 산점도에서 경계선을 포함한 색칠한 부분에 속하는 점을 나타내므로 5명이다.

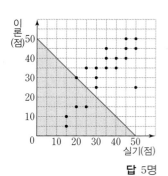

답 5명

0658 두 과목의 평균이 65점 미만, 즉 두 과목의 총점이 130점 미만인 학생은 오른쪽 그림에서 경계선을 포함하지 않는 색칠한 부분에 속하는 점을 나타내므로 4명이다. …… (가), (나)

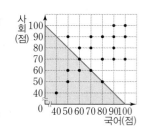

$$\therefore \frac{4}{20} \times 100 = 20 \, (\%)$$ …… (다)

답 20 %

채점 기준	비율
(가) 두 과목의 평균이 65점 미만인 부분을 그림에 나타내기	40 %
(나) 두 과목의 평균이 65점 미만인 학생 수 구하기	40 %
(다) 두 과목의 평균이 65점 미만인 학생이 전체의 몇 % 인지 구하기	20 %

0659 **전략** (수학 성적)−(국어 성적)=10(점), (국어 성적)−(수학 성적)=10(점)이 되는 점을 이어 선을 긋고 생각한다.

국어 성적과 수학 성적의 차가 10점인 학생은 오른쪽 산점도에서 두 직선 위의 점을 나타내므로 8명이다.

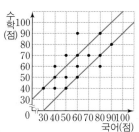

답 8명

0660 1학기에 읽은 책과 2학기에 읽은 책의 권 수 차이가 3권 이상인 학생은 오른쪽 산점도에서 경계선을 포함한 색칠한 부분에 속하는 점을 나타내므로 6명이다.

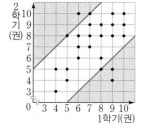

$$\therefore \frac{6}{25} \times 100 = 24 \, (\%)$$

답 24 %

0661 (가)를 만족시키는 학생은 경계선을 포함한 색칠한 부분에 속하는 점을 나타낸다. (나)를 만족시키는 학생은 경계선을 포함한 빗금친 부분에 속하는 점을 나타낸다. 따라서 (가), (나)를 모두 만족시키는 학생은 5명이다.

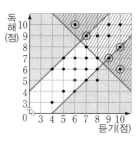

답 5명

0662 ① 기말고사 성적이 중간고사 성적보다 높은 학생은 오른쪽 산점도에서 보라색선 위쪽에 있는 점을 나타내므로 8명이다.
② 중간고사 성적과 기말고사 성적이 같은 학생은 오른쪽 산점도에서 보라색선 위의 점을 나타내므로 6명이다.

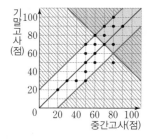

③ 중간고사 성적이 80점 이상인 학생들의 기말고사 성적은 각각 50점, 70점, 90점, 100점, 90점이므로

$$(평균) = \frac{50+70+90+100+90}{5} = \frac{400}{5} = 80(점)$$

④ 중간고사 성적과 기말고사 성적의 평균이 70점 이상, 즉 두 성적의 총점이 140점 이상인 학생은 위 산점도에서 경계선을 포함한 연두색 부분에 속하는 점을 나타내므로 8명이다.

$$\therefore \frac{8}{20} \times 100 = 40 \, (\%)$$

⑤ 중간고사 성적과 기말고사 성적의 차가 20점 이상인 학생은 위 산점도에서 경계선을 포함한 빗금친 부분에 속하는 점을 나타내므로 6명이다.

$$\therefore \frac{6}{20} \times 100 = 30 \, (\%)$$

답 ④

0663 ① 1차와 2차 점수의 합계가 12점 이하인 학생은 오른쪽 산점도에서 경계선을 포함한 연두색 부분에 속하는 점을 나타내므로 4명이다.

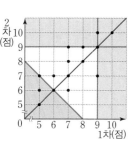

② 1차와 2차 점수가 같은 학생은 위 산점도에서 보라색선 위의 점을 나타내므로 6명이다.
③ 1차보다 2차에서 높은 점수를 얻은 학생은 위 산점도에서 보라색선 위쪽의 점을 나타내므로 7명이다.
④ 1차와 2차 점수 중 적어도 하나가 9점 이상인 학생은 위 산점도에서 경계선을 포함한 빨간색 부분에 속하는 점을 나타내므로 6명이다.

⑤ 2차 점수가 9점인 학생들의 1차 점수는 각각 7점, 8점, 9
점이므로

$$(평균)=\frac{7+8+9}{3}=8(점)$$

따라서 옳은 것은 ④이다. **답** ④

0664 ① 수학 성적과 국어 성적이 모두 60점 미만인 학생은 오른쪽 산점도에서 경계선을 포함하지 않는 연두색 부분에 속하는 점을 나타내므로 4명이다.

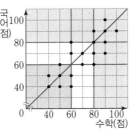

② 수학 성적과 국어 성적이 같은 학생은 위 산점도에서 보라색선 위의 점을 나타내므로 5명이다.

③ 수학 성적이 90점인 학생들의 국어 성적은 각각 70점, 80점, 90점, 100점이므로

$$(평균)=\frac{70+80+90+100}{4}=\frac{340}{4}=85(점)$$

④ 수학 성적과 국어 성적 중 적어도 하나가 80점 이상인 학생은 위 산점도에서 경계선을 포함한 빨간색 부분에 속하는 점을 나타내므로 10명이다.

$$\therefore \frac{10}{20}\times100=50(\%)$$

⑤ 국어 성적이 수학 성적보다 높은 학생 수는 6명이고 수학 성적이 국어 성적보다 높은 학생 수는 9명이므로 국어보다 수학을 잘하는 학생이 수학보다 국어를 잘하는 학생보다 많다.

따라서 옳은 것은 ③이다. **답** ③

0665 [전략] 두 변량 사이에 한쪽이 증가할 때 다른 한쪽도 증가하는지 감소하는지 파악한다.

①, ②, ③, ④ 음의 상관관계
⑤ 양의 상관관계 **답** ⑤

0666 주어진 산점도는 음의 상관관계를 나타내므로 두 변량 사이에 음의 상관관계가 있는 것을 찾으면 ④이다.

①, ② 상관관계가 없다.
③, ⑤ 양의 상관관계 **답** ④

0667 ①, ⑤ 음의 상관관계
③, ④ 양의 상관관계 **답** ②

0668 ④ 산점도에서 두 변량 사이의 상관관계가 강할수록 점들은 좌표축에 평행하지 않은 직선 주위에 가까이 모이는 경향이 있다. **답** ④

0669 주어진 산점도는 두 변량 사이에 상관관계가 없음을 나타낸다.

㉠, ㉣ 양의 상관관계
㉡, ㉢ 상관관계가 없다.
㉤ 음의 상관관계 **답** ③

0670 [전략] 산점도에서 대각선을 기준으로 A, B, C, D, E의 위치를 파악한다.

① 키가 가장 작은 학생은 D이다.
③ B는 E보다 키가 작다.
④ 몸무게가 가장 가벼운 학생은 B이다.
⑤ 키에 비하여 몸무게가 무거운 학생은 C이다.
따라서 옳은 것은 ②이다. **답** ②

0671 ① C는 D보다 과학 성적이 낮다.
② A는 수학 성적과 과학 성적이 모두 낮은 편이다.
③ B는 과학 성적에 비하여 수학 성적이 높은 편이다.
⑤ 수학 성적과 과학 성적 사이에는 양의 상관관계가 있다.
따라서 옳은 것은 ④이다. **답** ④

0672 수입에 비하여 저축을 가장 많이 하는 사람은 오른쪽 산점도에서 대각선 위쪽에 있는 점 중 대각선에서 가장 멀리 떨어져 있는 점을 나타내므로 B이다.

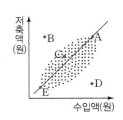

답 ②

0673 ①, ② 수학 성적이 높은 학생은 대체로 영어 성적도 높으므로 양의 상관관계가 있다.

③ C의 수학 성적은 70점, 영어 성적은 40점이므로 영어 성적에 비하여 수학 성적이 높다.

④ 오른쪽 산점도에서 수학 성적이 영어 성적보다 높은 학생은 대각선 아래쪽의 점을 나타내므로 13명이다.

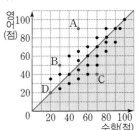

⑤ A, B, C, D의 두 과목의 성적의 차는 각각 40점, 20점, 30점, 0점이므로 두 과목의 성적 차가 가장 작은 학생은 D이다.

따라서 옳지 않은 것은 ④이다. **답** ④

0674 ⑤ A, B, C, D, E 중에서 키에 비하여 앉은키가 가장 큰 학생은 대각선 아래쪽에 있는 점 중 대각선에서 가장 멀리 떨어져 있는 점을 나타내므로 C이다.

따라서 옳지 않은 것은 ⑤이다. **답** ⑤

0675 전략 대푯값은 어떤 자료 전체의 특징을 대표적으로 나타내는 값이다.

대푯값에는 평균, 중앙값, 최빈값 등이 있다. 답 ⑤

0676 전략 자료의 평균, 중앙값, 최빈값을 차례로 구한 후 대소 관계를 나타낸다.

$$(평균)=\frac{2+3+1+5+6+4+3+4+5+4}{10}$$
$$=\frac{37}{10}=3.7(명)$$

자료를 작은 값에서부터 크기순으로 나열하면

1, 2, 3, 3, 4, 4, 4, 5, 5, 6이므로

$$(중앙값)=\frac{4+4}{2}=4(명)$$

4명이 3번으로 가장 많이 나타나므로 (최빈값)=4(명)

∴ (평균)<(중앙값)=(최빈값) 답 ⑤

0677 전략 먼저 a, b, c의 평균을 이용하여 $a+b+c$의 값을 구한 후 이를 이용하여 5개의 변량 8, a, b, c, 13의 평균을 구한다.

변량 a, b, c의 평균이 9이므로

$$\frac{a+b+c}{3}=9 \quad ∴ a+b+c=27$$

따라서 변량 8, a, b, c, 13의 평균은

$$\frac{8+a+b+c+13}{5}=\frac{a+b+c+21}{5}$$
$$=\frac{27+21}{5}$$
$$=\frac{48}{5}=9.6$$

답 9.6

0678 전략 최빈값은 자료의 값 중에서 가장 많이 나타나는 값이다.

주어진 표에서 가장 많은 학생의 취미 활동은 음악 감상이므로 최빈값은 음악 감상이다. 답 음악 감상

0679 전략 줄기와 잎 그림에서 줄기는 십의 자리의 숫자를, 잎은 일의 자리의 숫자를 나타내고 변량은 작은 값에서부터 크기순으로 나열되어 있다.

주어진 자료는 작은 값에서부터 크기순으로 나열되어 있으므로 중앙값은 13번째 값인 54회이다. ⋯⋯ ㈎

또 53회를 한 학생이 3명으로 가장 많으므로 최빈값은 53회이다. ⋯⋯ ㈏

답 중앙값 : 54회, 최빈값 : 53회

채점 기준	비율
㈎ 중앙값 구하기	50 %
㈏ 최빈값 구하기	50 %

0680 전략 자료를 작은 값에서부터 크기순으로 나열할 때, 자료의 개수가 홀수이면 중앙값은 중앙에 놓인 값이다.

5개의 변량의 중앙값이 6권이므로 $x \geq 6$

따라서 x의 값이 될 수 없는 것은 ①이다. 답 ①

0681 전략 먼저 중앙값을 구한 후 그 값이 평균과 같음을 이용하여 x의 값을 구한다.

변량 5, 8, 10, 13, x의 중앙값은 10이고 평균과 중앙값이 같으므로

$$\frac{5+8+10+13+x}{5}=10$$

$x+36=50 \quad ∴ x=14$ 답 ②

0682 전략 평균이 1임을 이용하여 $a+b$의 값을 구한다.

평균이 1이므로

$$\frac{6+(-2)+a+(-7)+1+b+(-3)}{7}=1$$

$$\frac{a+b-5}{7}=1, a+b-5=7$$

∴ $a+b=12$ ⋯⋯ ㉠

한편 최빈값이 1이므로 a, b의 값 중 하나는 1이다.

그런데 $a>b$이므로 ㉠에서

$a=11, b=1$ 답 $a=11, b=1$

0683 전략 (편차)=(변량)−(평균)이므로 (편차)>0이면 점수가 평균보다 높고, (편차)<0이면 점수가 평균보다 낮다.

편차의 총합은 항상 0이므로

$3+(-2)+x+(-1)=0 \quad ∴ x=0$

① (편차)=(변량)−(평균)이므로 편차가 클수록 변량이 크다.
   따라서 A의 점수가 가장 높다.

② 편차가 음수이면 변량은 평균보다 작으므로 B는 평균보다 낮은 점수를 받았다.

③ A의 점수는 평균보다 3점이 높고, D의 점수는 평균보다 1점이 낮으므로 A는 D보다 점수가 4점 높다.

④ C는 편차가 0이므로 평균 점수를 받았다.

⑤ 편차가 작을수록 점수가 낮으므로 점수가 낮은 학생부터 차례로 나열하면 B, D, C, A이다.

따라서 옳지 않은 것은 ⑤이다. 답 ⑤

Lecture

(편차)=(변량)−(평균)이므로

① (편차)>0이면 (변량)>(평균)

② (편차)=0이면 (변량)=(평균)

③ (편차)<0이면 (변량)<(평균)

0684 전략 (편차)=(변량)−(평균)이므로 (변량)=(평균)+(편차)이다.

(변량)=(평균)+(편차)이므로

(A의 몸무게)=58+6=64 (kg)

(D의 몸무게)=58+(−4)=54 (kg)

따라서 두 학생 A, D의 몸무게의 합은

$64+54=118 \, (\text{kg})$ **답** ④

0685 [전략] 평균보다 큰 변량의 편차는 양수이고, 평균보다 작은 변량의 편차는 음수이다.

② (편차)=(변량)-(평균)이므로

평균보다 큰 변량의 편차는 양수이다. **답** ②

0686 [전략] 평균, 편차, 분산, 표준편차 순으로 구한다.

$$(\text{평균})=\frac{21+17+24+18+20}{5}$$

$$=\frac{100}{5}=20 \, (\text{cm}) \qquad \cdots\cdots \text{(가)}$$

각 변량의 편차는 $1, -3, 4, -2, 0$이므로

$$(\text{분산})=\frac{1^2+(-3)^2+4^2+(-2)^2+0^2}{5}=\frac{30}{5}=6 \cdots\cdots \text{(나)}$$

$$\therefore (\text{표준편차})=\sqrt{6} \, (\text{cm}) \qquad \cdots\cdots \text{(다)}$$

답 $\sqrt{6}$ cm

채점 기준	비율
(가) 평균 구하기	30 %
(나) 분산 구하기	50 %
(다) 표준편차 구하기	20 %

0687 [전략] 평균이 6임을 이용하여 $x+y$의 값을 구한다.

평균이 6이므로 $\dfrac{5+4+9+2+x+y+7+8}{8}=6$

$35+x+y=48 \qquad \therefore x+y=13$

이때 최빈값이 7이므로 x, y의 값 중 하나는 7이다.

그런데 $x<y$이므로 $x=6, y=7$

편차가 각각 $-1, -2, 3, -4, 0, 1, 1, 2$이므로

$$(\text{분산})=\frac{(-1)^2+(-2)^2+3^2+(-4)^2+0^2+1^2+1^2+2^2}{8}$$

$$=\frac{36}{8}=\frac{9}{2}$$

$$\therefore (\text{표준편차})=\sqrt{\frac{9}{2}}=\frac{3\sqrt{2}}{2} \qquad \text{답} \; \frac{3\sqrt{2}}{2}$$

0688 [전략] 먼저 편차의 총합은 항상 0임을 이용하여 $a+b$의 값을 구한 후 $(\text{분산})=\dfrac{(\text{편차})^2\text{의 총합}}{(\text{변량})\text{의 개수}}$임을 이용한다.

편차의 총합은 항상 0이므로

$(-4)+(-3)+a+b+5=0$

$a+b-2=0 \qquad \therefore a+b=2 \qquad \cdots\cdots \text{㉠}$

또 분산이 12이므로

$$\frac{(-4)^2+(-3)^2+a^2+b^2+5^2}{5}=12$$

$a^2+b^2+50=60 \qquad \therefore a^2+b^2=10 \qquad \cdots\cdots \text{㉡}$

이때 $a^2+b^2=(a+b)^2-2ab$에 ㉠, ㉡을 각각 대입하면

$10=2^2-2ab, \; 2ab=-6$

$\therefore ab=-3$ **답** -3

0689 [전략] 한 변의 길이가 a인 정사각형의 넓이는 a^2이다.

a, b, c, d의 평균이 5이므로

$$\frac{a+b+c+d}{4}=5 \qquad \therefore a+b+c+d=20 \qquad \cdots\cdots \text{㉠}$$

또 분산이 3이므로

$$\frac{(a-5)^2+(b-5)^2+(c-5)^2+(d-5)^2}{4}=3$$

$a^2+b^2+c^2+d^2-10(a+b+c+d)+88=0$

위 식에 ㉠을 대입하면

$a^2+b^2+c^2+d^2-10\times20+88=0$

$\therefore a^2+b^2+c^2+d^2=112$

따라서 한 변의 길이가 각각 a, b, c, d인 정사각형의 넓이의 합은 $a^2+b^2+c^2+d^2=112$ **답** ④

0690 [전략] 변량 a, b, c의 평균이 m, 표준편차가 s일 때, $a-q, b-q, c-q$의 평균은 $m-q$, 표준편차는 s이다. (단, q는 상수)

변량 a, b, c, d, e에서

$$m=\frac{a+b+c+d+e}{5}$$

$$s^2=\frac{(a-m)^2+(b-m)^2+(c-m)^2+(d-m)^2+(e-m)^2}{5}$$

$$\cdots\cdots \text{(가)}$$

변량 $a-5, b-5, c-5, d-5, e-5$에서

$$(\text{평균})=\frac{(a-5)+(b-5)+(c-5)+(d-5)+(e-5)}{5}$$

$$=\frac{(a+b+c+d+e)-5\times5}{5}$$

$$=\frac{a+b+c+d+e}{5}-5$$

$$=m-5 \qquad \cdots\cdots \text{(나)}$$

$$(\text{분산})=\frac{1}{5}\{(a-5-m+5)^2+(b-5-m+5)^2$$

$$+\cdots+(e-5-m+5)^2\}$$

$$=\frac{(a-m)^2+(b-m)^2+(c-m)^2+(d-m)^2+(e-m)^2}{5}$$

$$=s^2$$

$\therefore (\text{표준편차})=\sqrt{s^2}=s \qquad \cdots\cdots \text{(다)}$

답 평균 : $m-5$, 표준편차 : s

채점 기준	비율
(가) m, s^2을 변량 a, b, c, d, e의 식으로 나타내기	20 %
(나) $a-5, b-5, c-5, d-5, e-5$의 평균을 m의 식으로 나타내기	40 %
(다) $a-5, b-5, c-5, d-5, e-5$의 표준편차를 s의 식으로 나타내기	40 %

📝 **Lecture**

표준편차는 자료의 분포 상태, 즉 자료가 흩어진 정도를 나타내는 것이므로 변량 전체에 일정한 값을 더하거나 빼어도 표준편차에는 변함이 없고, 변량 전체에 일정한 값을 곱하면 그 표준편차는 일정한 값의 절댓값을 곱한 것과 같다.

0691 전략 분산은 편차의 제곱의 평균이므로
{(편차)²의 총합}=(분산)×(변량의 개수)이다.

지성이, 정환이가 가지고 있는 달걀의 무게의 평균이 같으므로 전체 달걀 10개의 무게의 평균도 같다.

지성이의 달걀 3개의 무게의 (편차)²의 총합은 표준편차가 2 g, 즉 분산이 4이므로 4×3=12

정환이의 달걀 7개의 무게의 (편차)²의 총합은 표준편차가 4 g, 즉 분산이 16이므로 16×7=112

따라서 전체 달걀 10개의 무게의 (편차)²의 총합은
12+112=124

$$\therefore (분산)=\frac{124}{10}=12.4$$

답 12.4

> **Lecture**
> 평균이 같은 두 집단 전체의 분산
> $$\Rightarrow \frac{(편차)^2의 총합}{(도수)의 총합}$$

0692 전략 성적이 우수한 반은 평균이 높은 반이고, 성적이 고른 반은 표준편차가 작은 반이다.

A반의 평균이 가장 높으므로 성적이 가장 우수한 반은 A반이고, 표준편차가 작을수록 성적이 고르므로 성적이 가장 고른 반은 표준편차가 가장 작은 C반이다. **답** ②

0693 전략 분산이 작을수록 자료는 평균을 중심으로 가까이 모여 있으므로 분산이 작은 모둠의 성적이 더 고르다고 할 수 있다.

A 모둠에서
$$(평균)=\frac{5+6+6+9+9}{5}=\frac{35}{5}=7(점)$$

$$\therefore (분산)=\frac{(-2)^2+(-1)^2+(-1)^2+2^2+2^2}{5}$$
$$=\frac{14}{5} \qquad \cdots\cdots (가)$$

B 모둠에서
$$(평균)=\frac{4+4+4+6+7}{5}=\frac{25}{5}=5(점)$$

$$\therefore (분산)=\frac{(-1)^2+(-1)^2+(-1)^2+1^2+2^2}{5}$$
$$=\frac{8}{5} \qquad \cdots\cdots (나)$$

B 모둠의 분산이 A 모둠의 분산보다 작으므로 B 모둠의 성적이 A 모둠의 성적보다 더 고르다. $\cdots\cdots$ (다)

답 B 모둠, 풀이 참조

채점 기준	비율
(가) A 모둠의 분산 구하기	40 %
(나) B 모둠의 분산 구하기	40 %
(다) 두 모둠의 분산을 비교하여 어느 모둠의 성적이 더 고른지 파악하고, 그 이유를 설명하기	20 %

0694 전략 두 변량을 비교할 때는 대각선을 긋는다.

① 국어 성적과 영어 성적이 같은 학생은 오른쪽 산점도에서 대각선 위의 점을 나타내므로 4명이다.

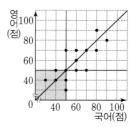

② 국어 성적과 영어 성적 사이에는 양의 상관관계가 있다.

③ 영어 성적이 국어 성적보다 높은 학생은 위 산점도에서 대각선 위쪽에 있는 점을 나타내므로 5명이다.

④ 국어 성적과 영어 성적이 모두 50점 이하인 학생은 경계선을 포함한 색칠한 부분에 속하는 점을 나타내므로 6명이다.

⑤ 국어 성적이 50점인 학생들의 영어 성적은 각각 30점, 40점, 50점, 70점이므로

$$(평균)=\frac{30+40+50+70}{4}=\frac{190}{4}=47.5(점)$$

따라서 옳지 않은 것은 ②, ④이다. **답** ②, ④

0695 전략 (2차 점수)−(1차 점수)=2(점)이 되는 점을 이어 선을 긋는다.

1차에 비해 2차 점수가 2점 이상 향상된 학생은 오른쪽 산점도에서 경계선을 포함한 색칠한 부분에 속하는 점을 나타내므로 3명이다.

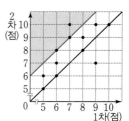

다른 풀이
1차에 비해 2차 점수가 2점 이상 향상된 학생들의 점수를 순서쌍 (1차 점수, 2차 점수)로 나타내면
(6, 8), (7, 9), (7, 10)이므로 3명이다. **답** 3명

0696 전략 먼저 상위 30 % 이내에 드는 학생 수를 구한다.

전체 20명의 30 %는 $20\times\frac{30}{100}=6$(명)이므로 상위 6등 이내에 드는 학생들의 성적을 순서쌍 (과학 성적, 수학 성적)으로 나타내면 (100, 100), (100, 90), (90, 100), (90, 90), (90, 80), (80, 80)이다.

따라서 상위 30 % 이내에 들려면 두 과목 성적의 평균은 80점 이상이어야 한다. **답** 80점 이상

0697 전략 시·도별 인구수가 많을수록 하루 음식물 쓰레기 발생량이 적어지는지 많아지는지 생각한다.

시·도별 인구수 x명이 많을수록 하루 음식물 쓰레기 발생량 y t이 많아지므로 양의 상관관계가 있다

따라서 산점도로 가장 알맞은 것은 ①이다. **답** ①

0698 전략 달리기는 기록이 빠를수록 잘 달리는 것임에 주의한다.

② A는 달리기는 잘하지만 멀리뛰기는 못하는 편이다.

답 ②